Het flowfestival

Van Rain Mitchell zijn verschenen:
De yogaclub ◈
Het flowfestival ◈

◈ Ook als e-book verkrijgbaar

RAIN MITCHELL

Het flowfestival

SIJTHOFF

Uitgeverij Sijthoff en Drukkerij HooibergHaasbeek vinden het belangrijk om op milieuvriendelijke en verantwoorde wijze met natuurlijke bronnen om te gaan.

Published by arrangement with Plume, a member of the Penguin Group (USA) Inc.
Uitgeverij Luitingh ~ Sijthoff B.V., Amsterdam
Oorspronkelijke titel: *Head over Heels*
Vertaling: Inger Limburg
Omslagontwerp: Annemarie van Pruyssen
Omslagfotografie: Creative via Getty Images

ISBN 978 90 218 3878 6
NUR 302

www.boekenwereld.com
www.uitgeverijsijthoff.nl
www.watleesjij.nu

Voor P.H.
Dank je wel dat je het balletje aan het rollen bracht en je in alle bochten hebt gekronkeld om het in beweging te houden.

Deel een

Het is een warme ochtend in mei en Lee zit op haar mat in een kleine yogastudio een paar straten van het strand van Santa Monica. Er staat één raam open, maar het zwakke briesje dat naar binnen waait, kan de zware geur van de Nag Champa-wierook die als een gifwolk in de lucht hangt, niet verdrijven. Het bevestigt nog maar eens dat Lee er goed aan heeft gedaan om te stoppen met het branden van wierook in Edendale, haar eigen studio in Silver Lake – niet vanwege de gezondheid maar omdat het zo'n ontzettend cliché is.

De studio is afgeladen, zoals ze al had verwacht, en er hangt een zinderende spanning. Al een paar maanden hoort ze allerlei verhalen over de leraar, David Todd, maar ze heeft het te druk gehad om zelf een les bij hem te volgen. Hij is een rondtrekkende leraar met een trouwe schare volgelingen maar geen eigen studio. Hij werkt als freelancer in de hele stad en heeft de reputatie zeer onafhankelijk en een beetje excentriek te zijn, eigenschappen die Lee meestal wel aanspreken bij een leraar, zolang het niet omslaat naar divagedrag. Hij staat bekend om zijn verzet tegen de gevestigde orde en de recente commercialisering van yoga – gek genoeg maakt dat hem juist commercieel interessanter en is hij zeer in trek bij diezelfde gevestigde orde. Het aanzien dat hij geniet als meester wordt nog vergroot door het feit dat yoga niet het enige is wat hij doet. Ze heeft gehoord dat David Todd (dt) ook vechtsportles geeft aan probleemjongeren op openbare scholen en dat hij een verdienstelijk beeldhouwer is.

Lee had op het yogablog Asana Junkie over deze les gelezen. Lainey, de nieuwe assistent die Lee heeft aangenomen om haar een handje te helpen bij Edendale, hamert er steeds op dat Lee iedere ochtend minstens drie van de ontelbare yogablogs moet lezen en ervoor moet zorgen dat zijzelf en de studio in een paar van die blogs worden vermeld. Zes maanden geleden heeft Lee een huurcontract afgesloten voor het pand naast haar studio, waar tot voor kort een boekhandel zat, en de nieuwe vleugel van Edendale gaat over ongeveer een maand open. Ze zullen alle klanten nodig hebben die ze kunnen krijgen om de rekeningen te betalen.

'dt is morgen in sm,' was op het blog te lezen, 'en tenzij ik een spoedoperatie moet ondergaan of Johnny Depp eindelijk mijn telefoontje beantwoordt, ben ik erbij, met mijn Manduka eKo-mat onder de arm. En jij moet er ook naartoe, als je maar niet mijn plaatsje wegkaapt.'

Lee had op de link geklikt en zich aangemeld voor twee personen. Helaas had Katherine, haar vriendin en de masseuse van de studio, op het laatste moment afgezegd zonder nadere toelichting. Het was een lange reis van Silver Lake naar Santa Monica, maar hopelijk was het de moeite waard. Het is eeuwen geleden dat Lee tijd had om zelf een yogales te volgen.

Toen ze ruim voor aanvang aankwam, was het al razend druk. Het is een eenvoudige studio, niet veel groter dan Edendale. Omdat ze bezig is het nieuwe gedeelte van haar studio in te richten en het oude gedeelte op te knappen, kijkt Lee nu vooral naar de aankleding van de ruimte. De muren hebben een lichtblauwe gloed en er zijn lukraak wat posters opgehangen met afbeeldingen van lotusbloemen, taferelen met water en niet-gespecificeerde paarse godheden. Lee's hele leven staat in het teken van yoga en ze is iedere dag weer dankbaar voor haar leraren en inspirators, maar ze kan niet ontkennen dat de yoga-decoratie in de meeste studio's nogal deprimerend is.

Lee herkende een paar gezichten van congressen en uit het geroezemoes en de flarden van gesprekken die ze opving kon ze opmaken dat meer dan twee derde van de aanwezigen zelf lesgeeft. Ze hoorde nerveuze opmerkingen over al die nieuwe studio's, klachten over het gebrek aan betrouwbare vrijwilligers en de gebruikelijke discussies over de behoefte aan docentenopleidingen. Lee heeft zelf weinig zin om dit soort opleidingen aan te bieden en inmiddels heeft ze haar buik vol van dit onderwerp.

'Ik geef dit jaar drie opleidingen. De vraag is zo groot dat ik er wel tien zou kunnen geven als een jaar meer weken had.'

'Wij bieden aan het einde van onze opleiding een sessie van een hele dag aan waarin we uitleggen hoe je je diploma kunt gebruiken om een baan te vinden die niet aan yoga gerelateerd is.'

'Wat een goed idee! Een vriendin van mij helpt mensen die hun diploma hebben gehaald, terug te keren naar het werk dat ze deden vóór de opleiding. Ik weet zeker dat zij wel een keer een presentatie zou willen geven.'

'Ik heb geprobeerd Kyra Monroe te strikken als gastdocent bij onze opleiding, maar zij vraagt een vast honorarium plus vijfenzeventig procent van de opbrengst van die dag.'

'Tja, haar man werkte vroeger als vertegenwoordiger van acteurs, dus...'

'Ik heb gehoord dat ze uit elkaar zijn.'

'Iemand heeft me verteld dat ze zich op haar website priesteres Kyra noemt.'

'Verbaast me niets, zoals ze eruitziet.'

'Ik heb gehoord dat ze zelf geen enkele opleiding heeft gehad. Zou dat waar zijn?'

'Ze is dit jaar een van de grote sterren op het Flow and Glow Festival. Ik ga er zeker heen, al moet ik mijn auto verkopen.'

Lee belandde helemaal achter in de zaal. Gewoonlijk staat ze liever niet zo dicht bij de muur als ze yoga doet, maar ze heeft in Santa Monica een extra kop koffie gedronken en ze is een beetje trillerig. Alles bij elkaar genomen zou de muur nog wel eens van pas kunnen komen als ze haar evenwicht verliest. De vrouw naast haar, die bezig is met een serie intensieve rekoefeningen voor de hamstrings, kijkt naar Lee en glimlacht.

'Lee,' zegt ze stralend. 'Shelly Mance. Ik kwam heel vaak bij Edendale toen ik in Silver Lake woonde. Jij was mijn eerste lerares.'

Ze komt naar Lee toe en omhelst haar hartelijk. Het is niet zo dat Lee zich haar niet herinnert; het is alleen zo dat ze zich haar niet precíes herinnert. Het is het soort gezicht dat je bekend voorkomt, maar dat je niet meer kunt plaatsen, net als een liedje dat je wel eens hebt gehoord. Net als een heleboel andere vrouwen in de zaal is Shelly helemaal in het wit en draagt ze grote, zilveren sieraden. Sinds wanneer dragen ze sieraden tijdens de yogales? Lee is bijna zes jaar geleden begonnen met Edendale Yoga, en hoewel ze zich de meesten van haar leerlingen nog wel herinnert is er in sommige gevallen sprake van vervaging.

'Misschien weet je niet meer wie ik ben,' zegt Shelly. 'Ik was een stuk dikker.'

De mist begint op te trekken. Shelly was inderdaad een heel stuk dikker, maar daar zegt Lee maar niets over. 'Had je geen paarse highlights in je haar?'

'O, begin daar alsjeblieft niet over.'

Lee herinnert zich Shelly als een toegewijde en opvallend lenige leerling. Duidelijk iemand die tot aan haar adolescentie had geturnd en waarschijnlijk nogal had gejojood met haar gewicht. Lee is niet in de positie om daarover te oordelen. 'Ben je nog steeds zo goed in splits?' vraagt Lee.

'Mijn god, ongelooflijk dat je dat nog weet. Je hebt me heel erg geïnspireerd. Ik ben nu zelf ook leraar.'

'Wat goed,' zegt Lee. Er zijn tegenwoordig zoveel mensen die beweren yoga-docent te zijn, dat je altijd voorzichtig moet zijn met doorvragen. Het is net zoiets als een acteur vragen of hij op tv is geweest of een schrijfster of er al iets van haar is uitgegeven. 'Hier?' vraagt ze.

'Nee, was het maar waar, dit is zo'n geweldige studio. Bij Yoga-Happens. Ze nemen een paar grote sterren in dienst en dan een hele batterij stagiaires om het schema te vullen. Ze betalen slecht, maar het is een goede manier om ervaring op te doen.'

Lee knikt. Shelly's woorden bevestigen wat ze allang vermoedde. YogaHappens, de grote keten die vorig jaar probeerde haar in te lijven, laat de leerlingen een fortuin betalen voor lessen met instructeurs die nog in opleiding zijn.

'Waarom kom je niet weer eens naar Edendale?' zegt Lee. 'We

staan op het punt een heel nieuwe vleugel te openen. Bovendien branden we geen wierook.'

'Ik weet het, het is nogal sterk vandaag. Goed dat ik mijn inhalator heb meegenomen.' Ze haalt het apparaatje uit haar zak en neemt een pufje. 'Ik zou dolgraag weer bij jou les komen nemen. Waarschijnlijk zou ik nu nog beter doorhebben hoe goed je eigenlijk bent; voorheen zat ik de halve les naar Alan te staren. Wat is dat toch een knappe man. En jullie hebben zo'n geweldig huwelijk. Iedereen kijkt tegen jullie op, dat weet je toch wel?'

Lee voelt de bekende steek in haar borst als ze dat hoort, hoewel ze merkt dat de pijn iedere maand wat minder scherp wordt. Het is nu bijna een jaar geleden dat ze uit elkaar zijn gegaan.

'Je hoeft je geen zorgen meer te maken dat je wordt afgeleid door Alan.' Ze glimlacht naar Shelly en besluit het daarbij te laten.

'O, oké. Wat... eh... erg voor je?'

'Nee hoor,' zegt Lee. 'Ik vind het niet zo erg.'

De ongemakkelijke stilte wordt verbroken door de binnenkomst van David Todd en bijna onmiddellijk is Lee het hele gesprek vergeten. Hij is niet lang – waarschijnlijk maar een paar centimeter langer dan Lee. Hij heeft de pezige ledematen van een geboren atleet en een brede, innemende lach. Hij draagt een bril met een dun montuur, wat iets vertederends heeft omdat het helemaal niet bij zijn type past. Dat hij meester is in de een of andere esoterische vechtkunst is duidelijk te zien aan zijn postuur en de stevige, zelfverzekerde tred waarmee hij de ruimte betreedt. Maar tegelijkertijd weet hij een vleugje zelfspot in zijn bewegingen te leggen, waardoor hij iets puppyachtigs krijgt waar Lee als een blok voor valt. De meeste docenten die bij Lee op gesprek zijn geweest voor een baan bij Edendale presenteren zich met de sombere ernst van een begrafenisondernemer. Het is prettig om een keer een glimlach te zien. Het eenvoudige T-shirt dat hij draagt, geeft hem een pretentieloze en extra sexy uitstraling.

Nog voordat hij zijn mond heeft opengedaan, raakt Lee in de greep van een emotie die ze niet meteen herkent, omdat ze die zo lang niet heeft gevoeld. O nee, denkt ze, ik word verliefd.

Hij gaat naar een van de ramen en zet het verder open. 'Eerst maar eens deze smog weg zien te krijgen,' zegt hij, terwijl hij met zijn handen de wierookdampen wegwappert.

Voor het eerst in lange tijd is Lee zowaar blij dat ze in een scheiding zit. David Todd is precies de persoon die ze nodig heeft om haar docententeam compleet te maken, en Alan wilde nooit mannen aannemen. 'Het is al het gedoe niet waard,' zei hij altijd. 'Ze versieren de leerlingen en voor je het weet heb je een rechtszaak aan je broek.' Jammer dat Lee niet eerder had ingezien dat hij het over zichzelf had. Het laatste wat Alan wilde was met anderen moeten wedijveren om de aandacht en om gewillige leerlingen. Het is waar dat de hectiek rond de studio van de laatste tijd haar soms wat te veel wordt, maar ze kan tenminste wel zelf beslissen wie ze aanneemt. En opeens blijkt dat een groot voordeel te zijn.

Naast het lesgeven, het beheer van de studio en de zorg voor de kinderen, kan Lee zelf hoogstens één les per maand volgen – in een goede maand. Ze gaat altijd zo vroeg mogelijk naar Edendale om haar eigen oefeningen te doen, maar meestal is dat in feite een repetitie voor de lessen die ze die dag zal geven, onderbroken door aantekeningen over de volgorde van de oefeningen en de exacte uitvoering. Als David plaatsneemt op zijn mat en zijn nek een paar keer op een overdreven en komische manier rekt, waarbij hij eruitziet als een superheld van elastiek, herinnert Lee zich hoe leuk het kan zijn om je door iemand anders te laten leiden.

'Ik weet niet hoe het met jullie staat,' zegt David, 'maar ik ben vandaag in een rare bui. Ik ben net terug van een bezoek aan mijn familie in Chicago en ik ben moe van het reizen, moe van mijn familie en ik heb een enorme suikerdip. Jullie vragen je ongetwijfeld af waarom ik dat allemaal vertel, maar ik zal mijn best doen het op een nuttige manier te verwerken in de les. Dus... heb geduld, mensen.'

Het is gevaarlijk om persoonlijke dingen te vertellen, maar door zijn ironische ondertoon en enorme grijns werkt het. Hij heeft zichzelf van een intimiderend fitte, aantrekkelijke leraar veranderd in de zielenpoot met familieproblemen met wie iedereen zich kan identificeren. En op wie je misschien wel verliefd wordt. Bijna alles wat hij zegt lokt volle lachsalvo's uit die betekenen dat ze hem niet alleen grappig vinden maar hem ook aanbidden.

De magie begint pas echt als hij de eerste instructies geeft. Hij leidt de groep door een van de origineelste series die Lee in lange tijd heeft gezien. Hij slaagt erin traditionele zonnegroeten te combineren met trapbewegingen uit de vechtsport en sierlijke bewegingen die een beetje doen denken aan Martha Graham. Terwijl hij door de ruimte loopt en de hele groep aan het lachen maakt, geeft hij zulke nauwkeurige en gedetailleerde aanwijzingen voor de poses dat Lee soepeler dan ooit overgaat in de *Parsva bhuja dandasana*, de libellehouding (die ze altijd lastig heeft gevonden), en de zwevende halve maan. De vrolijkheid die hij oproept en de vele glimlachjes die hij aan zijn leerlingen ontlokt, maken alles gemakkelijker en ontspannener.

Lee heeft vaak de indruk dat de al te ernstige, eerbiedige toon waarop sommige leraren spreken, tot gevolg heeft dat de leerlingen zich geremd voelen en hun zelfs – ze is er nog niet achter hoe dat precies komt – het gevoel geeft dat ze met elkaar moeten wedijveren. Alsof de beste zijn belangrijker is dan plezier hebben. Ze probeert zelf op een luchtige, niet al te gedragen toon te spreken, maar dt slaagt daar beter in dan zij, met meer charme en minder moeite.

Wat Lee nog het indrukwekkendst vindt, is dat hij aan het einde van de les, als de groep in *savasana* ligt – de ogen gesloten en met een opgevouwen deken zwaar op hun buik – en hij door de ruimte loopt om hier en daar mensen te corrigeren, terugkomt op zijn familiebezoek. Maar nu op een rustigere, somberdere toon, die past bij de inhoud.

'Want wat ik dit weekend besefte, was dat ik me, hoezeer ik ook van mijn familie hou – en ik hou echt van ze, ondanks onze verschillen –, veel sterker verbonden voel met jullie. Misschien denken jullie dat ik helemaal niet weet wie jullie zijn. En in de meeste gevallen is dat ook zo. Maar hier, in deze ruimte, waar iedereen samenwerkt met dezelfde instelling, waar iedereen tegelijk ademt, worstelt met de zwaartekracht en zijn grenzen een klein beetje verlegt, heb ik het gevoel dat we op geestelijk niveau met elkaar in verbinding staan, als jullie begrijpen wat ik bedoel.

Dus waar het op neerkomt, is dat ik niets anders kan verzinnen dan steeds maar weer naar jullie terugkeren, overal waar ik lesgeef, want het klinkt misschien dom, misschien slaat het nergens op, maar jullie voelen als mijn echte familie.'

Lee hoort zijn voetstappen naderen en dan voelt ze de warmte van zijn handen die lichtjes op haar voorhoofd worden gelegd.

'Dit is waar ik in geloof en waar ik om geef, en dit is wat ervoor zorgt dat mijn leven niet ontspoort.'

Niet dat dit zo bijzonder en diepzinnig is, maar het klinkt zo oprecht dat Lee diep geraakt is. Het is alsof al het verdriet van het afgelopen jaar, samen met de wond die Shelly voor de les heeft opengereten naar boven komt, en eindelijk ziet ze in dat wat haar op de been heeft gehouden – meer nog dan haar tweelingzoontjes (ook al vindt ze het verschrikkelijk om dat toe te geven) – het gevoel van verbinding en liefde is dat ze van haar leerlingen in de studio krijgt. Ze wil er niet aan denken hoe het afgelopen jaar zou zijn verlopen als ze dat niet had gehad. Terwijl ze daar op de grond ligt en de tranen over haar gezicht stromen, weet ze dat ze alles zal doen om de uitbreiding van de studio tot een succes te maken. Ze móét wel; een andere optie is er niet.

En op dit moment weet ze dat ze om dat te bereiken David Todd moet overhalen zijn nomadenbestaan op te geven en in haar studio les te komen geven. Het moet zo zijn.

'Vind je hem niet geweldig?' zegt Shelly tegen Lee terwijl ze haar mat oprolt.

'Nou en of,' zegt Lee. Ze heeft het gevoel dat ze een lange, spannende rit in een achtbaan heeft gemaakt, maar zonder de duizeligheid en de misselijkheid. Lichamelijk voelt ze zich energiek, mentaal vooral moe. 'Ga je vaak naar zijn lessen?'

'Zo vaak mogelijk. Als je wilt, kan ik je aan hem voorstellen. Ik heb altijd wel wat aan hem te vragen.' Shelly slaat haar ogen ten hemel.

Lee kijkt naar de lange rij leerlingen die staan te wachten op een gesprekje met dt of misschien zijn handtekening. Zo te zien kan het wel even duren en ze moet terug naar Silver Lake voor haar eigen les. Ze loopt naar de wand met kastjes achterin waar haar spullen liggen en krabbelt iets op een van de visitekaartjes die ze op aandringen van Lainey heeft laten maken. Misschien was het toch geen weggegooid geld.

'Zou je dit aan hem willen geven?' vraagt Lee aan Shelly. 'Ik zou je heel dankbaar zijn.'

'Ik zal erbij zeggen dat het van de beste docent in L.A. is – hemzelf meegerekend.'

Katherine zit in haar naaikamer en doorloopt een paar zonnegroeten in een poging de frustratie te verdrijven over haar huisbaas die niet is komen opdagen terwijl ze de hele dag op hem heeft zitten wachten. Ze had afgesproken om met Lee naar een les in Santa Monica te gaan, maar dat heeft ze moeten afzeggen. Ze weet dat thuis yoga doen voor veel mensen het ideaal is, maar het is haar nooit gelukt het langer dan twintig minuten achter elkaar vol te houden. Zodra ze bij een houding komt die ze niet prettig vindt, slaat ze die over of gaat ze iets lekkers halen. Als mensen het hebben over de geweldige yogasessies die ze thuis houden, bedoelen ze waarschijnlijk dat ze tien tot vijftien minuten echt oefenen en daarna in slaap vallen of masturberen.

Terwijl ze probeert zich ertoe te zetten om op zijn minst één boothouding te doen (de houding die ze het meest vreest), hoort ze iemand op het raam kloppen. Ze komt snel overeind en inderdaad staat haar huisbaas met zijn neus tegen het raam, de ogen afgeschermd met zijn handen, naar binnen te turen.

Tom (ze weigert hem Tommy te noemen, ook al dringt hij daar steeds op aan) wil de gedachte achter de deurbel maar niet begrijpen. Hij komt altijd onaangekondigd langs en staat dan opeens voor een raam of in de tuin. Vandaag wist ze tenminste dat hij zou komen, zij het een paar uur eerder. Ze weet allang dat hij haar leuk vindt. Aangezien hij een vrouw heeft en in wezen ongevaarlijk is, en aangezien zijn gevoelens voor haar in haar voordeel hebben gewerkt sinds ze in dit houten huisje woont, vindt ze dat niet zo erg. Ze krijgt de rillingen van zijn onverwachte bezoekjes en zijn slome, gebogen houding, maar hij is nooit over de schreef gegaan en ze moet bekennen dat veel van haar ex-vriendjes een stuk enger waren dan Tom.

Ze wijst naar de voorkant van het huis en ze ontmoeten elkaar bij de deur.

'Deed de deurbel het niet, Tom?' vraagt ze.

'O... eh... ik dacht dat ik je achter het huis hoorde, dus...'

Ze gaat hem voor naar de keuken en trekt een stoel voor hem naar achteren aan het tweedehands eettafeltje dat ze voor een prikje op de verkoopsite Craigslist heeft gekocht. Ze zou liever met hem in de woonkamer gaan zitten, maar daar is het uitzicht door de grote ramen op de heuvels en het meer zo overweldigend mooi, dat hij dan misschien weer beseft hoe ver onder de marktprijs haar huur al drie jaar zit.

'Mooie tafel,' zegt hij. 'Was die van mijn moeder?'

'Nee,' zegt Katherine. 'Ik heb bijna al haar meubels meer dan een jaar geleden in de kelder gezet. Ik was bang dat ze anders zouden slijten.'

'Niet dat het voor haar nog uitmaakt, maar toch bedankt,' zegt Tom. 'Heb je een nieuwe tatoeage op je schouder?'

'Niet dat ik weet. Op dat gebied zijn er al heel lang geen ontwikkelingen geweest, Tom. En ik heb ook geen plannen in die richting.' Rond de tijd dat ze eindelijk was gestopt met drugs, had ze ook besloten geen tatoeages meer te laten zetten. Ze had overwogen ergens op haar rechterarm een klein brandweerembleem te laten tatoeëren met de naam Conor erin, maar het hele proces was zo nauw verbonden met de ellendigste periode uit haar leven, dat ze dat plan liet varen. Bovendien kent ze haar eigen verleden op het gebied van mannen goed genoeg om te weten dat het in haar huid laten graveren van de naam van een geliefde (hoe geweldig hij ook is) geen goed idee is. 'Wil je wat muntthee?'

'Ja, waarom niet?' zegt Tom. 'Het is zo snikheet daarbuiten dat ik bijna niet kan ademen.'

Zijn overhemd is doordrenkt van het zweet. Toen ze net in het huis was getrokken, had Katherine geprobeerd Tom enthousiast te maken voor yoga. Het zou ongetwijfeld goed zijn voor zijn longen en wat er verder ook zou gebeuren, hij zou in ieder geval genieten van het uitzicht op al die leggings en haltertopjes. Maar natuurlijk is hij niet één keer gegaan, en Katherine had besloten dat het niet aan haar was om aan te dringen. Ze schenkt een glas muntthee voor hem in en gaat tegenover hem aan tafel zitten.

'Fijn dat je langs wilde komen,' zegt ze. En dan begint ze aan het praatje dat ze de hele dag in haar hoofd heeft gerepeteerd: 'Luister, een paar weken geleden, toen we die ongelooflijke plensbui hadden, ontdekte ik een vochtplek op het plafond van de woonkamer. Ik ben met Conor het dak op gegaan en hij vindt dat het er nogal verwaarloosd uitziet. Hij en ik kunnen zelf wel wat lapwerk doen, maar ik denk dat jij ook even moet kijken. Misschien is het tijd voor een grotere renovatie. En als dat zo is, wil ik er graag iets aan meebetalen.'

Tom staart naar zijn glas. 'Dus met Conor loopt het allemaal lekker?'

Het is een onschuldige vraag, ook al heeft hij niets met het onderwerp te maken.

'Het gaat prima.'

'Het duurt nu al bijna een jaar, toch? Ik ben blij voor je, Katherine. Ik vond altijd al dat je een goeie kerel verdiende. Ik wist dat je vroeg of laat iemand tegen zou komen. Woont-ie nu hier?'

'Nee, Tom. Ik woon hier alleen. Anders zou ik het je wel vertellen. Conor en ik gaan allebei graag onze eigen gang.'

'Geen plannen om te gaan samenwonen?'

'Ik ben nooit goed geweest in langetermijnplanning.'

'Maar op een gegeven moment moet je toch aan je toekomst denken, Katherine. Dat geldt voor ons allemaal, of we willen of niet.'

Er zit een klank in zijn stem die Katherine een beetje een onbehaaglijk gevoel geeft, alsof zijn moraliserende generalisaties over iets heel anders gaan dan haar relatie met Conor. Ze vindt het ook een veeg teken dat hij haar niet meer aankijkt. Ze hoort het slechte nieuws altijd graag het eerst, dus zegt ze: 'Volgens mij ben je iets van plan.'

'Ik niet. Mijn zus.'

Katherine haalt diep adem. Dit is waarschijnlijk het slechte bericht dat ze al vreest sinds ze verliefd werd op dit huis en het voor een belachelijk laag bedrag mocht huren op voorwaarde dat het huis te koop zou worden gezet als de nalatenschap van Toms moeder geregeld was, en dat zij dan onmiddellijk haar spullen moest pakken. Vreemd genoeg is ze heel kalm. Ze heeft wel ergere dingen meegemaakt in haar leven en ze heeft geleerd dat in paniek raken geen enkele zin heeft. Al die diepe ademhalingen, al die *vinyasa*'s hebben haar echt geholpen problemen het hoofd te bieden.

Tom zegt nog steeds niets en is niet in staat zijn blik van zijn muntthee af te wenden – overigens heeft hij die thee na één aarzelend slokje niet meer aangeraakt. Niet zoet genoeg, zeker. Ondanks Toms onverwachte bezoekjes in de hoop (daar is ze zeker van) dat hij haar een keer naakt door het huis huppelend aantreft (alsof ze dat ooit doet!), heeft ze medelijden met hem en besluit ze hem te helpen het slechte nieuws te brengen.

'Je gaat het huis te koop zetten,' zegt ze. 'Klopt dat?'

Hij knikt, nog steeds zonder op te kijken. Katherine ziet hoe opgelaten hij zich voelt en krijgt het gevoel dat ze hem moet verdedigen. Ze is altijd beter geweest in het verdedigen van anderen dan van zichzelf.

'Het is jullie huis,' zegt ze.

'Ik weet het, maar...'

'Geen gemaar. Ik weet heus wel hoeveel geluk ik heb gehad dat ik hier al die jaren heb kunnen wonen. Je hoeft alleen maar om je heen te kijken. En ik wist wat de voorwaarden waren toen ik erin trok.'

'Je bent geweldig, Katherine, weet je dat?'

'Ik ben een realist,' zegt ze. 'Ik zal wat suiker pakken voor je thee.'

'Weet je, het enige wat ik er nog uit heb kunnen slepen bij mijn zus is dat je nog drie maanden kunt blijven. En ook dat we het zonder tussenkomst van een makelaar aan jou zouden verkopen. Dan hoef je al die kosten niet te betalen. Dat helpt vast.'

Katherine knikt. Dat helpt geen moer, daar is ze vrij zeker van. 'Even uit nieuwsgierigheid,' zegt ze, 'heb je enig idee wat de vraagprijs is?'

'We weten het nog niet precies, maar in ieder geval onder de twee miljoen.'

Dat is ongeveer wat ze zelf had bedacht, ook al zullen ze dat er nooit voor krijgen in deze economische situatie. Maar de waarheid is dat zij het ook nooit zou kunnen betalen. Zelfs niet als ze de helft eraf halen en de rest nog eens door twee delen.

Maar ze meende het toen ze zei dat ze al die jaren veel geluk heeft gehad. En dat is de positieve gedachte waarop ze zich concentreert zolang Tom aan haar keukentafel thee zit te drinken en heel onschuldig over koetjes en kalfjes praat (tot hij zich bij het weggaan op gevaarlijker terrein waagt: 'Al die yoga doet je blijkbaar goed. Moet je die benen zien. Wauw!').

Als Conor ongeveer een uur later op haar deur klopt is ze vreemd genoeg in een opgewekte stemming. Toen Tom weg was, is ze naar de kaaswinkel gegaan waar ze een kapitaal heeft uitgegeven. Niet dat zij en Conor zoveel verstand hebben van kaas, maar als je je geen huis van twee miljoen kunt veroorloven, is het prettig om te weten dat je je tenminste wel (bijna) wat heerlijke Franse Comté kunt veroorloven voor in je soufflé.

'Er ruikt hier iets heel erg lekker,' zegt hij terwijl hij zijn armen om haar heen slaat. 'En ik heb het niet over het eten.'

Conor zou haar nog complimentjes geven als ze net terugkwam van een marathon, en hij zou het nog menen ook. Voordat ze hem had ontmoet wist Katherine niet dat mannen zo oprecht aardig konden zijn. Ze gaan nu een jaar met elkaar en ze heeft nog steeds geen tekortkomingen ontdekt. Hoewel je, als het echt moet, perfectie bijna als een tekortkoming zou kunnen zien.

'Wat ben je vrolijk,' zegt hij. 'Is Tom langs geweest?'

'Ja,' zegt ze.

En dan stort ze zich in zijn armen en begint luidkeels te huilen.

Graham, de architect die de nieuwe studio voor Lee heeft ontworpen en als projectleider bij de verbouwing betrokken is, staat in wat de nieuwe ontvangstruimte zal worden. Hij inspecteert de rivierstenen muur achter de balie die hij Lee min of meer heeft opgedrongen.

'Ik zal de aannemer terug laten komen om een paar van deze stenen opnieuw te zetten,' zegt hij tegen Lee. 'Hier en daar is het wat slordig.' Hij typt iets op zijn iPad, die in een leren hoes zit. Alles wat Graham draagt of bij zich heeft is zwart of wit.

'Echt waar?' zegt Lee. 'Ik vind het er perfect uitzien. Je had gelijk over die muur. Het geeft de hele hal een andere sfeer.'

Subtiel als altijd geeft Lainey Lee een flinke por. 'Ik vroeg me ook al af hoe het zat met die stenen,' zegt ze. 'Die bovenste rij. Dat is een van de punten op mijn lijstje.'

Graham kijkt Lee aan en knipoogt. 'Als er iemand is die ik het naar de zin wil maken, Lainey, dan ben jij het.'

Graham is een lange, magere man. Hij draagt steevast frisgewassen witte overhemden en een zwarte spijkerbroek, die eruitziet alsof hij is gestreken. Zijn grijzende haar is altijd netjes naar achteren gekamd – er is letterlijk geen haartje dat niet op zijn plek zit – en om hem heen hangt een lichte, houtachtige geur van aftershave.

Tijdens hun eerste overleg over het project vond Lee zijn onberispelijke voorkomen geruststellend: een slordige architect zou er bij haar niet door komen. Tot nu toe is hij precies zo zorgvuldig en pietluttig als zijn perfecte haar en gesteven overhemd doen vermoeden, en ook al zijn de kosten veertig procent hoger dan begroot en loopt het project een maand achter op schema, ze is verrukt over het resultaat. Als de nieuwe ruimte opengaat, zal Edendale veel groter en mooier zijn dan het kleine, rommelige studiootje waarmee ze begon toen Alan en zij net naar L.A. waren verhuisd.

'Ik wil graag dat je ook even naar de deuren van de wc's kijkt,' zegt Lainey. 'Ik weet niet zeker of mat glas genoeg privacy biedt.'

'Maar het is zo mooi,' zegt Lee. Ze had zich een beetje zorgen gemaakt over dat glas, maar had niets gezegd omdat ze niet preuts wilde overkomen.

'Die gang lijkt nu twee keer zo groot en is veel lichter,' zegt Graham. 'Bovendien, Lainey, het is een yogastudio. In de les staat iedereen halfnaakt met zijn billen omhoog. Het enige wat je in de wc ziet zijn een paar vervormde schaduwen. Geloof me, niemand zal ermee zitten.'

'Maar ik gebruik die wc's ook,' zegt Lainey. 'En geloof me, ík zit er wel mee. En ik vind dat we ook even naar de ventilatoren moeten kijken. Misschien zijn er mensen die vóór de les hun medicinale cannabis moeten innemen, en die ventilatoren moeten die geur he-le-maal wegzuigen.'

'We zullen er nog een keer naar kijken,' zegt Lee.

Het is belangrijk om Lainey tevreden te houden. In de anderhalve maand sinds Lee haar heeft aangenomen, is ze steeds meer waarde gaan hechten aan Laineys oordeel en advies. Inmiddels vraagt Lee zich af of haar veelvuldige verwijzingen naar de voordelen van het legaliseren van marihuana voortkomen uit iets anders dan onbaatzuchtige belangstelling voor het economisch welvaren van Californië, maar hoe het ook zij, haar ideeën zijn meestal goed. 'Wanneer denk je dat we open kunnen?'

Graham zet een bril op met een rond, zwart montuur, waardoor hij eruitziet als een Harry Potter op leeftijd. Hij neemt zijn aantekeningen door en haalt zijn schouders op. 'Op dit moment zie ik niet waarom we de streefdatum niet zouden kunnen halen. Acht weken, dat moet lukken. Dan zullen er nog wat onafgewerkte hoekjes zijn, maar niets waar iemand zich aan kan verwonden.'

'Als we nu de openingsdatum vaststellen, zullen we je daaraan moeten houden,' zegt Lainey.

'Ik wil het liever niet met jou aan de stok krijgen, Lainey,' zegt Graham, terwijl hij zijn bril afneemt. Hij knipoogt weer naar Lee. Die samenzweerderige knipoogjes zijn een gewoonte geworden als Lainey in de buurt is. Als ze met z'n tweeën zijn is hij serieuzer en zakelijker, hoewel hij in hun laatste gesprekken een paar keer heeft laten vallen dat hij gescheiden is. Hij heeft haar een keer uitgenodigd voor een zakenlunch, maar gelukkig wist Lee daar op een elegante manier onderuit te komen. Die zorgvuldigheid die hem zo goed maakt in zijn werk en zo aantrekkelijk als architect, maakt hem wat haar betreft in andere opzichten juist minder aantrekkelijk.

Lee zit op dit moment niet te wachten op nog meer complimenten. Maar het zou leuk zijn als David Todd in ieder geval even reageerde op het briefje dat ze voor hem heeft achtergelaten.

Zodra Graham weg is, geeft Lainey Lee een standje omdat ze vindt dat ze Graham te veel naar de mond praat. 'Hij werkt voor jou,' zegt ze. 'Je hoeft niet altijd zo meegaand en yoga-achtig te zijn.'

'Wij zijn een goed team,' zegt Lee.

'Met andere woorden, ik mag de bitch spelen.'

'Zo zou ik het niet willen verwoorden, maar...'

'Je hoeft je niet te verontschuldigen. Die rol past me wel.'

Toen duidelijk werd dat Lee haar uitgebreide studio met strakkere hand zou moeten leiden dan ze gewend was, had ze Lainey aangesteld om de boekhouding te doen, de inschrijvingen bij te houden en waar nodig streng op te treden tegen vrijwilligers en docenten. Lainey stak tijdens het sollicitatiegesprek niet onder stoelen of banken dat ze nog nooit van haar leven een asana had gedaan en ook niet van plan was daarmee te beginnen. Soms vermoedt Lee dat Laineys gebrek aan ervaring met yoga een van de redenen is dat ze haar heeft aangenomen. Ze denkt liever niet te diep na over de vooroordelen die daaruit spreken, maar ze heeft wel eens de indruk dat er een verband is tussen ontluikende interesse in yoga en gebrek aan praktisch inzicht.

Ze lopen terug naar Lee's kantoor in de oude vleugel waar Lainey op een stoel neerploft. Ze kijkt Lee zo indringend aan dat die bijna ineenkrimpt. Er zit een verklaring, plan of preek aan te komen.

'Wat er ook aan de hand is,' zegt Lee, 'ik wil graag dat je het me recht in mijn gezicht zegt.'

'Ik ben al een paar weken ergens mee bezig,' zegt Lainey. 'Gisteren heb ik eindelijk het contract ontvangen. Ik heb ze verteld dat je ze eind deze week antwoord zult geven.' Ze begint nonchalant aan de mouw van haar blouse te plukken en voegt eraan toe: 'Laat me nu niet stikken, Lee.'

'Oké. Was je nog van plan me te vertellen wat het voor contract is of heb je liever dat ik het teken zonder dat ik weet waar het over gaat?'

'Het laatste, uiteraard, maar ik zal het je toch vertellen.'

Lee ontmoet haar blik en is even afgeleid omdat ze probeert te zien of Laineys ogen rooddoorlopen zijn.

'Ik heb met de organisatoren van het Flow and Glow Festival gesproken. Ik neem aan dat je daarover hebt gehoord.'

'Inderdaad.' Flow and Glow is een jaarlijks yogafestival van vier dagen in de Sierra Nevada. Er doen duizenden yogaleerlingen aan mee en er worden talloze docenten aangetrokken om daar les te geven. Het begon kleinschalig maar groeide al snel uit tot het belangrijkste yoga-evenement van het jaar. Docenten uit het hele land proberen wanhopig een uitnodiging te bemachtigen en leerlingen beginnen maanden van tevoren te sparen voor het inschrijfgeld en de verblijfskosten. Al sinds de eerste editie van het festival, vier jaar geleden, hoort Lee lyrische verhalen van leerlingen en docenten. Ze zou er wel een keer heen willen, maar daar heeft ze nooit tijd voor gehad. Bovendien is ze huiverig voor dit soort massabijeenkomsten. Ze houdt niet van grote menigten en is ook niet zo dol op lessen in de volle zon. En voor zover ze heeft begrepen heerst er nogal wat rivaliteit tussen de docenten als het gaat om wie er bovenaan staat op het affiche, alsof het een popfestival is. Iemand als David Todd zou nooit aan iets dergelijks meedoen.

'Ik vrees dat ik je in dit geval moet teleurstellen.'

'Laat me eerst uitpraten,' zegt Lainey.

Lainey is een stevige vrouw, ongeveer vijf jaar ouder dan Lee. Haar praktische instelling, haar doortastendheid en zelfs haar neiging anderen te vertellen wat ze moeten doen, geven Lee een veilig gevoel. Ze was administratief medewerkster bij de vakgroep Biologie van de UCLA, totdat de universiteit personeel begon te ontslaan. Deze baan is voor haar een stap terug wat salaris, prestige en arbeidsvoorwaarden betreft, maar ze is zeer toegewijd en lijkt zelfs gelukkig. 'Ga maar naar Lainey,' is Lee's favoriete uitspraak geworden. Kon ze dat ook maar tegen haar zoontjes Michael en Marcus zeggen als thuis weer eens de hel losbreekt.

Lee wilde iemand die de zakelijke kant grotendeels van haar kon overnemen, maar soms heeft ze het gevoel dat ze aan Lainey is overgeleverd.

Lainey duwt zich omhoog uit de stoel. Ze draagt meestal ribfluwelen dirndls en bloesjes met ruches – een stijl die op de een of andere manier past bij haar persoonlijkheid, ook al flatteert die outfit haar forse lichaam niet. Ze zoekt even tussen de papieren op Lee's bureau en reikt haar een brochure van Flow and Glow aan.

'Vorig jaar deden er vijfduizend mensen mee. En dit jaar misschien wel twee keer zoveel. Als je daar optreedt... of lesgeeft, als je dat een beter woord vindt...'

'Dat laatste klinkt me inderdaad prettiger in de oren.'

'Dat dacht ik al. Je geeft dat weekend les aan honderden leerlingen. Je naam en foto worden gezien door duizenden bezoekers van de website en de Facebook-pagina. Deze brochures worden naar alle yogastudio's in het land gestuurd. Als je daar mag lesgeven, ben je aardig op weg beroemd te worden.'

Beroemd. In een flits denkt Lee terug aan een ongemakkelijk moment vorige week toen ze les aan het geven was, een moment waarop een ego strelend gevoel van trots in haar opwelde omdat er maar liefst vijfendertig mensen naar de studio waren gekomen voor háár les. Ze kreeg energie van de groep en van de gretigheid die ze bemerkte bij de leerlingen om hun best te doen voor haar. Ze gebruikte het moment om haar leerlingen te waarschuwen voor de risico's die je loopt als je je door je ego de weg laat wijzen – een waarschuwing voor haarzelf.

Ze maakt de brochure open en ziet dat de helft van de binnenkant gewijd is aan een biografie met foto's van Kyra Monroe, die hier de 'internationale yogapriesteres' wordt genoemd. Ze voelt dat haar gezicht begint te gloeien, en dat komt niet door de hitte buiten. In de biografie staat een lijst met eerbewijzen en onderscheidingen die Kyra heeft ontvangen van allerlei tijdschriften en yogaverenigingen. Ook haar goed verkopende video's, *podcasts* en *Het binnenste buiten*, haar 'baanbrekende' boek over 'spiritualiteit en de erotiek van de asana's', worden vermeld. En als dat nog niet genoeg is om je ervan te overtuigen dat Kyra je hele DNA kan herschikken, wordt er nog op gewezen dat 'priesteres Kyra nieuwe franchisemogelijkheden zal presenteren voor het gepatenteerde Kyra Monroe Harmonic Balance Explorer Yoga System', wat dat dan ook moge betekenen.

Lee kan zich niet herinneren dat Kyra blond was, maar het is lang geleden dat ze haar voor het laatst zag.

'Ik zeg niet dat je ongelijk hebt,' zegt Lee. 'Ik zeg alleen dat het niets voor mij is.'

'Ik ben weken bezig geweest met onderhandelen,' zegt Lainey. 'Je kunt er toch een paar dagen over nadenken? Ze hebben je zeven lessen aangeboden, net zoveel als Baron Baptiste, en maar één minder dan Kyra Monroe.'

Krijgt Kyra Monroe echt meer sessies dan Baron Baptiste? vraagt Lee zich verwonderd af.

Bij de deur draait Lainey zich om. 'Laat het me vrijdag weten, goed? Tot dat moment ga ik ervan uit dat het ja wordt.'

Wat Graciela de afgelopen zes maanden het meest heeft gemist van L.A. zijn de lessen van Lee in Silver Lake. Dat had ze niet verwacht. Ze heeft haar hele leven in L.A. gewoond en voordat ze die baan kreeg als danseres voor de concerttournee van Beyoncé, was ze zelden buiten Zuid-Californië geweest. Ze had verwacht dat ze de chaotische drukte van de stad zou missen, de hete droge lucht, het uitzicht over de Stille Oceaan vanaf de Santa Monica Pier, de droevige, goudgele zonsondergangen, zelfs de constante brom van het krankzinnige verkeer. En op z'n minst had ze verwacht dat ze Daryl veel erger zou missen. In ieder geval meer dan dat rommelige yogastudiootje in Silver Lake. En ze had al helemaal niet verwacht dat ze datzelfde lokaaltje op dit moment zou missen, in de laatste minuten van de les van Richard Pale, Mr. Intensity, een van de populairste yogaleraren in New York.

In de vijf dagen dat ze in de stad is, heeft Graciela een stuk of vijf mensen over deze les, Intensity Plus, horen praten.

O, je móét een les volgen bij Richard Pale als je hier bent. Hij is ongelooflijk.

Halverwege de les dacht ik dat ik doodging.

Hij heeft me keihard aangepakt.

Het was zo zwaar dat ik begon te huilen. Het was ge-wél-dig.

Ik kon me de volgende dag niet meer bewegen.

De meeste yogi's die ze de laatste tijd heeft ontmoet blijken vooral dol te zijn op lessen die hen aan het huilen maken of lessen die ze moeten bekopen met een bezoekje aan de acupuncturist. Zij heeft daar minder mee op, maar aan de andere kant kan ze moeilijk nee zeggen tegen de uitdaging. Het hoort bij wat haar vriendin Zana de 'idiotie van de yoga noemt', de trend om de grenzen van je doorzettingsvermogen, kracht en lenigheid op te zoeken.

En dan heb je nog Mr. Pale zelf – idioot fit, idioot knap en met een idiote hoeveelheid seksuele energie.

Richard Pale lijkt wel een filmster, heeft ze iemand horen zeggen.

Hij is een popster.

Hij is zó knap.

Of, het mooiste compliment dat je iemand tegenwoordig kunt geven: *Hij is een yogaster!*

Studio 7 in dit yogapaleis midden in Manhattan is bomvol met de fanatiekste yogi's die Graciela ooit heeft gezien; ook yoga is extreem in New York, zoals alles. Vrouwen – en een verrassend groot aantal mannen – met serieuze gezichten en even serieuze spieren. Om op te warmen maakte ongeveer twee derde van de groep een handstand waarna ze zonder enige moeite hun voeten tussen hun armen door staken zonder dat ze de mat raakten, of ze deden een gedraaide schaarhouding alsof het niets was of ze vouwden zich dubbel met hun hoofd tussen hun benen. Iedereen zit min of meer in zijn of haar eigen cocon, maar toch hangt er onmiskenbaar een sfeer van rivaliteit in de ruimte, ook al word je geacht te doen alsof dat niet zo is. Ze heeft dat vaker opgemerkt in de studio's waar ze op haar reizen is geweest. De meeste mensen lijken voor aanvang van de les te willen laten zien hoe vergevorderd ze zijn. Ze tonen hun beste houdingen voordat de leraar komt – voor het geval die houdingen geen deel zouden uitmaken van de les – en doen dan alsof ze alleen maar een beetje aan het opwarmen en rekken en strekken zijn. Een jaar geleden zou Graciela zo geïntimideerd zijn dat ze zou zijn weggelopen, maar nu weet ze dat ze goed kan meekomen als ze haar best doet, en belangrijker nog, dat ze het niet nodig vindt om dat te proberen.

Dank je wel, Lee.

Graciela beschouwde L.A. altijd als de stad van de superlatieven, maar vergeleken bij New York stelde L.A. niets voor. Alles is hier 'het allerbest' of 'het allerlekkerst' of 'het allerduurst'. Het grappige is dat ze het allemaal prachtig vindt. Vanaf het moment dat ze voor het Four Seasons Hotel uit de limousine stapte, was ze verliefd op de stad. Dat het mei is draagt er zeker aan bij: alles staat in bloei en het weer is een zoete droom, iedere dag weer. Maar dat is niet het enige. De stad straalt een mengeling van schoonheid en verfijning uit, waarvan ze weet dat zij er niet bij past, maar waar ze toch van geniet.

Richard Pale, met zijn melkachtige huid en gitzwarte haar en ogen, gaat in een vloeiende beweging op één arm staan, met zijn benen recht omhoog, en laat dan zijn voeten naar zijn hoofd zakken. Ondertussen geeft hij de groep opdracht zijn voorbeeld te volgen, met een stem die zo rustig en stabiel klinkt alsof hij in een schommelstoel zit. Belachelijk. Maar het enige wat ze kan doen is het maar gewoon proberen. Toen ze aan streetdance deed, maakte ze ook dit soort bewegingen, maar dan sneller en minder sierlijk en beheerst. Ze doet iets wat een beetje lijkt op wat hij voordoet en Mr. Intensity komt naar haar toe en corrigeert haar houding. 'Hoe harder je je inspant, hoe stralender je verlichting,' zegt hij. 'Ik wil dat iedereen even hier komt om de stand van de schouders van deze yogini te bekijken.'

Hij legt zijn handen op haar heupen terwijl de rest van de groep om hen heen komt staan.

'Ziet dit er niet prachtig uit?'

Er klinkt goedkeurend gemompel.

'Een mooie vrouw in een mooie pose.'

Graciela's schouder begint te trillen en ze wil zich laten zakken.

'Jammer genoeg klopt er niets van. Zo krijg je na verloop van tijd zware blessures.' Hij helpt haar naar de grond en ze rolt zich op in de kindhouding om op adem te komen. 'Nu gaan we deze houding van begin af aan opnieuw opbouwen. En onze mooie yogi met het ravenzwarte haar is ons model.'

Later, als ze de zaal uit loopt, neemt Mr. Intensity haar terzijde en zegt: 'Dank je wel dat je het zo sportief hebt opgevat. Ik koos jou uit omdat je zo sterk bent. Je bent vast een danseres.'

'Dank je wel,' zegt ze. 'Ik ben inderdaad een danseres, maar binnenkort ben ik een werkloze danseres.'

'Kom me dan maar opzoeken,' zegt hij. 'Volgende maand geef ik een docentenopleiding. Je zou een geweldige docent kunnen worden.'

Sinds het begin van de repetities voor de tournee, ongeveer acht maanden geleden, krijgt Graciela veel complimenten. Nooit eerder heeft ze zoveel aandacht gekregen van zoveel mensen, hebben zoveel mannen en vrouwen – muzikanten en andere dansers, volslagen onbekenden, zelfs een paar echte beroemdheden die bij de concerten waren – tegen haar gezegd hoe getalenteerd ze is. En hoe mooi. Ze zijn nu al meer dan zes maanden onderweg en op een gegeven moment, een paar maanden geleden, toen ze in Brussel waren, begonnen alle loftuitingen eindelijk echt tot haar door te dringen en stond ze zichzelf toe te accepteren dat er misschien wel iets van waar was en dat ze heel misschien niet eens gestraft zou worden voor het feit dat ze het begon te geloven. Ze hoort nu niet meer voortdurend de kritiek van haar moeder in haar hoofd, die haar vertelt dat ze eruitziet als een *puta*, dat ze niet kan dansen, dat ze nu zo langzamerhand wel twee kinderen had mogen hebben. Ze kan nu naar die andere stemmen luisteren, of dat althans proberen.

'Ik sta niet graag in het middelpunt van de belangstelling,' zegt ze. 'Bovendien ga ik over een paar dagen terug naar L.A.'

'Hou mijn website in de gaten. Begin volgend jaar geef ik een opleiding in L.A.'

En dan bukt hij zich en geeft haar een vriendschappelijke omhelzing. Behalve dat het als je eruitziet als Mr. Intensity bijna onmogelijk is iemand te omhelzen of te glimlachen of zelfs maar te bukken, zonder dat het iets flirterigs krijgt. Dat moet lastig voor hem zijn.

In de marmeren kleedkamer zegt Graciela tegen zichzelf dat ze blij is dat ze weer naar huis mag. Hoewel ze Daryl niet heel erg heeft gemist, zal het fijn zijn om weer bij hem te zijn. Hij heeft gezegd dat hij veranderd is, dat hij heeft geleerd zijn woede te beheersen en ze wil hem heel graag geloven. Ze hebben het nooit expliciet over wat hij haar heeft aangedaan, misschien omdat het voor hen allebei te pijnlijk is. Verder dan wat gesprekken over 'zijn woede' gaat het niet.

Graciela loopt de ontvangstruimte in, die zo groot en luxueus is dat hij op een hotellobby lijkt, en daar heeft ze er heel wat van gezien. Ze loopt naar een van de waterkoelers en vult haar flesje. Als ze zich omdraait staat Jacob Lander achter haar met een grote grijns op zijn gezicht.

'Ik dacht al dat jij het was,' zegt hij. 'Ik zag het aan je haar.'

En dan steekt hij zijn hand uit en raakt hij de uiteinden van haar lange, golvende zwarte haar aan. Een beetje brutaal, maar misschien ook een beetje verlegen.

Graciela probeert nonchalant te doen, maar JACOB LANDER HERKENT HAAR AAN HAAR HAAR! Van de achterkant!

'Ik geloof dat het een beetje te woest begint te worden,' zegt ze.

'Het is inderdaad woest. Hartstikke woest. Ik weet niet of je het je herinnert, maar we hebben elkaar ontmoet op het première-feest van jullie concerten in New York. Ik ben Jacob Lander.'

Ze barst in lachen uit. Alsof zij niet zou weten wie hij is. Alsof ze zou kunnen vergeten dat ze zo'n tien minuten hebben gepraat en dat hij, toen ze had verteld dat ze voor het eerst in New York was, zijn drie favoriete locaties in de stad had opgesomd. (De veerboot naar Staten Island, Bethesda Terrace in Central Park en een piepklein steakrestaurantje waarvan ze de naam was vergeten. 'O, en voor het geval iemand je ernaar vraagt, het stadion van de Yankees, natuurlijk.')

Graciela is nooit een echte sportfan geweest, maar vanaf het moment dat Daryl twee jaar geleden bij haar introk, keek ze opeens regelmatig naar basketbal en honkbal, omdat hij al die wedstrijden wilde zien. En bovendien zijn er figuren die de overstap hebben gemaakt van sportman naar internationaal sekssymbool. Jacob Lander is daar een van. Hij is vaker in *People*, op *E! News* en in de roddelbladen te zien dan de meeste filmsterren. Volgens de geruchten heeft hij met iedereen een relatie gehad, onder anderen met een paar muziektalenten die ze dit jaar vrij goed heeft leren kennen.

En ondanks het feit dat hij een rokkenjager en een echte superster is, wordt hij nog steeds gezien als een 'aardige jongen'. Hij is niet meer heel jong, maar hij heeft een rond, aantrekkelijk gezicht met een jongensachtige, vriendelijke uitstraling, mooie groene, amandelvormige ogen en een gladde olijfkleurige huid. Ze weet dat hij voor de Yankees speelt en ze weet bijna zeker dat hij een pitcher is. Of misschien een korte stop?

'Ik ben Graciela.'

Nu is het Jacob die lacht. 'Dacht je dat ik je naam was vergeten?'

'Ik had niet gedacht dat je hem zou onthouden.'

'Je onderschat ons beiden!'

Ze weet niet precies wat hij daarmee bedoelt, maar het is duidelijk bedoeld als compliment. 'Ik had jou nooit in een yogastudio verwacht,' zegt ze.

'Ik kom hier een paar keer per week als ik in de stad ben. Sinds ik aan yoga doe, heb ik veel minder last van verstuikingen of verrekte pezen. Je zou versteld staan van het aantal profsporters dat aan yoga doet – weliswaar meestal met een privé-instructeur. Ze willen liever niet dat iemand het ziet als ze op hun achterwerk vallen. Welke les volg jij?'

'Ik ben net klaar met de les van Richard Pale,' zegt ze.

'Mr. Intensity! Tjonge, je neemt het wel serieus, zeg. In deze periode van het jaar zijn dat soort extreme lessen voor mij te riskant. Ik richt me vooral op herstelhoudingen. Maar krijg jij dan niet genoeg beweging als je iedere avond twee uur aan één stuk door danst?'

'Eigenlijk dansen we niet aan één stuk door,' zegt Graciela. 'Dat lijkt maar zo. Bovendien had ik ruim een jaar geleden een blessure en een yogalerares in L.A. heeft me daarvan afgeholpen. Zo ben ik aan deze baan gekomen. Iedere keer dat ik een les volg, voelt het alsof zij over mijn schouder meekijkt.'

'Beschermengel?'

Graciela haalt haar schouders op. 'Eerder een heel goede vriendin.'

De blessure aan haar achillespees (en de ware toedracht van het ongeluk) lijkt inmiddels heel ver achter haar te liggen, maar nu ze het er weer over heeft, komt alles terug: de pijn, de moeite die het kostte om ervan af te komen.

Ze hoort een gong in een van de zalen en ze knikt naar de deur. 'Ik geloof dat je les begint,' zegt ze. 'Veel geluk.'

'Ik kan wel wat geluk gebruiken.'

'Hoe bedoel je?'

'Ik hoop dat je me je telefoonnummer wilt geven.'

Graciela is zo verbluft (het is toch ondenkbaar dat hij haar nummer vraagt?) dat ze even aarzelt.

'Voor een wandeling door de stad met een kenner?' zegt hij.

'Ik heb geen pen,' zegt Graciela.

'Ik heb een verbazingwekkend goed geheugen, meid.'

Ze hoort de stem van de instructeur in de yogaruimte. Ze heeft de afgelopen zes maanden aanbiedingen te over gekregen, en ze heeft ze allemaal afgewezen. Maar de tournee loopt ten einde en om de een of andere onverklaarbare reden vertrouwt ze Jacob Lander. Misschien wel meer dan zichzelf.

'Alleen een wandeling?' vraagt ze.

'Dat is mijn aanbod.'

'Ik ben... ik ben niet...' Ze weet niet hoe ze haar zin moet afmaken. Wat heeft het feit dat ze een vriend heeft, te maken met een onschuldige wandeling door Manhattan?

'Single?' zegt hij. 'Ik had ook niet verwacht dat iemand die er zo uitziet alleen is. Zit hij in L.A.?'

Ze knikt.

Hij grijnst naar haar, waarbij de liefste kuiltjes tevoorschijn komen die ze ooit bij een volwassene heeft gezien. Dan zegt hij: 'Vergeet niet dat je nu in New York bent, Graciela.'

Lee is tot de conclusie gekomen dat kokoswater overeenkomsten vertoont met Lady Gaga: de ene dag heeft niemand ervan gehoord en de volgende is het zo alomtegenwoordig dat je er draaierig van wordt.

Twee jaar geleden kon je het in een paar winkels kopen, verpakt in een klein foliezakje. Ze heeft het een keer geprobeerd en vond het... best aardig. Tegenwoordig is het zo in trek bij de yogi's dat ze altijd uitverkocht zijn bij het verkoophoekje van Edendale. Tina, de jonge vrouw die het winkeltje beheert, bestelt het met kratten tegelijk en toch raakt het altijd uitverkocht. Lainey besloot dat de prijs moest worden verhoogd. Niet om meer winst te maken (beweerde ze), maar omdat de verkoop dan zou dalen zodat ze niet steeds hoefden bij te bestellen. Vreemd genoeg resulteerde de prijsverhoging in een stijging van de verkoop.

'Ik had Lainey gewaarschuwd,' zei Tina. 'Een heleboel studio's verkopen het voor zes of acht dollar, dus iedereen dacht dat ons kokoswater minder goed was, totdat we de prijs verhoogden. Ze dachten dat het over de houdbaarheidsdatum was of dat het gemaakt was van concentraat. Ik zou nóóit een merk in huis halen dat concentraat levert.'

Lee heeft alle verhalen gelezen, over dat het de perfecte manier is om je lichaam te hydrateren, dat het ideaal is voor atleten en, uiteraard, dat het de 'viagra van de natuur zelf' is, schijnbaar het mooiste wat je over een product kunt zeggen. Het heeft ongetwijfeld positieve eigenschappen, maar ze heeft een koeler met gefilterd water in de studio laten installeren en je zou denken dat meer mensen de voorkeur geven aan een gratis vorm van hydratatie. Over nog geen jaar is kokoswater waarschijnlijk verdrongen door een ander trendy drankje (weet iemand nog wat vitaminewater was?) of blijkt het ontbossing of impotentie te veroorzaken.

Dat zijn de gedachten die door haar hoofd gaan terwijl ze achter in de studio op haar mat zit en de lerares gadeslaat die een demonstratieles in Edendale geeft in de hoop op een aanstelling. Het is geen goed teken dat Lee's gedachten zijn afgedwaald naar kokosnoten. De lerares, een jonge vrouw die Whatley Nettles heet, is ongelooflijk goed en ze beweegt met veel overtuiging en kracht. Als ze in de krijgerhouding staat, lijken haar benen zo stevig als marmeren zuilen. Maar ze is de dik vijfenzeventig minuten van de les nauwelijks van haar mat gekomen. Dat is een indrukwekkende prestatie, en hoewel ze een paar studenten mondelinge aanwijzingen heeft gegeven, heeft Lee sterk het vermoeden dat ze meer geïnteresseerd is in haar eigen work-out dan in het lesgeven.

'Leg je arm om je dijbeen. Nee, niet dat been, het andere. Niet je kuit, je dij. Dat is je knie.'

Het zou zoveel eenvoudiger zijn ernaartoe te gaan en de leerlingen te helpen, maar dan zou ze zelf een houding moeten overslaan.

Na de les bedankt Lee haar en prijst ze haar vaardigheden... als yogabeoefenaar.

'Maar ik vroeg me één ding af,' zegt Lee, 'doe je zelf altijd alle oefeningen mee als je aan het lesgeven bent?'

'Niet altijd. Maar vandaag ben ik al de hele dag in touw en dit was mijn enige kans om zelf wat yoga te doen. Je weet hoe dat gaat. Als ik een dag geen yoga doe, word ik heel chagrijnig en... dat kan ik mijn vriend niet aandoen. Is dat een probleem?'

'Niet per se,' zegt Lee. 'Maar het wordt dan wel lastig om te zien wat de leerlingen doen en om ze te corrigeren waar nodig.'

Whatley rolt haar mat op en stopt hem in een leren hoes met rits. Lee ziet aan haar gefronste wenkbrauwen dat deze opmerking in het verkeerde keelgat is geschoten. 'Het moet niet allemaal om míj draaien,' zegt ze. 'Op een gegeven moment moeten de leerlingen zelf de touwtjes in handen nemen, bij hun yogasessies én in hun eigen leven. Dat ben je vast wel met me eens. En ik bereid ze daarop voor.'

Het heeft geen zin ertegen in te gaan. Lee weet al dat ze haar niet zal aannemen, juist omdat het bij Whatley wél allemaal om haar draait. Dat is een van de problemen die het zo moeilijk maakt om een instructeur te vinden van wie ze echt ondersteboven is. Studio's willen zo graag hun docentenopleidingen vol krijgen – voor veel studio's is dat de betrouwbaarste inkomstenbron – dat ze de beste leerlingen eruit pikken en ze met vleierij overhalen om zich in te schrijven. Dat is in zekere zin wel begrijpelijk, maar goed zijn in yoga is meestal iets heel anders dan een toegewijde docent zijn.

'Ik laat het je morgen weten,' zegt Lee tegen haar. 'En als je dorst hebt, kun je op weg naar buiten bij Tina een flesje kokoswater halen.'

'Is het gemaakt van concentraat?'

'Nee.'

'Mooi. Dan neem ik er zeker een.'

In haar kantoor luistert Lee haar berichten af: eentje van Alan, die weer eens wil schuiven met de afspraken, een van haar moeder en een van David Todd. Zodra ze zijn stem hoort, voelt ze het bloed naar haar wangen stijgen. Ze roept zichzelf tot de orde en belt hem op. Het enige wat ze hem wil vragen, is of hij wil overwegen bij Edendale les te komen geven.

Hij neemt op met die opgewektheid die ze herkent van zijn les en als ze haar naam noemt, zegt hij: 'O ja, dank je wel voor je aardige briefje.'

Omdat Lee zich niet aan hem had voorgesteld na zijn les, weet ze niet zeker of hij wel weet wie ze is. 'Ik stond aan de linkerkant van de zaal,' zegt ze, 'een beetje tegen de muur gedrukt?'

'Dat weet ik. Je bent niet bepaald iemand die opgaat in de massa.'

'Dat hangt van de massa af.'

'Je bent te bescheiden. Er wordt heel veel over Edendale gepraat. Je hebt een uitstekende reputatie, maar je studio is nog niet ontdekt door het grote publiek. Daar hou ik wel van.'

'Ik ben blij dat je er zo over denkt,' zegt ze. En wetend dat ze omzichtig te werk moet gaan, voegt ze eraan toe: 'Ik ben aan het uitbreiden en nu zoek ik nieuwe mensen. Ik wist niet dat het zo moeilijk zou zijn om docenten te vinden die ik respecteer.'

Als ze uitgepraat is, volgt er een lange stilte, en Lee weet dat die stilte betekent dat hij haar aanbod afslaat.

'Ik zit nu al zo'n beetje aan mijn maximum,' zegt hij.

Lee ziet dat 'zo'n beetje' als aanwijzing dat er ruimte is voor onderhandeling, een kleine opening.

'Ik ben niet goed in gelikte praatjes,' zegt ze, 'maar ik zou het er graag een keer met je over willen hebben. Ik vond je les heel bijzonder, anders dan alles wat ik tot nu toe heb gezien.'

'Dat vond ik ook van jouw manier van bewegen. Je hebt een heel mooie stijl.'

Tot haar eigen verbazing wordt ze na al die jaren nog steeds blij van complimenten over haar stijl. Zeker als die complimenten komen van iemand als David.

Er volgt weer een stilte en dan zegt hij: 'Ik werk morgen met een groepje kinderen en ik zou het heel leuk vinden als je komt kijken. Dan zie je wat ik nog meer doe op het gebied van werk. Daarna kunnen we ergens praten, maar ik vertrouw erop dat je inderdaad geen gelikt praatje gaat houden.'

Een paar minuten nadat Lee heeft opgehangen komt Lainey haar kantoor binnen om te vertellen dat het aantal inschrijvingen voor het Flow and Glow Festival de tienduizend nadert.

'Dat wordt een klapper voor de organisatoren en sponsors,' zegt Lee.

'En voor de docenten. Ik zeg het maar even.' Ze kijkt Lee onderzoekend aan en voegt eraan toe: 'Je ziet er wat verhit uit. Is er iets spannends gebeurd?'

Ze zijn al zeker op twee derde van de opnameperiode voor *Above the Las Vegas Sands* en tot nu toe is Stephanie iedere dag naar de set geweest. Dat was niet helemaal wat ze van tevoren in gedachten had, maar Sybille Brent, die bijna de hele productie financiert, had het haar gevraagd. 'Voor het geval de regisseur op het laatste moment nog veranderingen wil in het script,' had Sybille gezegd, 'of, om preciezer te zijn, voor het geval hij of de acteurs beginnen te improviseren. Ik weet dat hij de regisseur is en dat het zijn film is, maar jij bent de scenarioschrijver en ik de producent, en tussen ons gezegd en gezwegen: die film is van óns.'

Het gevolg is dat Stephanie geen tijd heeft gehad om aan het nieuwe script te werken, waaraan ze was begonnen voordat de opnames van start gingen – een eigen verhaal dit keer –, en al meer dan een maand niet bij Edendale is geweest. Haar lichaam voelt stijf en zwaar en ze heeft zelfs een paar dromen gehad waarin ze moeiteloos een handstand doet, soepeltjes haar benen achter haar hoofd laat zakken en complimenten krijgt van een lerares die opvallend veel op Lee lijkt. Dan wordt ze wakker en beseft ze dat ze haar privéleven min of meer heeft stopgezet voor haar werk. Alweer.

Maar haar dagelijkse aanwezigheid op de set heeft wel nut gehad. Sybille had gelijk, zoals gewoonlijk. Hoe komt het toch dat Sybille, die nog nooit betrokken is geweest bij een filmproductie en niet eens in L.A. woont, er zoveel gevoel voor heeft? En hoe komt het dat Stephanie het geluk heeft gehad om met haar in contact te komen?

De regisseur van *Las Vegas Sands* is nog geen dertig. Dat ze hem hadden weten te strikken, was een hele prestatie. De uitvoerend producent had het voor elkaar gekregen, geholpen door de gulle hand van Sybille. Drie jaar geleden had hij de film *Bananafish* gemaakt, naar een verhaal van J.D. Salinger, en die handelde over de obsessie van een jonge vrouw met de schrijver. Hij werd de hemel in geprezen en bracht bijna twaalf miljoen op aan de kassa, een enorm bedrag voor een film die (naar verluidt – Stephanie had graag de boeken eens willen inzien) voor minder dan twee miljoen was gemaakt. De scenarioschrijver werd genomineerd voor een Oscar, net als de bijrolactrice. De eerste nominatie was meer dan verdiend. Naar Stephanies mening hoorde de tweede nominatie thuis in de categorie jaarlijkse troostprijzen voor sterren van boven de tachtig die besluiten nog een laatste rol te spelen.

Ondanks haar bewondering voor *Bananafish* wist Stephanie zodra ze Rusty Branson zag dat het moeilijk zou worden. Hij had die onverschillige houding van iemand die het succes, en waarschijnlijk ook nog wat andere dingen, naar zijn hoofd heeft laten stijgen. De eerste paar keer dat Stephanie hem sprak, keek hij haar nauwelijks aan. Hij knikte vaag bij alles wat ze zei, terwijl hij zijn blik gericht hield op iets fascinerends op de kale muur achter haar.

Stephanie kreeg het gevoel dat ze werd getolereerd in plaats van gewaardeerd, en het was duidelijk dat hij haar geenszins als gelijke beschouwde. Hij is een magere, roodharige man die zich het ongewassen, slordige uiterlijk heeft aangemeten waarvan veel jonge regisseurs schijnen te denken dat het talent uitstraalt.

Sybille had Stephanie naderhand gevraagd wat ze van hem vond en eraan toegevoegd: 'En wind er geen doekjes om. Ik moet op jou kunnen rekenen.'

'Aan de film is duidelijk te zien dat hij weet wat hij doet,' zei Stephanie. 'Maar ik geloof dat hij niet zo slim is als hij denkt. En het ergste is dat hij vindt dat deze film beneden zijn stand is.'

'Ja, dat idee heb ik ook. Maar waarom doet hij het dan?'

'Omdat het zware tijden zijn in Hollywood?' zei Stephanie. 'Of omdat Steven Spielberg hem na *Bananafish* niet heeft gebeld met een aanbod van een grote maatschappij? Bovendien – maar misschien geef ik mezelf nu te veel eer – geloof ik dat hij het script goed vindt. Tegen wil en dank.'

'Ik weet wel zeker dat hij het goed vindt. En daarom moet jij ervoor zorgen dat hij trouw blijft aan het script. Het is jouw tekst. Die moet je beschermen.'

'Er is nog iets,' ging Stephanie verder. 'Ik heb het gevoel dat hij het maar niks vindt dat er ook vrouwen in dit vak rondlopen. Hij is het type man dat denkt dat vrouwen nooit zulke goede films kunnen maken als mannen. Hij vindt het script goed maar hij baalt ervan dat wij zijn binnengedrongen in het mannenbolwerk. Zijn vette haar en lichaamsgeur zijn een provocatie: "Kom maar op met je meisjesachtige, oppervlakkige opmerkingen over shampoo." Nou, daar kan hij lang op wachten.'

'Misschien verklaart dat waarom hij geen oogcontact maakt. Ik vind het heerlijk als mannen vrouwen inferieur vinden, maar zich ondertussen geïntimideerd voelen. Als je veel geld hebt, kun je ze op hun plaats zetten.'

Nu heeft Stephanie er spijt van dat ze Sybille niet heeft gevraagd waarom ze niet zelf dagelijks op de set aanwezig was, maar omdat ze haar heeft leren kennen als een zeer teruggetrokken vrouw met een sterke wil – die in beide karaktereigenschappen wordt gesteund door het geld dat ze aan de scheiding heeft overgehouden – heeft ze Sybille altijd haar gang laten gaan. Daarom accepteerde ze zonder tegenstribbelen Sybilles eigenaardige beslissing om vlak voordat de film daadwerkelijk in productie ging, terug te gaan naar New York, net zoals ze Sybilles gulheid zonder tegenstribbelen had geaccepteerd.

De filmploeg is aan het werk in een oud schoolgebouw in een vervallen buurt in het oostelijke deel van L.A.. Ze hebben eerst twee weken buitenscènes gefilmd in Las Vegas en de rest wordt hier opgenomen. Vandaag filmen ze een van de sleutelscènes, die speelt in de 'slaapkamer' van een 'huis in Vegas'. Het personage dat Imani speelt moet de man van haar rivale verleiden, wat de aanloop vormt naar de climax tijdens de bruiloftsscène.

Op dit moment wordt er helemaal niemand verleid: de acteurs zijn gekleed in badjassen en Rusty Branson (die Imani stilletjes Bananenbrein noemt) is aan het tieren.

'Je komt heus niet frontaal van top tot teen in beeld, Imani. Alleen de bovenkant, vanaf je middel.'

'Ja, ik heb je wel gehoord, maar het gaat niet door. In het script wordt niets gezegd over naaktheid en ik doe het niet. Punt uit.'

'Ze probeert hem verdomme te verléíden. Wie draagt er in godsnaam een badjas als ze iemand probeert te verleiden?'

'Dietrich verleidde Gary Cooper in een smoking,' zegt Imani.

'Ze vergelijkt zichzelf met Dietrich,' zegt Rusty met luide stem. 'Moeten we het diva-alarm weer inschakelen?'

Stephanie ziet dat Imani begint te stomen. Rusty noemt Imani graag 'diva'. Soms als koosnaampje, als alles soepel loopt, en soms – zoals nu – niet. Imani heeft aan Stephanie uitgelegd dat dat de term is waarmee hij alle zwarte actrices om de oren slaat als ze per ongeluk een eigen mening hebben en enig aanzien genieten. Hoewel Imani's carrière zich tot nu toe tot de televisie heeft beperkt, is zij de bekendste van de cast en het is geen geheim dat haar naam zal helpen bij de distributie en op de buitenlandse markten waar de serie *X.C.I.A.* binnenkort op de televisie komt.

Stephanie weet dat ze weer eens tussenbeide zal moeten komen. Ze zal Rusty erop moeten wijzen dat er in het script inderdaad niets staat over naaktheid, al begrijpt ze wel wat hij bedoelt.

'Waar is Daniel?' vraagt Imani.

'Bij Renay,' zegt iemand.

'Ja, maar waar?'

Imani's nichtje is een mooi, eigenaardig, stil meisje met een sombere uitstraling dat Stephanie een ongemakkelijk gevoel geeft. Misschien wordt het meisje verlegen van al die filmlui – ze is opgegroeid in een buitenwijk in Texas –, maar toch. Je mag blij zijn als je meer dan een paar gemompelde woordjes uit haar krijgt. Maar ze is wel een toegewijde oppas. Stephanie zou niet eens heel erg verbaasd zijn als ze op een dag een hoek om liep en Renay Daniel de borst zag geven. Maar Renay heeft de onhebbelijke gewoonte om met de baby rond te gaan wandelen en op te duiken op een bovenverdieping waar ze net aan het filmen zijn. Imani heeft het nooit met Stephanie gehad over haar bezorgdheid om Renay en ze heeft ook nooit uitgelegd wat Renay op de set doet. Daarom heeft Stephanie het onderwerp weggestopt in de categorie 'niet mee bemoeien' en probeert ze er geen aandacht aan te besteden.

Ze wenkt Rusty en samen trekken ze zich terug in de gang. Omdat er nog steeds rijen gedeukte kluisjes tegen de muren staan, heeft Stephanie hier altijd het gevoel dat ze weer op de middelbare school zit in Jacksonville, Florida, een periode uit haar leven waaraan ze niet graag terugdenkt. Bovendien is er op de gang, anders dan in de klaslokalen waar ze filmen, geen airconditioning, waardoor het er snikheet is.

'Laat me raden,' zegt Rusty. 'Jij kiest zoals gewoonlijk de kant van Imani en belt zo meteen die rijke madam in New York om te klagen dat ik niet doe wat je wilt.'

'Om eerlijk te zijn wilde ik je iets uitleggen,' zegt Stephanie. Dat het haar lukt om kalm te blijven in dit soort situaties, die gemakkelijk zouden kunnen uitmonden in een catastrofe, is volledig te danken aan de yogalessen die ze het afgelopen jaar bij Lee heeft gevolgd. Ze moet echt een manier vinden om weer naar yoga te kunnen gaan, want de privélessen die Imani betaalt zijn net iets te besloten om echt effectief te zijn. Eigenlijk generen Stephanie en Imani zich voortdurend.

Rusty kijkt afwezig over haar schouder. 'Ga je gang,' zegt hij verveeld. 'Laat maar horen welke smoesjes je nu weer paraat hebt.'

'Imani heeft een paar maanden geleden een kind gekregen,' zegt ze. 'Ze geeft nog borstvoeding.'

'En wat wil je daarmee zeggen?'

'Dit is niet het goede moment om haar te vragen een naaktscène te doen, of zelfs maar een half-naaktscène.'

'Dus het is mijn schuld dat ze niet de moeite heeft genomen haar lichaam weer in conditie te krijgen voor de opnames? Jullie waren toch zulke goede yogamaatjes? Nou, waar is die gespierde Madonna-buik dan?'

'Het is nog maar vier maanden geleden, Rusty.'

'Heb je enig idee hoeveel ik nu al door de vingers zie vanwege die rotbaby?'

'En dat waardeert ze heel erg.' Positieve feedback. Ze heeft ergens gelezen dat dat wonderen doet.

'Als dat kind zo'n zware last is, waarom heeft ze die rol dan aangenomen? Sterker nog, waarom heeft ze überhaupt een kind gekregen?'

'Je moet het zo zien,' zegt Stephanie. 'Die baby heeft jouw film al een heleboel publiciteit opgeleverd: "Comeback voor Imani!" Zowel privé als in haar carrière. Dat verkoopt. Ik weet dat het vervelend is, maar uiteindelijk hebben we er baat bij. Het is de ideale invalshoek voor recensies over de film. *Oprah Magazine, Vanity Fair*. De pr-mensen vinden het geweldig. En je bereikt er precies de doelgroep van deze film mee.' Misschien zit er zelfs wel enige waarheid in wat ze zegt.

Rusty schudt zijn hoofd met een blik die op afkeer lijkt te duiden, maar uit zijn zwijgen leidt Stephanie af dat ze de discussie heeft gewonnen zonder zijn ego te kwetsen, en dat hij erover ophoudt.

'Rusty,' zegt ze, 'weet je hoe de baby heet?'

'Is dit een strikvraag?'

'Hij heet Daniel. En ik denk dat je Imani gemakkelijker mee krijgt als je hem af en toe bij zijn naam zou noemen in plaats van het steeds over "de baby" of "het" te hebben.'

Nu maakt hij zowaar zijn blik los van de muur en kijkt hij Stephanie in de ogen. 'Ik zal blij zijn als deze productie erop zit,' zegt hij. 'Het wordt ongetwijfeld een goede film, omdat ík goed ben. Er wordt nu al ongelooflijk veel over gepraat. Dus als het je een nominatie oplevert, dan heb je dat aan mij te danken.' En met die woorden loopt hij naar de wc.

Stephanie steekt haar hoofd om de hoek van het omgebouwde klaslokaal, vangt Imani's blik op en steekt haar duim op. Ze loopt door de zijdeur van de school naar buiten. Het is warm en de zon schijnt met dat meedogenloos helwitte licht dat ze zo haat. Gelukkig staat er een licht briesje. Ze vindt een schaduwhoekje onder een brandtrap en pakt haar telefoon.

'Je hebt goed nieuws,' zegt Sybille. 'Dat hoor ik aan de ringtone.'

'Weer een crisis afgewend,' zegt Stephanie. 'Iets met baby's en borsten. Het doet er verder niet toe. Ik weet niet eens precies waarom ik je bel.'

'Je bent overspannen aan het raken,' oppert Sybille.

Op de achtergrond klinkt zachte muziek en geroezemoes. Sybille zit waarschijnlijk te lunchen in een rustig restaurant ergens in Manhattan. Haar leven lijkt te draaien om chique lunches en onduidelijke besprekingen met advocaten en financieel adviseurs. Dat klinkt misschien leeg en oppervlakkig, maar omdat Sybille altijd zo eerlijk is over zichzelf, komt het nooit zo over. Het is verbazend wat mensen allemaal van je pikken zolang je er maar eerlijk over bent.

'Niet echt overspannen,' zegt Stephanie. 'Alleen nogal moe. Eigenlijk tegen uitputting aan.'

Ze hoort Sybille zachtjes tegen iemand praten. Het moet een van haar assistenten zijn, een butler of misschien degene die haar

haar knipt voor vijfhonderd dollar. (Stephanie, daarentegen, laat Roberta haar haar knippen.)

'Ik heb een voorstel,' zegt Sybille. 'Waarom kom je niet binnenkort een paar dagen naar New York? Dan regel ik een geweldig appartement voor je en zal ik je schaamteloos verwennen. Je hebt het verdiend.'

'Het klinkt aanlokkelijk, maar het is zo'n lange reis.'

'Die reis wordt heel comfortabel. Er is iets waar ik het toch al met je over wilde hebben en dat doe ik het liefst in levenden lijve. We kunnen het een zakelijke afspraak noemen als je dat prettiger vindt.'

Stephanie aarzelt en Sybille zegt: 'Neem Roberta maar mee. Dan maken we het gezellig. Ik beloof dat ik jullie achtennegentig procent van de tijd met rust laat.'

Stephanie had Roberta meegenomen naar een diner dat Sybille in L.A. had georganiseerd voordat ze naar New York vertrok, maar ze heeft noch Sybille noch iemand anders verteld wat voor relatie ze hebben. Daar is het nog te vroeg voor. Ze is er niet aan gewend dat iemand zo tussen neus en lippen Roberta's naam noemt. Het lijkt alsof Sybille het vanzelfsprekend vindt dat ze samen komen en dat geeft Stephanie een ongemakkelijk gevoel.

'Die woont in San Francisco.'

'Dat weet ik. Daar gaan ook vluchten vandaan, lieverd. We zouden haar via LAX kunnen laten vliegen, zodat je iemand hebt om mee te praten tijdens de vlucht.'

'Ik zal het haar vragen en dan laat ik het je weten.'

'Uitstekend. En Stephanie, je weet toch hoe goed deze film is, hè?'

'Alles staat of valt met de montage.'

'Alles staat of valt met het script. Binnenkort zullen er heel wat deuren voor je opengaan.'

Katherines massagecliënt is een lange, slanke vrouw die minstens zes keer per week yoga doet bij Edendale. Iedere keer dat ze bij Katherine komt, vertelt ze hoe belangrijk yoga voor haar is en hoezeer yoga haar leven heeft veranderd. Tegelijkertijd klaagt ze eindeloos over hoe 'moeilijk' het is en hoe hard ze ervoor moet 'zwoegen' en hoeveel ze moet 'opofferen' om al die lessen in haar schema te passen. Ze is een van die mensen die altijd bezig zijn met de vraag wie de grootste *namasté* heeft. Katherine wordt een beetje moe van die types en ze wil tegen ze roepen: probeer eens een beetje lól te hebben!

Aan de andere kant doet Natasha zo haar best in de yogales, dat ze een trouwe cliënt is geworden. Ze verrekt altijd wel een spier of overstrekt haar onderrug, en bij ieder pijntje maakt ze een afspraak met Katherine en verwacht ze dat zij de klacht onmiddellijk verhelpt zodat ze geen dag yoga hoeft te missen. Als er nog geen twaalfstappenprogramma voor asanaverslaving is, zou dat er moeten komen, zeker nu het voor sommigen een wedstrijdsport is geworden. Katherine heeft zelf ruime ervaring met verslavingen en ze weet dat als mensen als Natasha een dag yoga missen, ze last krijgen van angstaanvallen en fysieke rusteloosheid, die erg doen denken aan andersoortige ontwenningsverschijnselen.

Vandaag kwam Natasha binnen met nekklachten die, naar Katherine vermoedt, te maken hebben met een verrekking van de schuine halsspieren, waarschijnlijk ontstaan bij een extreme draaihouding. Het probleem bij Natasha is dat ze niet lang genoeg haar mond kan houden om Katherine haar werk te laten doen. Vorige week heeft Natasha zich ingeschreven voor het Flow and Glow Festival in de Sierra Nevada. Het klinkt als een heerlijke vakantie, maar ze is zo bang dat de lessen van haar keuze vol zijn voordat zij zich heeft kunnen inschrijven, dat ze er niet van kan slapen.

'Maar je kunt toch in ieder geval wel érgens aan meedoen?'

'Jawel, maar vorig jaar was er geen plaats meer in de lessen van Shiva Rhea en Rodney Yee. Dat gebeurt me niet nog een keer. Het was een nachtmerrie. Alle grote yogasterren van het land waren aanwezig. Dit jaar wist ik wanneer het programma van dit jaar online zou komen. Ik ben tot middernacht opgebleven om me meteen te kunnen aanmelden. Het was emotioneel heel stressvol om al die keuzes te moeten maken.'

'Misschien moet je daar nu even niet aan denken,' zegt Katherine.

'Ik probeer het los te laten,' zegt Natasha. Ze is even stil, maar barst een paar seconden later weer los. 'Je gelooft nooit wat mij is overkomen.'

Katherine is de knoop in haar nek aan het masseren dus haar woorden klinken wat vervormd. 'Misschien kun je beter even wachten tot ik hiermee klaar ben,' zegt Katherine.

'Mijn vriend heeft een aanzoek gedaan.'

Katherine is even verward omdat Natasha dit schijnbaar vrolijke bericht op een vreugdeloze, gespannen toon brengt.

'Het werkt beter als je nog een paar minuten kunt ontspannen.'

'Je zult wel denken dat ik gek aan het worden ben, maar je weet toch hoe belangrijk yoga voor me is?'

Uiteindelijk betaalt de cliënt voor de tijd en soms heeft Katherine de indruk dat ze meer hebben aan praten dan aan een lichamelijke behandeling. Soms kan ze het maar beter gewoon zien als een therapiesessie. Op dit moment zou ze zelf wel een praatsessie kunnen gebruiken. Sinds het nieuws van Tom over het huis is ze een beetje van slag. Het is maar een huis, zegt ze keer op keer tegen zichzelf. Een díng. Maar het is een levende entiteit in haar leven, en het voelde bijna als een relatie. Ze heeft nooit eerder in een huis gewoond waar ze zo verliefd op was en waar ze zich zo thuis voelde, zelfs niet als kind. Of eigenlijk, al helemaal niet als kind.

'Bedoel je dat je vriend niet aan yoga doet?'

'Jawel, maar hij doet alleen kundalini. Het is vast fantastisch, maar sorry, onder yoga versta ik toch echt iets anders. Met die tulbanden en gongen en zo? En de helft van de tijd zitten ze alleen maar wat te ademen.'

'Heb je het zelf wel eens gedaan?'

'Alsjeblieft niet. Daar heb ik het geduld niet voor. Ik bedoel, ik heb ooit wat gehad met een fanatieke ashtangi en dat was erg genoeg. Zo'n pezige jongen die al twintig jaar dezelfde oefeningen doet. Volkomen verstard. Mannen die alleen maar *ashtanga* doen zijn ongelooflijk intens. Gelukkig zijn het zulke controlfreaks dat ze een enorm uithoudingsvermogen hebben in bed, dus het heeft in ieder geval één voordeel.'

Katherine staat vaak versteld van de dingen waar mensen een probleem van maken, maar ze heeft vaker gehoord over de conflicten die in dit soort gemengde huwelijken ontstaan. Voor zover zij weet heeft het niets met yoga zelf te maken maar des temeer met karaktertrekken die maken dat bepaalde mensen zich aangetrokken voelen tot bepaalde yogastijlen – tot de op het detail gerichte precisie van Iyengar, de strenge ordening van ashtanga of de oververhitte intensiteit van Bikram.

'Als je af en toe meeging naar zijn lessen, zou hij misschien ook een keer hier komen en dan kunnen jullie elkaar in het midden ontmoeten.'

'Ik ben niet goed in compromissen,' zegt Natasha. 'Ik hoopte eigenlijk dat jij me zou vertellen dat het niets kan worden en dat ik zijn aanzoek moet afslaan.'

'Dat soort adviezen geef ik niet.' Het kost me al genoeg moeite om jou twee minuten je mond te laten houden, wil ze eraan toevoegen.

Als Natasha weg is, loopt Katherine naar Lee's kantoor. Lee zit aan haar computer met de eeuwige kop koffie voor haar neus. Ze kijkt op en glimlacht; haar mondhoeken zijn gespannen.

'Ik heb net een van de zwaarste lessen ooit gegeven,' zegt ze. 'Ik begon precies zoals ik in mijn hoofd had, maar het was zo'n ochtend en op de een of andere manier raakte ik de greep kwijt.'

'Telefoontje van je moeder?' vraagt Katherine.

'Alan.'

'Nog beter!' Katherine heeft nooit veel met hem opgehad, ook niet toen hij en Lee op het oog een goed huwelijk hadden. Hij was altijd zo vol van zichzelf en zo neerbuigend, en Katherine wist meer over zijn ontrouw dan haar lief was. 'Ik had graag meegedaan met je les. Ik had wel even wat fysieke arbeid kunnen gebruiken.'

'Slechte dag?'

'Niet echt.' Ze heeft dit nog met niemand besproken, maar vroeg of laat zal dat toch moeten, en Lee is de meest voor de hand liggende persoon, ook al weet Katherine precies wat ze zal zeggen. 'Conor en ik hebben gisteren overlegd. Hij vindt dat we samen op zoek moeten naar een huis.'

Lee heeft blond haar en een gave huid, en als ze glimlacht begint haar gezicht bijna letterlijk te stralen – alsof het vanbinnen wordt verlicht. 'En?'

'Het zou fijn zijn om de vaste lasten te kunnen delen.'

'Jullie zijn al een jaar bij elkaar, Kat. Jullie wonen al bijna samen. Denk eens aan alle voordelen.'

'Ik weet het. Maar om de een of andere reden kan ik alleen maar denken aan de nadelen. Ik ben eraan gewend om een badkamer voor mezelf te hebben. Ik kan naar bed gaan wanneer ik wil. We houden niet van dezelfde muziek.'

'Wat heb je gezegd?'

'Ik heb gezegd dat ik erover nadenk.'

Katherine heeft om allerlei redenen een hekel aan haar eeuwige twijfel en daar komt nu nog een reden bij: ze klinkt net als Natasha. Met het verschil dat Conor bereid is mee te doen aan alle vormen van yoga waar Katherine mee aankomt.

'Wat we ook beslissen, ik moet snel op zoek naar een huis.'

'Soms moet je gewoon een gokje wagen,' zegt Lee. 'En nu we het daar toch over hebben, ik heb horen vertellen over iemand die een Braziliaanse versie van yoga geeft. Hij noemt het Yoga de Janeiro. Zou jij een les bij hem willen volgen en verslag aan mij uitbrengen? Ik wilde het zelf doen, maar Alan verandert steeds de afspraken voor de kinderen.'

Yoga de Janeiro klinkt niet als iets waar Katherine warm voor zal lopen, maar het is het minste wat ze voor Lee kan doen. En wie weet? Misschien helpt het haar bij het nemen van een beslissing. 'Ik hoef toch geen string aan, hè?'

'Dat mag je zelf bepalen,' zegt Lee. 'Dank je wel.'

De volgende ochtend gaat Lee langs Café Crème voordat ze naar de studio loopt.

Ze weet niet zeker of er een verband is, maar sinds Alan en zij uit elkaar zijn, is ze steeds meer koffie gaan drinken. Misschien komt het doordat ze in de weken nadat hij eindelijk voorgoed was vertrokken, een extra shot cafeïne nodig had om alleen al de straat op te gaan. Hoe dan ook, ze weet dat ze moet minderen. Ze drinkt nu zes koppen per dag, hoewel daar twee espresso's bij zitten, die, dat weet iedereen, minder cafeïne bevatten. Toch?

Ze bestelt een grote café latte, maar bedenkt zich en vraagt een kleinere.

'Met een extra shot espresso,' besluit ze op het nippertje.

Terwijl ze gespannen staat te wachten – de afgelopen weken merkt ze dat ze slecht tegen wachten kan; nog een slecht teken – belt ze Alan. Hij heeft de jongens en ze wil zeker weten dat hij ze na school naar de studio brengt, zoals ze hadden afgesproken. Ze brengt minder tijd met de tweeling door dan ze zou willen, vooral omdat ze het zo druk heeft met de studio. Ze zegt steeds tegen zichzelf dat het goed is dat ze een sterke band krijgen met hun vader, maar diep vanbinnen voelt ze zich buitengesloten. Ze moet een uitstapje plannen met de jongens.

Alan neemt op met die vertrouwde verontwaardiging in zijn stem.

'Als je belt om te controleren of ik al op ben, is het antwoord ja. We zitten aan het ontbijt en ik zet ze ruim op tijd bij school af.'

Een simpel hallo zou leuk zijn geweest, maar dat is waarschijnlijk te veel gevraagd. Alan was deze maand twee keer bijna twintig minuten te laat bij de school. Grappig dat na alles wat er tussen hen is gebeurd, Alan altijd een toon aanslaat die suggereert dat Lee hem aanvalt. Slachtoffergedrag is erg onaantrekkelijk, wil Lee zeggen.

'Daar twijfel ik niet aan,' zegt ze. 'Ik wilde alleen maar weten of je nog steeds van plan bent om ze na school naar de studio te brengen.'

'Dacht je nou echt dat ik het je niet zou laten weten als ik andere plannen had gemaakt, Lee? Je mag wel iets meer vertrouwen in me hebben.' Hij slaakt nog maar eens een diepe zucht en zegt dan: 'Maar nu je er toch zo'n zaak van maakt, ik moet invallen voor een *kirtan*-instructeur bij Maha in Brentwood, en ik wilde je vragen of jij ze kunt ophalen, als het niet te veel móéíte is.'

Waarom toch die sarcastische toon? Lee draait op voor ongeveer tachtig procent van de uitgaven voor de jongens, en tegen het advies van vrienden en advocaten in betaalt ze ook nog steeds Alans ziektekostenverzekering.

De koffie wordt voor haar neus gezet. Dankbaar neemt ze een grote slok en daarna haalt ze diep adem in een poging rustig te blijven. Ze heeft geleerd dat het gemakkelijker is om Alan op zijn niveau aan te spreken in plaats van vergeefs te proberen een volwassene van hem te maken.

'Ik verzin wel iets,' zegt ze. 'En luister, ik weet dat het nog ver weg is maar ik wil je vast voorbereiden. Ik ben gevraagd voor het Flow and Glow Festival en Lainey vindt dat ik ja moet zeggen. Dus ik hoop dat jij de laatste week van volgende maand de jongens kunt nemen. Ik zal je de exacte data mailen.'

De stilte aan de andere kant van de lijn duurt zo lang dat Lee in de tussentijd de straat op kan lopen en de helft van haar koffie kan opdrinken.

'Alan? Ben je er nog?'

'Ben jij gevraagd voor Flow and Glow? Hoe is dát zo gekomen?'

'Ik ben yogadocent, weet je nog? Zo vergezocht is het nou ook weer niet.'

'Ja, Lee, bespaar me je sarcasme. Je weet heus wel hoe moeilijk het is om daar binnen te komen. Het is net zoiets als wanneer Bruce Springsteen een volslagen onbekende muzikant zou meenemen op tournee.'

Hoe meer hij sputtert, hoe zekerder ze weet dat ze ja moet zeggen. 'Dus, denk je dat jij je over de kinderen kunt ontfermen?'

'Jezus, Lee. Is het niet in je hoofd opgekomen dat ík dit jaar misschien wel naar het festival wil? Ik bedoel, sta je er wel eens bij stil dat je niet de enige bent met een leven en een carrière?'

'Hebben ze je gevraagd om op te treden? Geweldig!' Niet voor haar, maar betaalde klussen zijn belangrijk voor Alan en uiteindelijk goed voor iedereen.

'Dat zei ik toch niet? Ik zei dat ik misschien wel wil gaan. En ja, ik ben ook bezig met een paar dingen, wacht maar af.'

Het zou verschrikkelijk zijn als Lee in deze fase van haar leven passief-agressief begon te worden, maar ze moet bekennen dat het haar goeddoet te beseffen dat zij Alan altijd zo goed heeft gesteund dat hij haar onmogelijk de schuld kan geven van de problemen die hij in zijn muziekcarrière ondervindt. Hij heeft het aan haar te danken dat hij bij een aantal yogastudio's in de stad de muzikale begeleiding bij de lessen mag verzorgen en eindelijk een beetje succes heeft – wat hem in de folkmuziek nooit is gelukt. Voor zover zij weet heeft hij zijn droom om singer-songwriter te worden opgegeven en afficheert hij zich nu als spiritueel gids en 'yoga georiënteerd muziektherapeut'.

'Laat me weten wat je doet,' zegt ze. 'Mijn moeder zou dolgraag op de kinderen passen. Ze kan bij mij logeren. Ze heeft ze al een tijd niet gezien.'

'Ik weet niet of ik dat wel zo'n prettig idee vind. Ze heeft me nooit gemogen en ik wil niet dat ze de kinderen tegen mij opzet. Hoe dan ook, ik moet ophangen. Je hebt me zo lang aan de praat gehouden met je grote nieuws dat de kinderen nu te laat op school komen. En Marcus wil misschien nog een nachtje hier slapen, dus dan moet je hem terugbrengen.'

Daar heeft ze geen goed of gemakkelijk antwoord op. Alan en zij hebben een vast schema voor wie wanneer de kinderen heeft, en in het algemeen proberen ze de jongens niet uit elkaar te halen om zo min mogelijk te benadrukken dat het gezin uiteen is gevallen. Maar de afspraak is dat de jongens een of twee dagen langer bij een van hen mogen blijven als ze dat willen. Dit is de derde keer dat Marcus heeft gevraagd of hij nog een nacht bij Alan mag blijven. Marcus was altijd de gemakkelijkste van de twee, degene die haar het best aanvoelde. Ze kan niet ontkennen dat deze plotselinge ommekeer een beetje pijn doet. Wat ze nu het liefst wil, terwijl ze nippend van haar koffie de straat oversteekt naar de studio, is Marcus vragen waarom hij haar niet meer aardig vindt. In plaats daarvan zegt ze: 'Zeg maar dat het van mij mag als we het kunnen regelen met het vervoer.'

'Dat laat ik aan jou over,' zegt Alan. 'Je bent altijd al goed geweest in het indelen van andermans tijd.'

Wat een heerlijke manier om de dag te beginnen, denkt Lee. Maak je borst maar nat, yogi's, het wordt een pittige les.

Later die middag zet Lee de Volvo voor de school van de kinderen en gaat ze op de motorkap zitten wachten. De lucht is heet en droog, maar ze voelt zich getroost door de warmte en het zonlicht op haar armen heeft een weldadige werking. Het is duidelijk dat ze de laatste tijd te veel binnen zit.

Er klinkt een bel, de schooldeuren gaan open en een uitgelaten zwerm kinderen vliegt naar buiten, als vogels die worden bevrijd uit een kooi. Zoals altijd wordt ze ontroerd door de wanordelijke, gemoedelijke diversiteit van de school en ze is blij dat zij en Alan, na een lange discussie, hebben besloten de jongens op een openbare school te houden, ook al hebben een paar van hun vrienden hun kinderen op een andere school gedaan omdat ze het hier te chaotisch vinden. Tenminste één goede beslissing die ze samen hebben genomen. Michael komt stommelend naar buiten. Hij is met een jongen die ze nog nooit heeft gezien aan het vechten om een rugzak. Dit is gewoon vriendschappelijk ravotten, niets meer dan dat. Vroeger was hij vrij agressief, maar sinds hij meedoet met de Brave Hond-lessen, yoga voor kinderen (niet meer met Barrett als docente, die zo wijs was om bij de studio weg te gaan toen haar verhouding met Alan uitkwam), is hij een stuk rustiger. Een paar seconden later komt Marcus in zijn eentje naar buiten sjokken. Zijn rugzak is half van zijn schouders gegleden, en hij kijkt met gebogen hoofd naar iets in zijn hand. Een mobieltje? Maar de jongens hebben geen mobiel.

Sinds hun babytijd steekt Lee ze in dezelfde kleren en laat ze hun haar hetzelfde knippen. Voordat ze kinderen kreeg vond ze het altijd een beetje belachelijk en misschien zelfs wat verontrustend als ouders van hun kinderen elkaars spiegelbeeld maakten. Maar toen ze zelf in die situatie zat, besefte ze dat het een manier is om ze gelijk te behandelen, te voorkomen dat je een van de twee voortrekt met een bepaalde kleding- of kleurkeuze. Daarom zit het haar dwars dat Marcus heeft besloten zijn haar te laten groeien tot een wilde bos, terwijl Michael nog steeds om het stekeltjeshaar vraagt dat ze vroeger allebei het liefst hadden. Marcus beweert dat hij gewoon een hekel heeft aan de kapper, maar ze weet zeker dat het te maken heeft met het feit dat Alan haar heeft dat tot zijn schouders reikt.

Michael rent naar haar toe en ze omhelst hem stevig. 'Hoe was het op school, kerel?' vraagt ze.

Hij haalt zijn schouders op. 'Ging wel. Saai. Ik geloof dat deze tand eruit gaat.'

Ze bukt zich om de losse hoektand te inspecteren en zegt: 'Ik geef hem nog een paar dagen, misschien een week. Voorlopig geen appels.'

'Denk je dat het erg bloedt als hij eruit valt?'

'Niet zo erg, denk ik. Maar je bent nu al zo groot dat je er wel tegen kunt.'

Michael, die zes minuten voor zijn eeneiige tweelingbroer werd geboren, loopt altijd net iets voor wat lengte en gebit betreft, alsof die zes minuten gelijkstaan aan een paar maanden.

Als Marcus bij haar is, heeft hij het ding dat hij in zijn handen had weggemoffeld. Ze slaat haar armen om hem heen en snuift zijn geur op, terwijl ze probeert te negeren dat hij een beetje verstijft bij haar aanraking. 'Heb je een fijne dag gehad, jongeman?' vraagt ze.

'Ik had een negen voor rekenen,' zegt hij. Hij laat zijn rugzak van zijn rug glijden en geeft haar een gekreukeld velletje.

Rekenen is nooit zijn sterke punt geweest, maar een van de vele veranderingen die hij de afgelopen tijd heeft doorgemaakt, is dat hij het vak plotseling serieus neemt en het zelfs leuk vindt om zijn huiswerk te doen. 'Deze hang ik aan de muur van mijn kantoor,' zegt ze.

'Sorry, mam, maar ik wil hem ook aan papa laten zien.'

Vat het niet persoonlijk op – haar opvoedmantra. 'Ik maak wel een kopietje,' zegt ze.

Ze installeert de jongens op de achterbank en vertelt hun het grote nieuws terwijl ze wegrijdt. 'Ik heb een plannetje, jongens. We gaan vandaag iets leuks doen.'

'Je moet toch lesgeven?' zegt Marcus.

'Vandaag niet. We gaan naar Griffith Park. Naar iets waar jullie gek op zijn.'

'Het voetbalveld?' vraagt Michael opgewonden.

'Daar ga je al zo vaak heen. Dit is iets bijzonders.'

Als ze in een file terechtkomen, zet Lee de radio aan, maar het enige wat ze kan vinden is snoeiharde popmuziek en talkshows over milieurampen.

Als ze eindelijk door de file heen zijn en bij het park aankomen, lijkt het alsof de middag al bijna voorbij is. Michael ligt te slapen op de achterbank en Marcus frunnikt met een stopwatch die ze nog nooit heeft gezien. De zwavelgele, onbeweeglijke lucht heeft iets dreigends. Nog voordat Lee de auto bij het stationnetje van de miniatuurtrein heeft geparkeerd, beseft ze dat ze een inschattingsfout heeft gemaakt. Ooit was dit voor de jongens het favoriete uitje in de stad, maar ze kan zich niet eens meer herinneren wanneer ze hier voor het laatst waren. Waren ze zes? Misschien nog jonger? Het lijkt wel alsof haar hele plan een wanhopige poging is om iedereen terug te brengen naar een gelukkiger en rustiger tijd. Ze ziet ouders die het ouderwetse stationnetje in lopen met kinderen aan de hand die er minstens vijf jaar jonger uitzien dan de tweeling.

55

Michael wordt wakker, kijkt uit het raam en levert zijn bijdrage met een weinig geestdriftig: 'O, dat.'

Ze wil niet laten blijken dat ze teleurgesteld is over deze reactie. 'Kom, jongens,' zegt ze. 'Travel Town! Dat vinden jullie hartstikke leuk.'

Ze probeert vrolijk en energiek te doen als ze de auto uit stapt, maar de middaghitte slaat haar in het gezicht en ze voelt het enthousiasme over dit uitstapje uit haar lichaam wegvloeien. Het probleem is dat ze er nu eenmaal aan is begonnen en dus moet doorzetten.

Ze doet de achterdeur open en de jongens komen moeizaam de auto uit. Dan zegt Marcus heel lief en zachtjes iets wat voelt als een stomp in haar maag: 'Maar zo meteen ziet iemand ons, mam.'

'Wat bedoel je daarmee?' vraagt ze. 'Bedoel je dat iemand jullie misschien met míj ziet?'

'Ik bedoel híér. Dit is... voor kleine kinderen.'

'Nou, het spijt me voor je,' zegt ze, 'maar vergeleken met een heleboel mensen op deze planeet, zíjn jullie ook kleine kinderen. Kom op, niet zo negatief.'

Ze loopt naar het loket om kaartjes te kopen. De geforceerde opgewektheid van de man in het idiote uniform maakt het er niet beter op. En dan die verschrikkelijke hitte die de hele onderneming een extra laagje onbehaaglijkheid en zinloosheid verleent. 'Zo duur?' vraagt ze als ze de prijzen hoort.

'Alles wordt duurder, mevrouw,' zegt de man met een schorre stem. 'Voor zover ik weet is de staat blut.'

Ze geeft de kinderen hun kaartje en zegt: 'Als het treintje vaart maakt, hebben we een lekker windje.'

De jongens hebben die geschokte, stoïcijnse blik die Lee bij ze ziet als ze proberen het iemand naar de zin te maken en zich tegelijkertijd afsluiten voor hun omgeving. Het is de blik die ze hebben als ze ze meeneemt naar de tandarts voor hun fluorbehandeling. De miniatuurtreintjes zijn nog kleiner dan ze zich herinnert, en terwijl de jongste kinderen er gelukkig en opgewonden uitzien,

zien de volwassenen er alleen maar belachelijk uit. Ze steken uit de kleine wagonnetjes omhoog als reusachtige poppen. Gelukkig zijn de wagonnetjes overkapt zodat ze niet in de brandende zon hoeven te zitten.

Ze stappen in een van de treintjes en de jongens willen per se allebei een eigen bankje, de een achter de ander, waarschijnlijk omdat ze zich dan kunnen laten zakken zodat ze zo onzichtbaar mogelijk zijn. Dat betekent dat zij in haar eentje zit en niets anders kan doen dan luisteren naar de andere volwassenen die proberen hun kleuters enthousiast te krijgen: 'Wauw! Moet je kijken! Die trein rijdt achteruit! Zie je hoe die ene die andere trekt? Leuk, hè?'

Nu ze in het treintje zit, komt pijnlijk helder de herinnering boven aan de laatste keer dat ze hier waren. Dat was meer dan vier jaar geleden, vlak voor Kerstmis. Het spoor was voorzien van kerstversiering en ze waren een gelukkig gezinnetje. Voor zover zij wist was alles volmaakt. De jongens zaten bij hen op schoot en keken stil van verwondering naar de sprookjesachtige lichtjes, zij en Alan hielden de hele tijd elkaars hand vast en haar hoofd lag op zijn schouder. Het was heel anders dan de witte-kersttaferelen in New England waarmee zij was opgegroeid, maar toch deed het haar denken aan haar eigen jeugd, of in ieder geval het gelukkige deel ervan. Vrolijk kerstfeest, fluisterde Alan tegen haar, en ze was ervan overtuigd dat alles altijd zo gelukkig, zo magisch en zo mooi zou blijven.

Vandaag ziet het terrein er gelig en weinig uitnodigend uit. De jongens hebben het veel te warm en maken een ongelukkige indruk. Nu ze ze hier zo ziet zitten, op een plaats waar ze jaren geleden voor het laatst zijn geweest, realiseert ze zich hoe groot en volwassen ze zijn geworden, alleen al in het afgelopen jaar, terwijl zij het zo druk had met andere dingen.

Net voordat de trein vertrekt, begint de telefoon in haar tas te rinkelen. Het is Graham, de architect. 'Ik ben in de studio,' zegt hij. 'We moeten een beslissing nemen over de kleur van het plafond. Kom jij toevallig nog hiernaartoe vanmiddag?'

'Ik ben met mijn kinderen op stap,' zegt ze. 'Kan het over een paar uur?'

'Zo lang kan ik niet blijven. Ik bel je morgen wel, dan maken we een andere afspraak.'

Ze kijkt naar de humeurige jongens en beseft dat dit een manier is om met enige waardigheid te ontsnappen. Het volmaakte excuus.

'Ik ben er over vijfendertig minuten,' zegt ze.

Ze doet de telefoon in haar tas en stapt uit het treintje, energieker dan ze zich de hele middag heeft gevoeld. 'Sorry,' zegt ze, 'dat was Graham. We moeten terug naar de studio. We komen een andere keer wel terug.'

De jongens springen uit de trein en beginnen speels aan elkaar te duwen en trekken. Ze rennen naar een kiosk met informatie over komende evenementen en voor het eerst sinds ze ze van school heeft gehaald, lijkt het erop dat ze plezier hebben en zich goed voelen in haar gezelschap. Gek genoeg zien ze eruit alsof ze weer vijf zijn.

Katherine en Conor zijn op weg naar de Braziliaanse yogales in West Hollywood, waar ze op verzoek van Lee aan mee gaan doen.

Katherine zit achter het stuur van Conors pick-up en ze weet dat hij gespannen is maar probeert het niet te laten merken. 'Voorzichtig met die remmen, schat,' zegt hij.

'Ik vergis me steeds in de pedalen,' zegt Katherine. 'Maak het nou niet nog erger.'

'Je doet het heel goed. Maak je niet druk.'

Vlak nadat Conor afgelopen jaar van Boston naar L.A. was verhuisd, had hij op Craigslist een kleine Ford pick-up gekocht. Toen Katherine hem vroeg waarom hij een pick-up nodig had, haalde hij zijn schouders op en zei: 'Om spullen te vervoeren,' alsof het de gewoonste zaak van de wereld was. Katherine begreep maar niet wat hij dan wilde vervoeren, maar inmiddels weet ze dat Conor bijna ieder weekend wel een vriend of collega van de brandweer helpt meubels te verhuizen of hout te vervoeren of een enorme berg humus of aarde van A naar B te rijden. Hij is het gelukkigst als hij bezig is met een project waarbij veel zweet, een doe-het-zelfwinkel en meestal een flinke hoeveelheid bier komen kijken.

Katherine probeert overal met de fiets naartoe te gaan, maar Conor vindt dat ze de truck moet leren besturen en moet wennen aan schakelen en de koppeling als ze samen ergens heen gaan, want 'je weet nooit wanneer je het nodig hebt'.

Ze noemt hem vaak plagerig 'brave hendrik', maar stiekem vindt ze het geweldig dat hij van tevoren over dit soort dingen nadenkt en haar leert omgaan met praktische zaken. Als Tom, de huisbaas, hen vraagt om zelf het dak van het huis te repareren, kan Conor zo een handvol mensen optrommelen voor een dakdekkersfeestje, compleet met muziek en drank.

'Hoe heet die les ook alweer?' vraagt Conor.

'Yoga de Janeiro,' zegt Katherine. 'Volgens de website is het een traditionele, Braziliaanse variant die vijf jaar geleden is ontwikkeld.'

Hij lacht. 'En het komt erop neer dat ik me zo een ongelooflijke kluns voel.'

'Dat zou best eens kunnen. Maar ik ook. En in ieder geval ben je dan een heel schattige kluns.'

Yoga de Janeiro en Wagner Emerson, de grondlegger van deze stijl, maakten ongeveer zes maanden geleden een stormachtige entree in de yogawereld van L.A. en al snel had iedereen het erover en wilde iedereen meedoen. De yogastijlen waar iedereen tegenwoordig bijna seksueel opgewonden van lijkt te raken zijn allemaal hybride varianten. 'Min of meer yoga' noemt Lee ze. Yoga vermengd met ballet of acrobatiek of kickboksen. Yoga met salsa. Yoga met turnen. Yoga met zwemmen. Disco-yoga. Piloga. Yo-aquatics. Katherine denkt dat Yoga on Ice de volgende is, maar het zou best kunnen dat dat al bestaat.

Ze heeft niets tegen plezier maken, maar ze wordt een beetje moe van al die versies, waarvan de meeste uiteindelijk niets anders blijken te zijn dan doodgewone vinyasa-yoga op reggae of een rare mix van twee disciplines waaraan gek genoeg nou net de beste aspecten van beide ontbreken. Hoe komt het toch, vraagt ze zich af, dat zodra iets populair wordt, mensen moeten proberen het te veranderen of te 'verbeteren' op manieren die uiteindelijk zelden een verbetering blijken te zijn?

Als Conor met haar meegaat naar yoga, wordt haar iedere keer weer duidelijk waarom ze zo gek op hem is. Ze bewondert en benijdt het enthousiasme en de open geest waarmee hij zich op alle lessen stort. Hij wankelt en struikelt, valt op zijn gezicht of zijn achterwerk, maar blijft altijd doorgaan met een vertederende grijns op zijn gezicht. Zo gaat het al vanaf de eerste keer dat Katherine hem overhaalde mee te gaan naar een les van Lee, toen hij nog geen idee had wat hij zich op de hals haalde.

Natuurlijk probeer ik het, had Conor gezegd, een uitspraak die zijn levensmotto lijkt te zijn. Waarschijnlijk is dat de houding die ervoor heeft gezorgd dat ze, ondanks haar twijfels en angsten, nog steeds bij elkaar zijn. Probeer het gewoon, had hij geantwoord, toen ze tegen hem had gezegd dat ze niet goed was in vaste relaties en bang was dat ze hem pijn zou doen. Ze 'probeerde' het nu al een jaar. Ze heeft zich vaak genoeg afgevraagd of ze er wel goed aan deed en ze heeft moeilijke momenten gehad, maar tot nu toe kon ze het allemaal hanteren. Maar nu, met de verkoop van haar huis en dat andere, wat – als haar vermoedens kloppen – ook een factor van belang kan worden, staat er opeens veel meer op het spel.

'Je moet vaart minderen om hier rechts af te slaan, lieverd,' zegt Conor. 'Kruip er maar tussen in de rechterbaan. En trek je niks aan van het getoeter. Als ze je er niet tussen laten zijn het eikels.'

De zaal ziet eruit als een grote dansstudio. De wanden zijn bekleed met spiegels en er is veel aandacht besteed aan de verlichting om de sfeer van een nachtclub te creëren. Er liggen zo'n honderd mensen op de matten en een verrassend groot aantal van de vrouwen ziet eruit alsof ze zelf Braziliaans zijn. Minder verrassend is het feit dat velen een outfit dragen die op de boulevards van Rio misschien als zedig wordt beschouwd, maar toch eigenlijk alleen kan worden omschreven als een bikini. Wat de mannen betreft, vermoedt Katherine dat de meesten meer geïnteresseerd zijn in elkaars strakke broekjes dan in de schaarse kledij van de vrouwen.

'Ik ben veel te preuts gekleed,' zegt Conor zachtjes.

Hij draagt de kleren die hij altijd aanheeft als hij sport: een wijde, blauwe basketbalshort en een met verfspatten besmeurd brandweershirt. Preuts of niet, hij trekt veel aandacht van beide seksen, zoals in iedere yogales. Het komt door zijn lengte en rode haar en het feit dat hij in deze omgeving zo lachwekkend en onweerstaanbaar uit de toon valt.

'Ik ook,' zegt ze. 'Ik had toch mijn string aan moeten doen.'

Conor bukt zich, kust haar in haar nek en fluistert: 'Wanneer gaan we ons goede gesprek voeren, Brodski?'

'We zitten in Brazilië, meneer Roodhaar,' fluistert ze terug. 'Laten we het niet over zaken hebben terwijl we met vakantie zijn.'

Hij geeft haar een liefdevolle tik op haar achterwerk en opeens wenste Katherine dat ze echt in Brazilië waren, of ergens anders waar ze een beetje privacy hadden. Conor is de ideale minnaar, in meer opzichten dan ze had durven dromen. Hij is zonder twijfel de liefste man met wie ze ooit een relatie heeft gehad, maar hij heeft een agressief kantje dat naar boven komt als ze seks hebben en waar ze wild van wordt. Ze heeft zich altijd seksueel aangetrokken gevoeld tot mannen die een beetje ruw waren, maar ze gaf zich nooit volledig aan hen over omdat ze ze niet vertrouwde. Bij Conor laat ze zich helemaal gaan. Ze vertrouwt erop dat hij lief voor haar is en het nooit uit de hand laat lopen. Wat haar nog het meest verbaast is dat de seks alleen maar gepassioneerder en intenser wordt naarmate ze langer bij elkaar zijn. Dat is een volstrekt nieuwe ervaring voor haar.

Ze heeft nog steeds geen antwoord gegeven op zijn voorstel om samen een huis te kopen. Waarom zou ze gaan sleutelen aan de eerste relatie in haar leven die goed is? Waarom zou ze proberen die te verbeteren, net als die leraren die yoga vermengen met rodelen, of wat de volgende rage ook mag zijn?

Bovendien zou hun 'gesprek' wel eens een veel heftiger discussie kunnen worden dan Conor denkt – als haar vermoedens kloppen.

De lichten in de studio worden nog verder gedimd, iedereen neemt plaats op zijn mat en komt tot rust. Dan schalt er opeens stampende muziek uit de luidsprekers – rumba vermengd met een scherpe hiphopbeat – en de ruimte vult zich met opgewonden kreten. Tegen de tijd dat de instructeur binnenkomt lijkt het of er een wild dansfeest aan de gang is. Wagner Emerson is een klein, gespierd mannetje. Hij zit waarschijnlijk aan de verkeerde kant van de dertig, misschien is hij wel boven de veertig, maar hij ziet er fantastisch uit. Hij heeft een ontbloot bovenlijf en zijn gebruinde torso is zo glad en onbehaard dat het lijkt of iemand hem heeft opgepoetst. Met die helm van platinakleurig haar erbij zou hij niet misstaan in het tijdschrift *Men's Health* of misschien zelfs een pornofilm.

Dit is niets voor Lee, denkt Katherine.

Toch is de muziek aanstekelijk en Wagners opzwepende babbel, gebracht met een lijzig accent en een heleboel Portugese termen (die Katherine wonderlijk genoeg opeens begrijpt), is moeilijk te weerstaan. De warming-upoefeningen – vooral veel stoten met de heupen – gaan over in een soort stripteasevariant van de zonnegroet. Arme Conor, denkt ze, en ze durft niet naar hem te kijken.

Als ze haar verzet, haar kritische houding, laat varen, gaat ze zich steeds lekkerder voelen. Wagner heeft iets liefs en innemends, en eigenlijk vindt ze hem wel charmant. Ze wordt vrolijk van de ritmische bewegingen, ondanks zijn wellustige grijns, zijn lasergladde borstspieren en zijn exotische accent, waar hij vermoedelijk net zo lang op oefent tot elk woord een komische seksuele lading krijgt. ('Drrrraai met je heupen zo je maakt een mooi groot cirkel met je mooi grrroot kont.') Yoga kun je het niet echt noemen, maar zo ver wijkt het er nou ook weer niet van af. Op de een of andere manier lukt het hem om ook aandacht te schenken aan *pranayama*, beheersing van de ademhaling – geen gemakkelijke opgave gezien de snelheid waarmee alles gaat. Door de seksuele lading die hij overal in legt, heeft het geheel iets weg van een workshop voor betere orgasmes, maar je kunt ook niet ontkennen dat ademen en spiercontrole aangename bijwerkingen hebben buiten de yogazaal. Ze heeft ooit op internet een artikel gelezen waarin Bikram daar expliciet op inging en beweerde dat je hem na een van zijn yogasessies 'dagenlang niet meer naar beneden kreeg'. (Ja ja!)

Lekker, lekker, lekker, hoort ze steeds pulseren in haar hoofd op een zwoel sambaritme.

Plotseling klinkt er luid gelach en applaus en als ze zich durft om te draaien om te kijken hoe Conor zich erdoorheen slaat, ziet ze dat Wagner achter hem staat om hem te helpen zijn bekken losser te maken – wat inhoudt dat hij zijn heupen tegen Conors grote, gespierde kont drukt. Het is een van de meest obscene taferelen die ze ooit in een yogastudio heeft gezien. En Conor? Die lacht en bloost en geeft Katherine een knipoog met een intens seksuele blik in zijn ogen.

Hij probeert het gewoon, denkt Katherine. En als ze hem zo ziet in die idiote houding, terwijl ze zelf een beetje duizelig is en zich tamelijk belachelijk voelt, bedenkt ze dat als hij bereid is om dít te proberen, om gewoon erin mee te gaan, zij toch wel bereid zou moeten zijn om met hem te gaan samenwonen.

Ze steekt op een overdreven manier haar duimen naar hem op. Wat ze daarmee wil zeggen is: laten we het doen. Laten we morgenochtend de makelaar bellen. Laten we het proberen. Ze zal het later wel voor hem vertalen, voor het geval hij op dit moment zo in de war is dat hij het niet begrijpt.

Op uitnodiging van David Todd rijdt Lee naar een vechtsport-
school op West Pico, niet ver van Santa Monica.

Voordat ze die ochtend haar huis verliet, heeft ze zich drie keer
omgekleed; neurotisch gedoe, waar ze zich zelf aan ergert. Ze
heeft een afspraak met hem om over werk te praten, over een aanbod dat hij al min of meer heeft afgeslagen, en eigenlijk weet ze
helemaal niets over zijn privéleven. Misschien is hij wel getrouwd.
Of homo. Of is er een andere combinatie van factoren die maakt
dat haar kleding er hoegenaamd niets toe doet. Op een aantal yogablogs stonden wat roddels over dt die in de stad was gespot met
verschillende yogadocentes, maar daar hecht ze weinig waarde
aan.

Ze vindt het nogal vernederend dat ze zich er zo op verheugt
om hem weer te zien, maar ze heeft zich nooit echt raad geweten
met haar gevoelens voor mannen. Op de middelbare school en op
de universiteit was ze een serieuze leerling, die meer bezig was
met het behalen van goede cijfers en haar streven om toegelaten
te worden tot een goede geneeskundeopleiding, dan met seks. Eigenlijk kwam het niet eens in haar hoofd op dat seks iets voor haar
was; het was meer voor meisjes met andere interesses en ambities.
Norm, haar vriendje vanaf haar zestiende tot aan haar afstuderen,
was een slimme, sullige jongen, die in wezen – zo beseft ze nu –
een soort plaatsvervanger was, zodat ze niet over relaties hoefde
na te denken en de aanbiedingen die ze kreeg kon afslaan. Zij en
Norm hadden brave, routinematige seks, waarna ze altijd verlangde naar iets anders, zonder te weten wat precies. Ze denkt terug
aan die zondagmiddag toen ze als eerstejaarsstudente naar Chicago was gevlogen om bij hem in zijn studentenhuis te logeren.
Het was februari en ze lagen samen onder de dekens. Ze hadden
net dat gedaan wat zij beschouwde als 'de liefde bedrijven' en
opeens barstte ze in tranen uit omdat ze zich zo leeg en alleen
voelde, vervuld van verlangens en onvrede die ze niet begreep.
Wat is er aan de hand? had hij gevraagd. En omdat ze niet wist

wat er aan de hand was en hem niet wilde kwetsen, zei ze: 'Er is niets aan de hand. Ik ben gewoon gelukkig.'

Ze wist altijd dat ze aantrekkelijk was, maar pas toen ze yoga had ontdekt, voelde ze zich verbonden met haar fysieke zelf. Het was alsof het atletische talent dat ze had onderdrukt toen ze scheikunde en anatomie studeerde nu eindelijk tot ontplooiing kwam. Ze kende de naam van ieder spiertje, ieder botje, ieder orgaan in het menselijk lichaam, maar op de een of andere manier was ze voorbijgegaan aan het simpele feit dat zij zélf een lichaam had. Toen ze met yoga begon, leerde ze haar lichaam kennen en drong ook het besef door dat ze zich er niet voor hoefde te schamen. Ze heeft er een hekel aan als mensen schunnige opmerkingen maken over yoga en dubbelzinnige grappen over 'standjes' (Kyra Monroe, heb je je oren open?), maar ze moest bekennen dat de nieuwe connectie met haar fysieke zelf haar het gevoel gaf dat ze voor het eerst in haar leven ook in contact stond met haar seksualiteit. Toen ze Alan leerde kennen, zette ze alle voorzichtigheid overboord. De allereerste keer dat hij haar aanraakte, begreep ze precies waarom ze had gehuild bij die lieve, machteloze Norm. Alan en zij hadden een slecht huwelijk maar de seks was altijd geweldig, en de training die ze deden in de studio deed daar nog een schepje bovenop.

Het afgelopen jaar vond ze het wel zo gemakkelijk om zich met andere dingen bezig te houden, net zoals ze had gedaan toen ze studeerde. Het is opwindend en teleurstellend tegelijk dat de ontmoeting met David Todd een scheur veroorzaakt in de zorgvuldig opgebouwde muur.

L.A. telt meer vechtsportscholen dan yogastudio's en de school waar zij moet zijn, is gevestigd in een onaantrekkelijke winkelstraat, ingeklemd tussen een outletwinkel en een filiaal van een grote drogisterijketen. Ze werpt nog één blik op zichzelf in het spiegeltje van de zonneklep. Ik word oud, zegt ze tegen zichzelf, waarna ze de klep dichtslaat. Het is maar een zakelijke afspraak.

Het eerste wat haar opvalt als ze naar binnen loopt is de geur van ingetrokken zweet die haar doet denken aan de gymzaal van de middelbare school. Als zij het zich kon veroorloven haar studio zo te verwaarlozen, hoefde ze zich geen zorgen te maken over al die rekeningen. Maar ze zou er nooit meer naar binnen willen.

Er zit niemand bij de balie, dus laat ze zich door de dreunende klanken van elektronische muziek naar een lange, smalle studio achter in het gebouw leiden. Daar staat een handvol tieners – jongens en meisjes van alle rassen – in een cirkel naar David te kijken, die midden in de ruimte een soort dans van trappen en sprongen uitvoert. Hij lijkt zich maar half bewust van zijn omgeving, alsof hij zichzelf naar een andere wereld heeft getransporteerd. De trappen worden steeds hoger en de cirkels die hij draait sneller, tot het lijkt alsof hij ieder moment kan opstijgen. Hij draagt een katoenen broek met een koord in de taille, en verder niets, maar toch wordt Lee's aandacht vooral getrokken door de kinderen die hun ogen niet van het schouwspel af kunnen houden. Als David weer neerdaalt op aarde en afsluit met een buiging, volgt er een eerbiedige stilte. Lee ziet een meisje aan de andere kant van de zaal – zo te zien een stoere meid, met tatoeages en een wilde bos haar – een paar tranen van ontzag wegvegen.

'Het is voornamelijk budokon, een mix van vechtsport, meditatie en yoga,' zegt David, 'maar ik verwerk er een heleboel traditionele asana's in. Deze kinderen krijg je nooit naar yoga. Daarom leg ik de nadruk op de vechtsport en stop ik de rest er stiekem in.'

'Worden ze naar jou verwezen?'

'Ja, vooral door hun onderwijzers. Het zijn kinderen met grote problemen. Drugs, geweld, onvoorstelbare drama's in het gezin. Ik heb een paar groepen. Ze mogen meedoen als ze op school blijven. Toegegeven, het heeft maar bij ongeveer tien procent effect, maar soms is dat effect wel heel groot.'

'Betalen die scholen je?'

'Ben je gek? Dit is Californië. Tenzij ze besluiten hasj te legaliseren om extra inkomsten te genereren, blijft dit vrijwilligers-werk.'

'Je zou eens met mijn assistente moeten praten,' zegt Lee. 'Die strijdt heel fanatiek vóór legalisatie.'

Nu David tegenover haar aan een tafeltje in een café op Montana zit, ziet hij er wat ouder en vermoeider uit dan toen hij voor de klas stond. Hij heeft een knap, hoekig gezicht en blond haar dat steeds onder zijn bril door in zijn ogen valt. Hij heeft ook een slordig sikje met hier en daar een grijze haar. Dat alles maakt hem alleen maar nog aantrekkelijker voor Lee, als iemand die de rimpels in zijn gezicht heeft verdiend en tevreden is met zichzelf. Hij heeft een wijd, groen T-shirt aangetrokken dat bij de hals is uit-gerekt en de slanke torso die Lee in de les zag volledig verhult. Hij straalt zelfvertrouwen uit, maar zonder ijdelheid. Zo'n beetje het tegenovergestelde van de twee mannen met wie Lee de afgelopen zes maanden afspraakjes heeft gehad – koppelpogingen van haar vriendin Lorraine, een kunstenares uit Silver Lake. De afspraakjes bleken een test in uithoudingsvermogen. Beide mannen waren zo onzeker over zichzelf en tegelijkertijd zo narcistisch dat ze haar niet één vraag stelden. En daarna waren ze verbaasd en gekwetst toen ze met een handddruk afscheid nam.

David steekt zijn vork in een chocolade-pindakaastaart die of-wel het weerzinwekkendste ofwel het verrukkelijkste is wat Lee ooit heeft gezien. 'Je moet deze eigenlijk even proeven,' zegt hij. 'Dan voel ik me minder schuldig dat ik hem heb besteld. Ik werk aan mijn suikerverslaving. Heel langzaam...'

'Voor zover ik kan beoordelen hoef je je daar niet al te veel zor-gen over te maken,' zegt Lee. Een onschuldige opmerking, maar misschien toch nog te flirterig?

'Ik heb in mijn leven heel wat verslavingen en andere obstakels moeten overwinnen,' zegt David. 'Ze nemen steeds andere vor-men aan, maar over het algemeen is het het best om in balans te blijven. Of althans dat te proberen.'

Lee neemt een hapje taart en haar smaakpapillen slaan op tilt. 'Ik begrijp dat je hieraan verslaafd kunt raken.'

'Je kunt aan alles in het leven verslaafd raken.'

'Mijn verslaving is koffie,' zegt ze. 'Ik zeg steeds tegen mezelf dat het beter is dan sigaretten.'

David begint met zijn vork op de rug van zijn hand te tikken, alsof hij twijfelt of hij iets wel of niet zal vertellen. Uiteindelijk zegt hij: 'Ik heb je opgezocht op internet.'

'O? Kwam je iets interessants tegen?'

'Wat oude beelden van een interview dat jij en Kyra Monroe een tijdje geleden op tv hebben gedaan.'

Lee krimpt ineen. 'Ik wist niet dat dat weer was opgedoken. Ik hoop dat je het niet hebt bekeken.'

'Ik ben opgehouden zodra ik zag waar het heen ging.'

'Ook als dat niet waar is, vind ik het aardig dat je dat zegt. Ik wil er niet eens meer aan denken.'

David houdt zijn hoofd scheef. 'Het is waar,' zegt hij, alsof het nooit in zijn hoofd zou opkomen om te liegen. 'Een heleboel mensen dragen je op handen. Heb je de dingen gelezen die je leerlingen over jou op Yelp schrijven?'

Inderdaad zorgt Lainey er wel voor dat Lee de recensies van de studio die online verschijnen onder ogen krijgt, en hoewel ze probeert zich er niet te veel door te laten beïnvloeden, is ze toch trots op de lovende woorden van al die anonieme recensenten. 'Ik vind dat je een keer naar Silver Lake moet komen om het met eigen ogen te zien,' zegt Lee. 'Waarschijnlijk word ik overschat, maar ik sta open voor opbouwende kritiek.'

'In bijna alle reacties komt het woord "compassie" voor.'

'Ik ben een goede actrice.'

'Je kunt niet alles veinzen. En ik vind het geweldig dat je het zo kleinschalig houdt, dat je je niet laat verleiden door het grote, commerciële monster dat ons allemaal probeert te verslinden.'

'Wat ik geweldig zou vinden,' zegt Lee, 'is als Edendale meer een gemeenschap wordt. Silver Lake heeft ook zo zijn probleemjongeren. Ik wil je niet onder druk zetten, maar ik vind echt dat je een keer moet komen kijken.'

'Ik krijg heel veel aanbiedingen en op dit moment is het wel zo gemakkelijk om me te beperken tot wat ik al doe. Als ik kom, dan is dat alleen maar om zelf een les te volgen. Ik kan wel wat meer compassie in mijn leven gebruiken.'

Lee is opgelucht dat hij een kleine opening laat. In ieder geval krijgt ze hem nog eens te zien. En dan kan ze hem bewerken.

Hij pakt een servet en zegt: 'Mag ik...?' En dan strekt hij zijn arm uit en veegt haar kin af. 'Sorry, maar ik voel me verantwoordelijk omdat ik vond dat je deze taart moest proeven.'

'Veel overtuigingskracht was er niet voor nodig.' Ze kijkt op haar horloge en staat op. 'Ik moet gaan. Ik moet mijn kinderen ophalen van school.'

'Hoe oud zijn ze?'

'Negen en negen. Trek zelf maar je conclusies.'

Hij staat ook op en ze lopen de felle, hete middagzon in. Het verkeer op Montana begint drukker te worden en Lee vraagt zich af of ze Chloe kan bellen om de kinderen op te halen. Dan zou ze zelf boodschappen kunnen doen op de boerenmarkt. Misschien wil David wel mee. Hij staat stil en raakt haar arm aan. 'Ik heb ook gelezen over jou en je man.'

'Staat dat ook online?'

'Alles is te vinden als je weet waar je moet zoeken. Hoe dan ook, ik vind het heel naar voor je. Het zal niet gemakkelijk zijn geweest.'

'Eerlijk gezegd,' zegt Lee, 'was het een stuk gemakkelijker dan die laatste periode dat we nog bij elkaar woonden.'

'Maar toch.' Hij strijkt het haar uit zijn ogen en vervangt zijn gewone bril door een kleine, ronde zonnebril. Een echte hippie, het type waartoe Lee zich altijd aangetrokken heeft gevoeld. 'Ik heb zelf een paar maanden geleden op een heel vervelende manier een relatie beëindigd en ik heb besloten me het komende jaar op mijn werk te concentreren om mijn balans te hervinden. Geen afspraakjes, niets.'

'Ik geloof dat ik ook in die fase zit,' zegt ze.

Hij omhelst haar innig. De harde spieren van zijn borst en maag drukken lang genoeg tegen Lee's lichaam om haar in de war te brengen. Ze weet niet goed of hij haar zojuist heeft verteld dat hij beschikbaar is of juist dat hij geen enkele belangstelling voor haar heeft. Ze laat het maar gaan en richt haar aandacht op het feit dat hij naar Edendale komt voor een les. Ze zal hem weer zien. Op dit moment is dat misschien wel genoeg.

Meteen nadat de tournee was afgelopen, twee dagen geleden, is Graciela uitgecheckt bij het Four Seasons Hotel. Zelf kon ze het uiteraard niet betalen en even vanzelfsprekend was dat ze Jacob Landers aanbod om een paar dagen bij hem te logeren afsloeg, ook al was de verleiding groot. Jacob woont op de vijfenzeventigste verdieping van een splinternieuw gebouw op Columbus Circle. Het is zonder twijfel het luxueuste appartement dat Graciela ooit heeft gezien. Eigenlijk is het een soort zwevend aquarium met uitzicht rondom – op de Hudson en Central Park en helemaal tot aan het zuidelijkste puntje van Manhattan. Ze is even bij hem binnen geweest toen hij snel een cadeautje voor het kind van zijn schoonmaakster moest klaarleggen en haar vroeg om mee te gaan naar boven. Het is minimalistisch ingericht en doordat er nergens ook maar een spoor van rommel te zien is, doet het een beetje steriel en onpersoonlijk aan, als een spectaculaire hotelsuite die op gasten wacht.

Maar dat past wel bij Jacobs persoonlijkheid. Hij is obsessief netjes. Zijn schoonmaakster komt iedere dag stoffen, de wc's schoonmaken en de vloer dweilen, en volgens eigen zeggen doucht hij meerdere keren per dag. Op dit moment is dat een van de vele dingen aan hem die ze bijna ondraaglijk vertederend vindt. Hij heeft een heleboel grappige, ijdele trekjes die op de een of andere manier niet zozeer met ijdelheid te maken lijken te hebben als wel met een poging zijn gecompliceerde leven in de hand te houden, de controle te houden over al die roem en al dat geld in plaats van dat het hem gaat beheersen.

Door hem realiseert ze zich dat Daryls idee van controle krijgen over zijn leven, voornamelijk inhoudt dat hij háár moet manipuleren en in zijn macht moet krijgen.

Ze is naar een hotel in de Upper West Side gegaan, op steenworp afstand van Jacobs gebouw en op loopafstand van zo'n acht yogastudio's. De Belleclaire is een stuk minder luxueus dan het Four Seasons, maar het is schoon en rustig, en het heeft iets huiselijks.

Haar kamer ligt op de achtste verdieping, aan de achterzijde, en kijkt uit op een luchtkoker – tussen de omringende gebouwen door is er een flintertje uitzicht te zien. Niet helemaal hetzelfde als uitkijken op Central Park, maar het geeft haar een veilig, afgezonderd gevoel. Niemand kan naar binnen kijken. En met het oog op wat haar in L.A. te wachten staat (en vooral de problemen die ze op dit moment voor zichzelf creëert), is dat gevoel van veiligheid precies wat ze nu nodig heeft.

Ze loopt de halfronde trap af naar de kleine, ovale lobby. De lift is langzaam en kraakt nogal en ze heeft sowieso opvallend veel energie sinds ze Jacob heeft leren kennen. De receptionist zwaait en glimlacht naar haar. Hij is jong, onmiskenbaar homoseksueel, een beetje mollig en idolaat van Beyoncé. Hij is twee keer naar het concert geweest en toen ze binnenkwam herkende hij haar meteen. Dat was haar buiten de kleedkamers nog nooit overkomen en het schiep meteen een band, die deels voortkwam uit dankbaarheid van haar kant. Ze zwaait terug maar realiseert zich dan dat hij haar wenkt om naar de balie te komen.

'Alles goed, Lyle?' vraagt ze.

'Hoe zou ik nou ongelukkig kunnen zijn op een dag als vandaag?'

'Ik heb de indruk dat je altijd gelukkig bent,' zegt ze.

'Ik word ervoor betaald om er gelukkig uit te zien.'

Ze heeft niemand over Jacob verteld. Hij heeft duidelijk gemaakt dat hij zijn privéleven zo privé mogelijk wil houden en ze begrijpt heel goed waarom. Af en toe voelde ze de verleiding om het aan Lyle te vertellen – gek genoeg eerder aan hem dan aan haar vrienden – maar ze weet niet goed wat ze dan moet zeggen.

Dat ze 'iets met Jacob heeft'? Tot nu toe is het beperkt gebleven tot een rondleiding door de stad, een lunch in een afgelegen tentje in het zuiden van Manhattan en een gezamenlijke yogales. Het enige fysieke contact waarvan tot nu toe sprake is geweest, is dat hij zijn hand op haar rug legt als hij een deur voor haar openhoudt, maar dat is al genoeg om een siddering door haar hele lichaam te laten trekken. Het lijdt geen twijfel dat hij haar aantrekkelijk vindt en ze weet niet of ze dankbaar of teleurgesteld moet zijn dat hij er niet meer werk van maakt. Een uur geleden belde hij op om hun lunchplannen te wijzigen. Hij wilde dat ze naar zijn huis zou komen, zonder uitleg, behalve dat hij zin had om hamburgers te maken.

'Ik heb haast,' zegt ze tegen Lyle. 'Ik moet naar een afspraak.'

'Wacht even. Er heeft vanochtend iemand voor je gebeld toen je aan het joggen was.'

'Echt waar? Er lag geen briefje.'

'Dat was niet nodig. Het was alleen maar een man die wilde weten of je in dit hotel zat.'

'Weet je niet hoe hij heette?'

'Nee.' Lyle laat een veelbetekenende stilte vallen. 'Hij noemde zijn naam niet.'

Ze weet zeker dat het Daryl was, om haar te controleren. Ze had hem verteld dat ze wat later terug zou komen, omdat ze nog wat langer in New York wilde blijven met een van de andere danseressen. Zodra ze naar het Belleclaire was verhuisd, had ze hem opnieuw gebeld. Ze had een beschrijving van haar kamer gegeven, waarin ze die minder mooi afspiegelde dan hij is. Maar blijkbaar gelooft hij haar niet.

'Wat heb je tegen hem gezegd?'

'Dat soort informatie geven we niet. Niet als het op die manier wordt gevraagd. En al helemaal niet als het om een beroemdheid gaat.'

'Echte beroemdheden slapen niet in dit hotel.'

'Je zou versteld staan. Hoe dan ook, als hij meteen had gevraagd of hij kon worden doorverbonden naar je kamer, zouden we dat hebben gedaan. Of als je er niet was, zouden we hebben gezegd dat er niemand onder die naam geregistreerd staat. Onthoud dat als je nog eens iemand wilt stalken.'

'Dat zal ik zeker doen.'

Eigenlijk zou ze hem moeten vertellen dat het waarschijnlijk haar vriend is, maar ze wil Daryl nu niet zo noemen. Hoe komt het, vraagt ze zich af, dat ze sinds ze Jacob kent voor het eerst boosheid voelt over wat Daryl heeft gedaan?

Als ze buiten staat voelt ze die vertrouwde steek van medelijden voor Daryl, ondanks alles wat hij haar heeft aangedaan, ondanks zijn jaloezie en woede over haar succes, ondanks alles wat ze al die jaren heeft gedaan om hem te helpen. Als hij meteen had gevraagd of hij kon worden doorverbonden naar je kamer, had Lyle gezegd. Maar hoe moest Daryl dat weten? Hoe vaak heeft hij in een hotel geslapen? Hij is opgegroeid in een achterstandswijk van L.A., in een appartement dat zo klein was dat hij een bed moest delen met zijn twee broers, tot een van hen werd neergeschoten door een lid van een rivaliserende bende. Niet dat zij zelf uit zo'n kansrijke omgeving komt, maar vergeleken met Daryls jeugd was de hare een idylle. Hij zegt altijd dat zij het beste is wat hem ooit is overkomen, en ze weet dat dat waar is. Een jaar geleden zou zij ook de verkeerde vragen hebben gesteld aan de hotelreceptionist. En nu is ze op plaatsen geweest waarvan ze niet eens had durven dromen dat ze die zou zien, terwijl Daryl vastzit in L.A., met zijn saaie dj-optredentjes, die mijlenver zijn verwijderd van wat hij echt wil.

Ze loopt over Broadway. Plotseling zien de straten er veel smeriger uit en valt haar op hoeveel stof en afval er door de wind in het rond wordt geblazen. Ze pakt haar telefoon en belt Jacob.

'Hé, Gracie,' zegt hij. 'Kom je wat later?'

'Nee, dat is het niet.'

'Oké. Je klinkt een beetje vreemd. Waar ben je?'

'Op Broadway. Maar... ik geloof dat ik beter niet kan komen. Ik wil eigenlijk kijken of ik mijn ticket kan omzetten en al vanavond terug kan vliegen. Het spijt me.'

Hij is lang stil en zegt dan: 'Dat kan niet. Ten eerste kost dat handenvol geld en ten tweede zul je je altijd blijven afvragen of je misschien de beste hamburger van je leven hebt gemist.'

Ze moet lachen ook al vindt ze het niet grappig, en dan is ze opeens zo verdrietig en in de war dat ze begint te huilen. 'Het spijt me,' zegt ze. 'Ik kan het gewoon niet.'

'Zeg waar je bent,' zegt hij. 'Dan kom ik je halen.'

Als Lee aan Lainey vertelt dat ze haar advies ter harte neemt en de uitnodiging om les te komen geven op het Flow and Glow Festival accepteert, is Lainey zo blij dat ze opspringt uit haar stoel en Lee omhelst.

'Dat is een uitstekende beslissing,' zegt ze. 'Zo schiet je in één keer naar een hoger niveau, waar je thuishoort. Je bent een ster, Lee. Al weet je dat nog niet.'

Het eerste wat Lee denkt als ze dat hoort, is dat David Todd het maar niets zou vinden. Maar wat maakt dat uit? Het is al drie dagen geleden dat ze elkaar in Santa Monica hebben gesproken en nog steeds heeft hij zich niet laten zien bij Edendale, zoals hij had toegezegd. Misschien had hij het alleen maar gezegd om aardig te zijn. Of misschien is ze een beetje te ongeduldig.

'Laten we niet te hard van stapel lopen,' zegt ze tegen Lainey.

'Ik ben alleen maar opgelucht,' zegt Lainey. 'Ik heb meer dan een week geleden ja gezegd op de uitnodiging, dus het zou nogal vervelend zijn geworden als je had besloten het niet te doen.'

'Daar moeten we misschien maar eens een goed gesprek over hebben,' zegt Lee.

'Je hebt gelijk, maar laten we daarmee wachten tot je hebt gezien hoe goed je eruitziet op de foto's die ik ze heb gestuurd. Ze staan sinds gisteren op hun website.'

Als ze terug is in haar kantoor besluit Lee dat dit een goed moment is om haar moeder te bellen. Vroeg of laat moet dat toch gebeuren en meestal is het beter om de vervelendste karweitjes zo snel mogelijk te doen.

'Lee!' roept haar moeder uit. 'Ik ben zo blij dat je me belt, lieverd. Ik zit al de hele dag aan je te denken. Is er iets aan de hand?'

Lee kijkt op haar horloge. Het is nog voor enen in Connecticut, maar zo te horen heeft haar moeder haar eerste glas wijn al achter de kiezen. Sinds ongeveer een jaar verschuift het borreluurtje steeds dichter naar het middaguur, maar Lee weet niet of ze er wel iets van moet zeggen. Ellen heeft een moeilijk jaar achter de rug. Hopelijk is haar drankzucht van tijdelijke aard en houdt het weer op als al het gedoe met de rechtszaken voorbij is.

'Nee, mam, er is niets aan de hand.'

'Ik ben zo blij dat te horen, lieverd. Soms maak ik me zorgen omdat je nooit iets laat horen, en als je dat wel doet, dan heb je meestal een probleem of wil je dat ik iets voor je doe.'

Lee voelt zich betrapt: ze belt inderdaad met de vraag of haar moeder iets voor haar wil doen. 'Alles gaat hier goed,' zegt ze.

'Ik wou dat ik hetzelfde kon zeggen, maar laten we het daar niet over hebben. Ik weet dat je geen zin hebt om míjn problemen aan te horen.'

Dat is nog waar ook. Lee weet al veel te veel over haar moeders problemen en ze kan haar er toch niet mee helpen.

Iets meer dan een jaar geleden raakte Ellen in de ban van Lawrence, een yogaleraar die ze bij de YMCA had ontmoet, en ze besloot in te gaan op zijn voorstel om van haar huis een yogaretraite te maken, met een lesruimte in de schuur en een slaapzaal in de schimmelige, omgebouwde kelder. Ellen heeft altijd het gevoel dat ze met Lee en haar zus moet concurreren, en Lee vermoedt dat als zij geen eigen yogastudio had, haar moeder nooit akkoord zou zijn gegaan met de halfbakken plannen van Lawrence.

'Heeft de advocaat alles geregeld?' vraagt ze.

'Hij is ermee bezig, maar ik weet niet of het hem zal lukken alle aanklachten te laten vervallen. De buurtvereniging is onuitstaanbaar. Pure homofobie, zei Lawrence, en natuurlijk heeft hij gelijk.'

Vreemd genoeg heeft Lawrence volgens haar moeder altijd gelijk, ook al heeft hij haar niets dan ellende bezorgd, en heeft hij welbeschouwd altijd ongelijk. 'Ik dacht dat je goed overweg kon met de buurtvereniging?'

'Nu doe je alsof het allemaal de schuld van Lawrence is. Dat moet je niet doen, Lee. Ik vind het zo erg voor hem. Ik weet dat jij hem een blaaskaak vindt en dat je denkt dat hij me gebruikt, alsof ik een of andere oude vrouw ben die verliefd op hem is, maar je hebt hem nog nooit ontmoet. Hij is zo'n keurige, lieve, knappe jongeman. En hij is zo van streek door alle problemen die hij heeft veroorzaakt, dat hij er twee weken tussenuit moest, om een beetje te ontspannen.'

'Wat vervelend.'

'Ik hoor aan je stem dat je het hem kwalijk neemt, maar hij kan er echt niets aan doen. En maak je geen zorgen, hij heeft me heus niet gevráágd om geld voor de reis, ik heb het zelf aangeboden. Saint Barts is voor Corey en hem een toevluchtsoord waar ze altijd naartoe gaan als ze even moeten bijkomen.'

Voor zover Lee heeft begrepen is Lawrence, nadat hij Ellen en Bob, Lee's stiefvader, had overgehaald om de schuur en het huis te laten verbouwen, zonder medeweten van Ellen laat op de avond yogalessen gaan geven in de schuur. Die lessen werden zo populair dat de buren begonnen te klagen over het lawaai en de af en aan rijdende auto's. Op dat moment kwam Ellen erachter dat Lawrence de vergunningen die volgens hem waren verleend, niet eens had aangevraagd, en dat hij hot-yoga gaf aan naakte mannen, waarvoor hij adverteerde op dubieuze netwerksites. Al snel werd Ellen voor de rechter gesleept wegens allerlei overtredingen.

'Om eerlijk te zijn wilde ik je iets vragen, mam.'

'Bedoel je dat ik iets voor je moet doen?'

'Eigenlijk wel. Het gaat om de jongens.'

'Je weet dat ik alles voor ze overheb. Ik ben gek op ze, maar we zien ze haast nooit. Het lijkt wel alsof je je voor ons schaamt en probeert ze bij ons vandaan te houden. In Bobs geval begrijp ik dat wel. Ik wil ook liever niet met hem in het openbaar gezien worden, maar hij is wél hun opa, lieverd.'

'Ik ga in juni een paar dagen lesgeven op een yogafestival en ik vroeg me af of je misschien hier zou kunnen komen om op ze te passen.'

Aan de andere kant van de lijn is het lang stil en op de achtergrond hoort Lee kastdeuren open- en dichtgaan en flessen rinkelen. 'Heeft Alan het te druk?' vraagt ze uiteindelijk.

'Misschien gaat hij op hetzelfde festival spelen.'

'Als hij niet oplet verdient hij dit jaar genoeg om in aanmerking te komen voor inkomstenbelasting.'

'Als het slecht uitkomt, kan ik altijd een van mijn assistentes vragen,' zegt Lee. 'Ik dacht alleen dat het een mooie kans voor je was om er even tussenuit te gaan, alle problemen even achter je te laten.'

'O Lee, je weet dat ik bergen zou verzetten om ze te kunnen zien.' Lee hoort het gepiep van kurk tegen glas – ongetwijfeld is haar moeder bezig een anderhalve-literfles wijn open te maken. 'Ik zal meteen beginnen met sparen. Tenzij je de kosten wilt delen.'

'Natuurlijk, mam, daar wilde ik het net over hebben.'

'O, fijn. Ik was zo blij wat van Marcus te horen toen hij me laatst belde, dat ik bijna in tranen uitbarstte. Hij was zijn nieuwe mobieltje aan het testen.'

'Echt waar?'

'Je klinkt verbaasd. Wist je niet dat hij een mobieltje heeft?'

'Ik had wel zo'n vermoeden. Alleen hadden Alan en ik besloten om nog even met die mobieltjes te wachten, dus...'

'O, maar ze hebben ze niet van Alan gekregen maar van zijn nieuwe vriendin.'

Lee is zo verrast dat ze niets zegt. Niet dat het zo onvoorstelbaar is dat Alan een nieuwe vriendin heeft, maar ze had niet verwacht dat diegene telefoons voor haar kinderen zou kopen.

'Ben je er nog, Lee? Ga me nu niet vertellen dat je niet wist dat hij een relatie heeft. Wanneer leer ik nou eens mijn grote mond te houden?' Weer gepiep van de kurk.

'Maak je niet druk, het geeft niet.'

'Ze is ook yogalerares. Het moet daar wel stikken van de yoga-leraren.'

'Er komt een ander gesprek binnen, mam. Ik bel je nog wel om afspraken te maken.'

Graciela staat op de hoek van Broadway en 73rd Street te wachten tot Jacob Lander komt opdagen of tot ze genoeg moed heeft ver-zameld om zich om te draaien en terug te gaan naar het hotel. Geen van beide opties voelt goed en ze staat als aan de grond ge-nageld. Het is te warm en te vochtig in de stad en ze vindt het meedogenloos voorbijrazende verkeer op Broadway bedreigend. Plotseling mist ze L.A. meer dan ooit, de droge warmte, de oceaan, zelfs die arme Daryl. Ze kijkt op haar telefoontje, twijfelt of ze hem zal bellen, en dan belt ze in een opwelling degene die ze het meest vertrouwt.

'Graciela!' zegt Lee. Ze klinkt oprecht blij haar te horen. 'Ben je er weer? We hebben je gemist.'

'Ik ben nog in New York,' zegt Graciela. 'Ik heb besloten nog een paar dagen te blijven.'

'Dat begrijp ik maar al te goed. Vind je het geen geweldige stad?'

'Gaat wel,' zegt Graciela.

'Is er iets mis?'

Graciela wil niets liever dan Lee om advies vragen. Wat vindt Lee dat ze moet doen? Of eigenlijk: wat zou Lee in haar plaats doen? Lee is degene die haar van haar blessure af heeft geholpen en haar ook heeft geholpen zich voor te bereiden op de auditie. Bovendien overtuigt iets in haar persoonlijkheid en haar manier van lesgeven Graciela ervan dat ze een goed hart heeft. Misschien neemt ze niet altijd de juiste beslissingen (dat ze Alan als echtge-noot had gekozen, zou je een vergissing kunnen noemen), maar ze zou nooit een keuze maken die anderen schaadt of die voort-komt uit egoïsme. Lee heeft Graciela's leven ingrijpender veranderd dan wie dan ook. Ze begon met de buitenkant, met fysieke aspecten, en op de een of andere manier hebben de veranderingen doorgewerkt op haar innerlijk.

'Het gaat prima,' zegt ze. 'Maar ik sta hier op een straathoek en ben een beetje bang dat ik iets doms ga doen.'

'Wil je me er wat meer over vertellen?'

'Ik geloof dat ik gewoon je stem even wilde horen.'

'Weet je wanneer je terugkomt?'

'In de loop van volgende week. Ik heb een open ticket. Ik logeer in een hotelletje in de Upper West Side dat me heel goed bevalt. Het is lekker rustig.'

Blijkbaar moet Lee hier even over nadenken. Het gekke is dat hoewel Graciela te bang en verward is om meer informatie te geven, Lee lijkt te weten wat er aan de hand is. Zo is ze. Graciela heeft zich vaak afgevraagd of Lee niet precies wist hoe ze al die maanden geleden aan haar blessure is gekomen. Toch heeft Lee er nooit iets over gezegd en zal ze dat waarschijnlijk ook nooit doen. Na een tijdje zegt Lee: 'Je bent een goed mens, Graciela. Ik hoop dat je dat beseft. Vraag gewoon aan jezelf wat je echt wilt en neem het antwoord als startpunt. Geen twijfels achteraf. En kom weer naar yoga als je terug bent in L.A. Geloof me, het helpt echt, welke beslissing je op dit moment ook neemt.'

Graciela is zich nog steeds aan het afvragen wat ze wil als Jacob aan komt rennen. Als hij bij haar is, ziet ze dat hij bezweet is. Hij pakt haar bij de arm, vlak boven de elleboog.

'Ik wist niet zeker of je op me zou wachten,' zegt hij.

'Het scheelde ook niet veel.'

'Daar was ik al bang voor.'

Als ze hem zo ziet, zo zelfverzekerd en knap, is het moeilijk voor te stellen dat hij ooit ergens bang voor is. Een voorbijganger stopt en gaapt hem schaamteloos aan. Het zou Graciela niet verbazen als hij zijn mobiel tevoorschijn zou halen om foto's te maken. Jacob slaat zijn arm om haar middel en voert haar door 73rd Street mee naar de rivier. Hij loopt snel en Graciela moet bijna rennen om hem bij te houden. Er is hier veel schaduw en het is stil, alsof de drukte van Broadway plotseling is verdampt. Pas op de hoek van Riverside Drive stopt Jacob en kijkt hij haar aan. Zijn gezicht glinstert van het zweet en zijn wangen zijn rood.

'Waarom deed je dat?' vraagt hij.

'Deed ik wat?'

'Mij bellen en vertellen dat je ervandoor gaat. Ik heb de hele ochtend boodschappen voor je gedaan. Heb je enig idee hoe graag ik die lunch voor je wilde maken?' Hij strijkt een lange lok haar uit haar gezicht. Dan zegt hij vriendelijker: 'Heb je enig idee?'

'Sorry. Ik wilde je niet teleurstellen. Ik had er ook veel zin in. Ik keek er de hele dag naar uit.'

'Wat is er dan gebeurd?'

'De eerste keer dat we elkaar spraken, heb ik je al verteld...'

'Je hebt een vriend. Dat weet ik. Heb ik me dan ooit aan je opgedrongen?' Hij verplaatst zijn hand van haar haar naar de achterkant van haar nek en begint zachtjes te masseren. 'Ik wil de dingen niet ingewikkeld voor je maken, schat. Ik weet dat dit gestolen momenten zijn. Ik wil alleen maar graag bij je zijn. Heel graag.' Hij neemt haar in zijn armen en trekt haar naar zich toe. Door zijn overhemd heen voelt ze zijn warmte en ze ruikt de schone, chemische geur van stijfsel.

'Ik wil ook graag bij jou zijn,' fluistert ze tegen zijn borst. En dan slaat ze haar armen om hem heen. Ze hoort zijn ademhaling trager worden, alsof hij tot rust komt. Waarom is ze zo belangrijk voor hem? 'Ik ben hier niet aan gewend,' zegt ze. 'Ik ben er niet aan gewend om dit te voelen. Het is zo verwarrend.'

Hij pakt haar kin vast. 'Dat weet ik,' zegt hij. 'Het leven is verwarrend en ingewikkeld, maar soms moet je een gok nemen.'

Aan de overkant van de straat stapt iemand uit een taxi, en zonder iets te zeggen, wenkt Jacob de chauffeur. De taxi parkeert aan de stoeprand en Jacob doet het portier voor haar open. Als ze op de achterbank zitten, geeft hij de chauffeur zijn adres en trekt haar tegen zich aan. Hij buigt zich naar haar toe en kust haar op haar voorhoofd. 'Het is maar een lunch,' zegt hij.

'Ik heb geen honger,' fluistert ze.

'Ik ook niet.'

Als de taxi voor zijn gebouw stopt, hoort ze Lee's stem: 'Vraag aan jezelf wat je echt wilt.' Ze weet niet of dit de juiste keuze is. Ze vermoedt dat het allemaal heel ingewikkeld wordt. Maar ze weet wel dat het precies is wat ze wil. Meer dan wat dan ook.

Zodra Imani begreep dat ze onmogelijk tijd kon vrijmaken om naar Edendale te gaan en haar conditie weer op peil te brengen, had ze Becky Antrim gebeld met de vraag of zij een leraar kon aanraden die twee keer per week kon langskomen voor een privéles. Het lijkt wel of Becky iedereen kent die in L.A. iets met yoga te maken heeft. Ze is al jaren een fanatieke yogini en dat is haar aan te zien. Ze begon ermee toen ze in *Roommates* speelde, de populaire komedieserie die een superster van haar maakte. Ze heeft zich aangemeld bij minstens tien blogs en Twitter-accounts waar iedere dag de beste lessen in de stad worden aangekondigd, en als ze niet op een filmset staat, gaat ze naar minstens één les per dag.

'Geweldig idee!' had Becky gezegd. 'Ik vroeg me al af wanneer je weer zou beginnen. Ik heb een vriendin die voor haar werk mensen aan privé-instructeurs koppelt. Net als een psycholoog die alleen maar doorverwijst. Ik zal haar eens vragen.'

Becky noemde de namen van zes docenten die allemaal met een beroemdheid werkten. Wilde ze de yogadocent van Steve Martin? (Doet Steve Martin aan yoga?) Of die van Natalie Portman of die vent die naar het schijnt met Lady Gaga meegaat op haar tournees of...

'Doen die allemaal aan yoga?' vroeg Imani.

'Ach, schat. Iedereen doet aan yoga.'

Uiteindelijk koos Imani voor Tara Foster, voornamelijk omdat zij erom bekendstond dat ze tamelijk zachtaardig was en niet verbonden is aan al te energieke beroemdheden, zoals Madonna of Demi Moore. En Imani bleef bij Tara omdat ze in de eerste les had ontdekt dat als ze haar een paar vragen stelde over haar werk als privéinstructeur, ze minstens een halfuur lang aan het woord bleef terwijl ze Imani's lichaam alleen maar wat kneedde.

Imani had Stephanie gevraagd om vandaag mee te doen, en nu, aan het einde van de middag, is het lesuur bijna voorbij. Vandaag hebben ze gewerkt aan het openmaken van de heupen, maar eigenlijk ging het vooral over de twee weken vakantie die Tara in Hawaï heeft doorgebracht met een countryzangeres en haar gezin. Ze zat in een eersteklashotel, kreeg alle maaltijden vergoed, boven op een duizelingwekkend hoog salaris en tien kaartjes voor het uitverkochte concert van de zangeres in de Hollywood Bowl komende week.

'En hoeveel sessies moest je doen?' vraagt Imani. Die vraag heeft ze al minstens één keer eerder gesteld, maar ze weet dat als ze Tara niet aan de praat houdt, zij Imani en Stephanie zal vragen om uit hun gedraaide buikhouding te komen, en daar heeft Imani helemaal geen zin in. Eigenlijk is ze alleen maar tijd aan het rekken.

'De afspraak was dat ik er twee of drie per dag zou doen,' zegt Tara, 'maar ze had helemaal geen zin, omdat het haar enige echte vakantie was en ze alleen maar wilde luieren. De eerste dag hadden we één sessie en in de laatste week nog twee, geloof ik.'

'We hebben het verkeerde beroep gekozen, Stephanie,' zegt Imani. 'In mijn volgende leven wil ik terugkomen als Tara. Met platte buik en al.'

'Laten we eindigen met een omgekeerde houding,' zegt Tara. 'Geloof me, het waren niet de leukste twee weken van mijn leven. Ik had niets te doen en ik werd als een bediende behandeld door het gezin.'

'Wat heerlijk dat we tijdens jouw sessies mogen praten,' zegt Stephanie. 'Ik heb nog nooit gepraat tijdens yoga.'

'Een van mijn cliënten voert zakelijke telefoongesprekken tijdens de les,' zegt Tara. 'En er is nu veel ophef in de studio's omdat zoveel leerlingen stiekem proberen te sms'en tijdens de kindhouding. Ze verbergen hun telefoons onder hun mat. Ik ken een lerares die een water-en-Twitter-pauze inlast na de zonnegroet.'

Imani ziet dit als een opening voor verdere discussie, die hopelijk zo lang duurt dat ze de omgekeerde houding maar helemaal overslaan en rechtstreeks overgaan naar de savasana. 'Hoe houdt die zakenman zijn telefoon vast? Of staat hij op handsfree? En weet degene aan de andere kant van de lijn dat hij bezig is met yoga of doet hij alsof hij aan zijn bureau zit?'

Tien minuten later pakt Tara haar mat en rekwisieten op en overhandigt Imani haar de envelop met geld. Tara kijkt Imani altijd recht in de ogen als ze de envelop aanneemt, om de schijn te wekken – voor zover dat mogelijk is – dat deze transactie niet echt plaatsvindt. Ze vertelt Imani dat ze eind van de maand naar een yogafestival gaat en dus niet langs kan komen. En dan zegt ze: 'Ik hoor regelmatig verhalen over jullie film.'

'O? Van wie?' vraagt Imani.

'Ik werk met Cheryl Hines en ik denk dat zij een paar mensen erover heeft horen praten die verwachten dat het een enorm succes wordt. Ik moest je trouwens de groeten van haar doen.'

'Probeer er eens achter te komen wie het erover hebben,' zegt Stephanie. 'Dat zou ik dolgraag willen weten.'

Tara trekt een grimas en zegt: 'Ik weet niet of ik dat wel kan doen. Ik moet heel discreet zijn, uit professionele overwegingen.'

'Dat begrijp ik heel goed,' zegt Imani.

Wat ze eigenlijk begrijpt is dat Tara het afgelopen uur uit de school heeft geklapt over zo ongeveer iedereen met wie ze werkt. Niet uit kwaadaardigheid, maar omdat ze, net als iedereen ter wereld, nou eenmaal graag vertelt over wat ze doet.

Soms beschouwt Imani yogaleraren die van cliënt naar cliënt gaan als informatiekanalen die kriskras door de stad lopen. Het voordeel is dat het een goede manier is om op de hoogte te blijven van wat er speelt. Het nadeel is dat als een van de cliënten griep heeft, ook het virus zich razendsnel verspreidt.

Als Tara is vertrokken zegt Stephanie: 'Ik had wel door waar je mee bezig was. In een groepsles kun je de docent niet zo gemakkelijk manipuleren.'

'Waarom denk je dat ik me blauw betaal aan privélessen? Als

de film klaar is ga ik weer naar de studio. Maar dan zal ik wel wat aansporing nodig hebben.'

'Wat geweldig om te merken dat mensen het nu al over de film hebben,' zegt Stephanie. 'Ik begin er een heel goed gevoel over te krijgen.'

Ze zitten aan de rand van Imani's zwembad naar de invallende schemering te staren. Dit zou het volmaakte moment zijn voor een cocktail, maar omdat Imani borstvoeding geeft kan dat niet. Ze weet dat Stephanie ook geen cocktail mag, maar om heel andere redenen. Glenn zegt steeds tegen Imani dat ze bij het eten best een glaasje wijn mag. Hij is kinderchirurg, dus ze zou hem moeten geloven, maar het laatste wat ze wil is de lijst met redenen waarom ze eraan twijfelt of ze wel een goede moeder is voor haar kleine prins nog langer maken.

'Ik probeer altijd mijn verwachtingen zo laag mogelijk te houden, maar ik heb er ook een goed gevoel bij. Rusty is een eikel, maar wel een getalenteerde eikel.'

'Ik weet hoe moeilijk het is met de baby,' zegt Stephanie. 'We zijn echt heel blij dat je akkoord ging met de begindatum.'

Probleem nummer één, denkt Imani, maar ze zegt niets. Achteraf gezien had ze die rol in *Las Vegas Sands* helemaal niet moeten accepteren. Ze had meer tijd nodig. Maar toen ze het eerste trimester van haar zwangerschap achter de rug had en (mede dankzij de hulp en instructies van Lee) begon te geloven dat ze deze baby kon voldragen, ontwikkelde ze een Superwoman-complex en dacht ze dat ze alles kon. Laat maar komen, ik kan alles aan! Bovendien was het echt tijd om haar gezicht weer eens te laten zien in de filmwereld. Het is al bijna twee jaar geleden dat ze stopte met *X.C.I.A.* en als ze nog langer wacht, belandt ze op een zijspoor. Ze dacht – hoopte eigenlijk – dat ze na de komst van Daniel geen belang meer zou hechten aan haar carrière en het bestaan als 'ster', wat dat dan ook betekent. Maar het liep anders.

'Is Daniel aan het slapen?' vraagt Stephanie.

'Renay heeft hem meegenomen in de kinderwagen. Ze zullen zo wel terug zijn.'

'Dus het gaat goed met Renay?'

Probleem nummer twee. De scepsis in Stephanies stem maakt duidelijk dat ze wel doorheeft dat er iets aan de hand is met Renay.

'Ze doet haar best,' zegt Imani. 'Het belangrijkste is dat ze gek is op Daniel.'

Renay is de vijftienjarige dochter van Imani's oudere zus Gloria. Toen Imani Gloria vertelde dat ze op zoek was naar een oppas die bij hen kon intrekken, opperde haar zus dat Renay het zou kunnen doen. Renay had vage leerproblemen en Gloria zag dit als een mooie kans om haar even vrijaf te geven van school, iets interessants te doen en 'een klein beetje volwassen te worden'. Zoals gebruikelijk vroeg Gloria zich geen moment af of het ook een mooie kans was voor Imani.

Imani stemde er vooral mee in om haar zus te plezieren. Al jaren maakt Gloria hatelijke opmerkingen over haar carrière. Alsof het verschrikkelijk onrechtvaardig was dat Imani een veel gemakkelijker leven had dan Gloria. Alsof Imani's succes als actrice niets te maken heeft met talent en hard werken, maar puur en alleen het gevolg is van het feit dat zij degene in het gezin is die 'alle schoonheid' heeft gekregen. En dat is een dubbel verwijt, want Gloria suggereert ermee dat zij nooit een kans heeft gehad in het leven omdat ze nou eenmaal een knappere, jongere zuster had. Zijn Gloria's gewichtsproblemen dan ook de schuld van Imani? En is Imani's huwelijk met Glenn ook niets anders dan een gelukkige speling van het lot, terwijl Gloria er niets aan kan doen dat ze keer op keer op foute mannen valt?

Maar toch heeft Imani zelf nooit helemaal het gevoel van zich af kunnen zetten dat ze buitensporig veel geluk heeft gehad. Wat zou er gebeuren als ze ooit écht beroemd wordt? Becky Antrim, die écht beroemd is, heeft haar wel eens verteld dat je nooit helemaal over het schuldgevoel heen komt, hoewel de artikelen in de roddelbladen over het overspel van je man met de mooiste actrice ter wereld je ego wel weer met beide benen op de grond brengen.

Een paar weken voordat de opnames begonnen, heeft Imani

Renay uit Texas laten overkomen. Ze heeft Renay niet vaak gezien sinds ze klein was, en van de laatste keer dat ze haar zag, herinnert ze zich een onbeholpen kind van elf met sprietige armen. Tot haar verbazing kwam haar op het vliegveld een lange, slanke, aantrekkelijke tiener tegemoet. Met de ene hand trok Renay een rolkoffer voort, in de andere had ze een dikke roman van Dickens. Hoezo leerproblemen? vroeg Imani zich af.

Maar zodra ze in de auto waren gestapt, werd duidelijk dat Renay ondanks haar knappe uiterlijk en intelligentie ongelukkig was. Ze keek Imani nauwelijks aan en als Imani haar een vraag stelde, gaf ze zo kort mogelijk antwoord.

Imani heeft zoveel moeite met Renay dat ze serieus heeft overwogen haar weer naar huis te sturen. Maar ze praat altijd met een Donald Duck-stemmetje tegen Daniel, dat zo lief en aandoenlijk is, dat Imani uiteindelijk besloot haar te laten blijven. Ze hoopte dat ze haar nichtje kon helpen een beetje uit haar schulp te kruipen, maar dat lukt nog niet erg. Het lijkt wel of ze getraumatiseerd is.

Omdat het al laat begint te worden en Glenn zo thuis kan komen van het ziekenhuis, vraagt ze Stephanie of ze wil blijven eten. Glenn is de inschikkelijkste man ter wereld, dus hoe uitgeput hij ook is en hoe weinig zin hij ook heeft in gezelschap, hij is altijd de ideale gastheer.

'Ik zou wel willen, maar ik kan niet,' zegt Stephanie. 'Ik moet heel veel regelen en inpakken voor mijn reis naar New York. Dat betekent helaas dat ik een paar dagen niet op de set zal zijn.'

'Ik red het wel in mijn eentje,' zegt Imani. 'Ik zal me ontpoppen als de verschrikkelijkste diva die er bestaat om Rusty te pesten. Wanneer ben je er weer?'

'We komen begin volgende week terug.'

'Komt Sybille dan met je mee?'

'Niet dat ik weet. Mijn vriendin Roberta gaat mee.'

Imani knikt. Je hoeft geen Einstein te zijn om te zien dat Roberta lesbisch is, en het feit dat Stephanie die keer dat Roberta onaangekondigd op de set verscheen begon te stralen, verraadt dat ze een heel hechte vriendschap hebben, of meer. Maar het vervelende is dat Imani er niets over kan zeggen totdat Stephanie besluit dat het tijd is om het ter sprake te brengen. Ze weet dat er in Stephanies vrij recente verleden sprake was van minstens één vriendje, maar Imani heeft geleerd dat mensen je steeds weer versteld doen staan als het om liefde en seks gaat.

'Lee belde me een tijdje geleden,' zegt Stephanie. 'Graciela is in New York en heeft besloten wat langer daar te blijven. Lee vindt dat ik even moet kijken hoe het met haar gaat als ik daar ben.'

'Is er iets mis?'

'Lee is veel te discreet om dat te zeggen, maar ik heb het gevoel dat Graciela in de nesten zit.'

Imani kijkt haar aan. 'O! Dat soort nesten?'

'Dat denk ik wel.'

Ze kijken elkaar aan en beginnen te lachen. Alles aan Stephanie, van haar manier van doen tot haar gezicht, is het afgelopen jaar zachter geworden. 'Weet je,' zegt Imani, 'dit is misschien wel de eerste keer dat ik je echt vrijuit zie lachen. Dat zou je minstens één keer per dag moeten doen.'

'Denk je?'

'Het schijnt goed te zijn voor je immuunsysteem. Als Tara gelijk heeft over de film, zal je leven drastisch veranderen. Daar moet je je op voorbereiden.'

Pas als Imani met Stephanie naar de voordeur is gelopen en haar heeft uitgelaten ziet ze hoe laat het is. Renay is al meer dan een uur weg. Bovendien is het bijna donker. Ze belt Renay op haar mobiel, maar er wordt niet opgenomen. Terwijl ze de paniek probeert te onderdrukken, trekt ze haar hardloopschoenen aan en gaat ze de straat op. Ze loopt in westelijke richting, bedenkt zich, keert om en loopt naar het oosten. Ze zegt nog maar eens tegen zichzelf dat Renay heel goed is met Daniel en dat de kans klein is dat ze zo stom zou zijn om met een baby in een kinderwagen de buurt uit te gaan en naar een wijk met drukke verkeersstraten te lopen. Maar dat roept de vraag op: waar is ze verdomme?

Graham laat Lee zien welke verbeteringen hij heeft aangebracht in de muur achter de balie.

'Nou, niet ikzelf, maar de aannemer,' zegt hij. 'Maar hij zou het niet hebben gedaan als wij er niet op hadden aangedrongen.'

'Het ziet er perfect uit,' zegt Lee. Ze vond het daarvoor ook al perfect, maar het is misschien niet zo'n goed idee om dat aan Graham te vertellen, want hij lijkt zo trots te zijn op alle details die hij nog heeft laten afwerken. 'Niet dat ik niet dankbaar ben voor al het werk aan die muur,' zegt ze, 'maar het baart me een beetje zorgen dat we nog steeds geen vloer hebben.'

'Dat is een detail, Lee. Vloeren zijn snel en gemakkelijk. Dat kunnen we in een dag laten doen. Ik hoop dat je nog van gedachten verandert over het hardhout.'

Sinds het begin van het project is de vloer van de nieuwe studio onderwerp van discussie geweest. Lee wil een hardhouten vloer, net als in de oude studio, omdat het er mooier uitziet, glanst in het zonlicht en een beetje meegeeft als je springt. Graham die vaker voor yogastudio's heeft gewerkt, wil een kunststofvloer leggen die goed tegen hitte en vocht kan, niet te glad is en, naar zijn zeggen, heel erg in trek is bij de studio's in L.A.

'Ik ben vrij zeker van het hout,' zegt ze nog maar een keer. 'Ik probeer op mijn eigen retromanier een trendsetter te zijn.'

'Maar als je nou hot-yogalessen wilt gaan aanbieden? Die kunststofvloer is veel geschikter voor warme ruimtes.'

In de loop van de jaren heeft Lee heel wat hot-yogalessen gevolgd. Ze weet hoe lekker je je ervan gaat voelen en ze kent de voordelen. Maar ze kan zich niet onttrekken aan het idee dat er een element van bedrog zit in de hype die eromheen is ontstaan. Na de les zijn de leerlingen uitgeput en leeg. Ze voelen zich gereinigd en schoon, maar het nadeel is dat er heel veel houdingen en armstanden zijn die je in een oververhitte zaal niet kunt doen. De leerlingen zweten zo hevig dat er heel wat glijpartijen zijn, en een moeilijke houding kan gevaarlijk worden, zeker als de leerlingen bijna bevangen worden door de hitte. Zij heeft liever dat de leerlingen zich gereinigd en soepel voelen door de houdingen die ze doen. Anders kunnen ze net zo goed naar de sauna gaan.

'Ik ben niet zo dol op hot yoga,' zegt ze.

Hij glimlacht en vouwt zijn armen om zijn klembord. Hoe hij zijn overhemden zo smetteloos wit houdt, is Lee een raadsel. Misschien heeft hij een voorraad op de achterbank van zijn Mini Cooper.

'Over trends gesproken,' zegt hij, 'ik zag je op de website van Flow and Glow. Mooie foto's.'

'Ik wist niet dat jij ook aan yoga doet, Graham.'

'Doe ik ook niet. Ik wil alleen bijhouden waar mijn cliënten mee bezig zijn. Geloof het of niet, ik doe op dit moment meer yogastudio's dan restaurants. Dus wat die vloer betreft, ik weet waar ik het over heb. Mag ik je wat van mijn werk laten zien? Als ik je nou eens mee uit eten neem, dan kunnen we wat foto's en stalen bekijken.'

Hij zegt dit op zo'n nonchalante toon dat Lee niet zeker weet of hij uit is op een romantisch afspraakje of niet. Maar het zou veel gemakkelijker voor hem zijn om zijn laptop mee te nemen naar de studio en haar daar de foto's te laten zien.

'Alles is op dit moment een beetje chaotisch,' zegt ze. 'Ik heb al in geen weken tijd gehad om uit eten te gaan.'

'Des temeer reden,' zegt hij. 'Neem de kinderen mee. Ik zou ze graag beter willen leren kennen.'

Hij leunt tegen het bureau en nu laat zijn open en enigszins uitdagende houding geen twijfel bestaan over zijn bedoelingen. Hij is een knappe, intelligente en vriendelijke man en hij is al die tijd ongelooflijk aardig tegen haar geweest. Maar dat is alleen maar een extra reden om zijn uitnodiging af te slaan in plaats van hem aan het lijntje te houden.

'Ik kom er nog op terug,' zegt ze. 'En laten we een datum prikken voor de vloer. Ik ben al bezig de datum van de opening bekend te maken, en het zou fijn zijn als er dan een vloer ligt.'

'Oké. Het is jouw keuze, maar ik denk dat je een fout maakt.'

Ze weet niet of hij het over het eten of over de vloer heeft.

Lee loopt naar haar kantoor achter in de studio en zoekt de website van het Flow and Glow Festival op. Dat kan ze maar beter meteen doen.

De website is een combinatie van maak-contact-met-de-natuurspiritualiteit en hang-rond-met-de-supersterrenglamour. De foto's van de locatie zijn tamelijk spectaculair – yogalessen op een bergtop, naast een rivier, met uitzicht op een waterval – maar de foto's van de leraren en leerlingen lijken op een subtiele manier de nadruk te leggen op hun schaarse, sexy kleding en hun zongebruinde huid. De meeste videofragmenten van het festival van vorig jaar bevatten beelden van afterparty's, met een heleboel vuurvreters en dansers in trance.

Ze denkt terug aan haar eigen opleiding in New York, aan de lange, zware uren waarin ze stap voor stap iedere houding leerde, een lange traditie die werd overgeleverd, aan haar werd doorgegeven als een soort geschenk. Een evenement als dit, met al die duizenden deelnemers, zou haar in die tijd zijn voorgekomen als sciencefiction. Op een gegeven moment zal ze aan David Todd moeten vertellen dat ze hiernaartoe gaat en waarom. Als hij tenminste een keer langskomt.

Naast de beelden van de vuurvreters zijn er ook filmpjes te zien van de alomtegenwoordige Kyra Monroe. Lee haalt diep adem en klikt op een van die filmpjes. Daar is Kyra, slank en mooi, haar haar wapperend in de wind terwijl ze lesgeeft aan een groep van zo te zien honderden leerlingen. Ze heeft haar poesliefste, verleidelijkste stem opgezet, sluipt tussen de matten door en heeft de uitstraling van een echte ster.

Vlak nadat Lee naar Californië was verhuisd en Edendale had geopend, was er in het tijdschrift *Los Angeles* een artikel verschenen over vijf 'verborgen schatten' in de yogascene van L.A. Hoewel ze maar net was begonnen en haar groepen uit niet meer dan vijf of zes leerlingen bestonden, was zij om de een of andere reden een van de vijf besproken leraren. Het was in de tijd dat de populariteit van yoga een hoge vlucht nam, en dankzij het artikel en een paar prachtige – zij het niet helemaal waarheidsgetrouwe – foto's, kreeg Lee een heleboel media-aandacht. Er volgden meer artikelen in buurtkranten, een bijzonder positieve recensie op het blog Accidental Yogist en, uiteindelijk, de kans om op te treden in het programma *Good Morning L.A.* samen met Kyra, een van de andere verborgen schatten. Dat was het interview dat dt online had gevonden.

Lee had een voorgevoel gehad dat het tv-optreden misschien geen goed idee was, maar Alan had gezegd dat ze gek was als ze de uitnodiging afsloeg. 'Ik zou er geen seconde over hoeven nadenken,' zei hij, alsof daarover enige twijfel bestond, 'en als jij niet wilt, zeg dan dat je echtgenoot het wel wil doen.' Ze kon het niet over haar hart verkrijgen om hem erop te wijzen dat haar echtgenoot niet was gevraagd.

Het tv-optreden begon als een tamelijk standaard interview met een goedgeïnformeerde en geïnteresseerde gesprekspartner, die vragen stelde over het beheren van een yogastudio. Kyra's yogatopje was misschien wel wat erg laag uitgesneden, maar Lee zocht daar niets achter. Na een paar minuten werden de vragen suggestiever ('Ik vermoed dat je vriendje die houding wel leuk vindt, toch?' 'Nu we het toch over poses hebben, heb je nog tips voor in de slaapkamer?') en Lee probeerde te blijven glimlachen en haar waardigheid te behouden.

Toen ze met de demonstratie begonnen, werd duidelijk dat de gastheer het benaderde als een gezelschapsspel, en hij stelde de ene idiote houding na de andere voor, tot zij en Kyra verstrikt zaten in een weerzinwekkende, obscene houding, Lee met haar neus begraven in Kyra's toevallig goed zichtbare decolleté. De gastheer stond te joelen.

'Ik geloof dat we hier een nieuwe hebben uitgevonden: de pornopose.'

Toen zij en Kyra de studio uit liepen, zei Lee: 'Wat was dat gênant!'

Kyra keek haar met een verbaasde glimlach aan. 'Meen je dat? We dachten dat je het wel leuk zou vinden.'

'We?'

'Ik heb een paar suggesties gedaan bij het voorgesprek. Het moet geanimeerd en een beetje maf zijn, anders vragen ze je nooit meer. Geloof me, dat kleine toneelstukje levert ons heel veel nieuwe aanbiedingen op.'

'Geloof me,' zei Lee, 'die sla ik af.'

'Tjonge, ik wist niet dat je zo boos zou worden. Het spijt me. Echt.'

Grappig genoeg klonk Kyra niet alsof ze er spijt van had, en al helemaal niet alsof ze er écht spijt van had. En als zij die hele toestand samen met de producers had bedacht, dan had ze toch het fatsoen kunnen hebben om zichzelf de rol toe te bedelen van degene die met haar gezicht tussen de borsten van iemand anders zit?

Lee bleef in Silver Lake waar ze kon werken zoals zij dat wilde. Ze kwam Kyra en haar toenmalige man nog wel eens tegen op congressen, maar dat was altijd ongemakkelijk. Kyra gebruikte het artikel in *L.A.* en het tv-optreden om haar roem te vergroten en Lee constateerde dat ze in steeds meer tijdschriften en video's opdook. Ze zag overal advertenties voor haar workshops, hoorde geruchten dat zij en haar ex een realitysoap over hun leven zouden lanceren, genaamd *Twist and Shout*.

Ach, ieder zijn meug, maar Lee kon het niet uitstaan dat het stel haar altijd toesprak op een neerbuigende toon, alsof het tragisch was dat zij dit pad had gekozen.

Ze zit nog steeds op de website als de deur van haar kantoor met een knal openvliegt en de jongens naar binnen rennen. Los van elkaar zijn ze vrij rustig en lief, maar als ze samen zijn, lijkt het alsof ze hun eigen weersysteem meebrengen: de temperatuur in de kamer loopt op en er ontstaan plotselinge windvlagen. De laatste tijd is ze zo blij als ze allebei bij haar zijn, dat ze die stormen graag over zich heen laat komen.

'Ik begon me zorgen over jullie te maken,' zegt Lee. 'Liep het voetbal uit?'

'Papa kwam te laat,' zegt Michael.

'Hij zat vast in het verkeer,' zegt Marcus. 'Hij kon er niks aan doen.' Hij neemt iedere gelegenheid te baat om zijn vader te verdedigen, dus doet Lee extra haar best geen kritiek op Alan te uiten in hun aanwezigheid, zelfs niet over de kleinste zaken.

'Een van mijn leerlingen klaagde ook over het verkeer,' zegt ze. 'Het belangrijkste is dat jullie er nu zijn. Maar bel me de volgende keer even op, goed?'

Lee heeft een tijdje gewacht tot de kinderen zelf over hun nieuwe mobieltjes begonnen, zodat zij het niet als eerste ter sprake hoeft te brengen, maar tot nu toe hebben ze niets gezegd, tot haar grote teleurstelling. Dat Alan een nieuwe vriendin heeft kan haar niets schelen. Ze wenst Alan veel geluk – en háár nog meer.

'Marcus,' zegt ze, 'heb je een snee op je gezicht?'

Hij raakt met zijn hand zijn wang aan. 'Het is maar een schrammetje,' zegt hij. 'Niks ergs.'

'Dat weet ik, maar kom eens hier, dan kan ik er even naar kijken.'

Met tegenzin laat hij zijn rugzak op de vloer vallen en loopt om het bureau heen. Hij stribbelt steeds vaker tegen als ze hem wil kussen, maar ze kan het niet laten om hem vast te pakken en op haar schoot te trekken. 'Mijn grote jongens,' zegt ze en ze kust hem op de wang. 'We moeten dat wondje maar even schoonmaken en er iets op doen.'

Hij wurmt zich los, leunt met zijn bovenlichaam op haar bureau, en tuurt naar de screensaver (luciferpoppetjes in verschillende yogahoudingen).

'Het bloedde niet eens, dus het kan niet ontsteken.' Hij raakt de muis aan, de screensaver verdwijnt en de website van Flow and Glow floept op het scherm. 'Waarom zit je naar een filmpje van Kyra te kijken, mam?'

Ze zoekt niets achter deze opmerking tot Michael om het bureau heen loopt en zijn broer een stomp op zijn arm geeft. 'Hou je kop, Marcus,' zegt hij.

Lee ziet dat hun gezichten rood worden, dat ze bijna met elkaar op de vuist gaan en opeens passen alle puzzelstukjes in elkaar. Als de ironie van de hele situatie tot haar doordringt begint ze te lachen. Het ideale stel, denkt ze.

'Ik geloof dat we even moeten praten over de mobieltjes die jullie van papa's vriendin hebben gekregen,' zegt ze.

'Bedoel je Kyra?' vraagt Marcus.

Ik adem in, ik adem uit. Ik ga voor de groep staan en doe mijn uiterste best. 'Ja,' zegt ze rustig. 'Ik bedoel Kyra.'

Imani beseft dat ze inmiddels steeds dezelfde rondjes loopt en steeds wanhopiger Renays naam roept. Haar adem klinkt raspend en ze heeft het gevoel dat ze afstevent op een algehele paniekaanval. Ze wil Glenn spreken maar ze voelt zich een beetje verantwoordelijk voor deze toestand. Ze had Renay niet zo laat in de middag met Daniel de straat op moeten sturen en als ze niet met Stephanie over die stomme carrière had zitten praten, had ze gemerkt hoe laat het was geworden, en waarom heeft ze in godsnaam Renay überhaupt naar L.A. laten komen, terwijl ze wist dat het hoe dan ook onmogelijk is om Gloria tevreden te stellen?

Ze gaat op het randje van een gazon zitten, trekt haar knieën op naar haar borst en begint heen en weer te wiegen. Ze heeft het gevoel dat het al een uur geleden is dat ze het huis uit stormde, maar waarschijnlijk is het nog maar een paar minuten. Ze kijkt op haar horloge en besluit Glenn te bellen als Renay over vijf minuten nog niet is verschenen. Nu heeft ze een plan en dan voelt ze zich altijd beter.

Ze staat op en begint naar huis te lopen. Op dat moment gaat haar telefoon.

'Tante Harriet?' vraagt een aarzelend stemmetje.

'Renay,' zegt Imani. Ze doet haar best om rustig te praten. 'Wil je me misschien vertellen waar je bent?'

'Het spijt me, tante Harriet.' Gloria heeft Renay verboden Imani bij haar artiestennaam te noemen, en zelfs op zo'n moment ergert

Imani zich daaraan. 'Ik geloof dat ik een beetje verdwaald ben.'

'Dat dacht ik al. Maar is alles in orde met jou en Daniel?'

'Ik wilde naar het park en ik geloof dat ik de verkeerde kant op ben gegaan. Ik weet niet zeker waar het misging. Ik had een kaart bij me maar... ik ben een beetje moe.'

Wat Imani nog het meest schokt is dat Renay zojuist drie volle zinnen tegen haar heeft uitgesproken. Vooruitgang.

'Ik wil dat je nu stilstaat, waar je ook bent, en me vertelt wat je ziet.'

Op de achtergrond hoort Imani auto's voorbijrijden en Daniel huilen. Dat laatste is vreemd genoeg een troostend geluid. Ze weet dat deze manier van huilen wil zeggen dat hij honger heeft, en Imani voelt een steek van verlangen om hem te voeden, maar ook trots omdat ze zijn verschillende soorten huilen kan onderscheiden.

Renay beschrijft haar omgeving met zo'n goed oog voor detail dat Imani al snel een gevoel van herkenning krijgt. Het café met de kleine, groene tafeltjes, het bankje waarop in roze verf namen staan geschreven, het tankstation met de opblaasman die aan de kant van de weg staat te zwaaien. Is ze misschien in Silver Lake?

'Vraag even aan iemand of je in Silver Lake bent.' Als haar vermoeden wordt bevestigd, roept Imani ondanks haar pogingen zich te beheersen: 'Renay! Hoe ben je in godsnaam helemaal daar beland?'

'Ik was gewoon aan het wandelen. Ik had niet door dat ik zo ver was.'

Concentreer je op je doel, zegt Lee altijd in de les. Op dit moment is haar doel ervoor te zorgen dat Renay en Daniel thuiskomen zodat ze haar zoon kan voeden en Renay op de eerste de beste vlucht terug naar Texas kan zetten.

'Het geeft niet, lieverd,' zegt ze. Ze doet haar best op een iets vriendelijkere toon te spreken. 'Als alles maar in orde is met jullie. Ik neem aan dat jij ook honger hebt. Blijf waar je bent. Je staat ongeveer tien blokken van mijn yogastudio. Waarschijnlijk kan een van de docenten je binnen een paar minuten komen oppikken.'

Terwijl ze terugrent naar huis om haar auto te halen, besluit ze Katherine te bellen. Niet dat ze zulke dikke vriendinnen zijn, maar dit zou je bijna een noodsituatie kunnen noemen, en plotseling voelt het kleine groepje vrouwen dat ze bij Edendale heeft leren kennen als familie.

Katherine en Conor gaan een appartement bekijken in de minder hippe buurt op de grens tussen Silver Lake en Echo Park. Chloes moeder, volgens zeggen een van de beste makelaars in deze buurt, heeft ermee ingestemd om hun een paar huizen te laten zien, vooral als gunst aan Chloe. Carolyn laat veel liever huizen zien die een paar miljoen waard zijn en Katherine heeft een donkerbruin vermoeden dat Carolyn hoopt dat deze goede daad haar de opdracht oplevert voor de verkoop van Katherines huis. Of Toms huis, zoals Katherine zichzelf steeds moet corrigeren.

Carolyn is waarschijnlijk rond de vijftig, maar ze heeft dat wonderlijke, stereotiepe uiterlijk dat de meeste makelaars in L.A. zich lijken aan te meten. Alsof een bezoek aan dezelfde arts voor dezelfde botoxbehandelingen, lipvergrotingen en voorhoofd-*lifts* onderdeel zijn van de licentieprocedure. Om de een of andere reden willen mensen dat hun makelaars, net als filmsterren – en tegenwoordig ook hun yogaleraren – leeftijdloze glamour uitstralen. Carolyn is een aantrekkelijke vrouw, maar iets aan de snit van haar kleding, de zachte, gehighlighte hairextensions en de correcties die ze heeft laten aanbrengen in haar gezicht, geeft haar het voorkomen van een huisvrouw uit een realitysoap; en dat is heel iets anders dan een échte huisvrouw.

Ze staat voor het gebouw op ze te wachten. Het is een saaie betonnen doos van vier verdiepingen met een parkeergarage eronder. 'Nou ja, het wordt wel ons éígen huis,' zegt Conor tegen Katherine. 'Dat is een pluspunt, Brodski.'

Dit is het derde appartement dat ze bezichtigen, en tot nu toe is Conor, optimistisch als altijd, erin geslaagd over alle drie iets positiefs te zeggen. Het is goed betaalbaar of het is licht of hij heeft eigenlijk toch liever een douche dan een bad of hé, dat aangrenzende Thaise restaurant, waarvan de ventilatie vlak naast het slaapkamerraam uitkomt, schijnt heel goed te zijn en wat zullen ze veel tijd besparen op boodschappen doen en koken.

Katherine daarentegen voelt iedere keer dat ze weer voor een karakterloos gebouw staan een lichte depressie opkomen die grenst aan wanhoop. Ze prent zich iedere keer in dat ze verwend is geraakt door haar/Toms huis, en dat ze een paar jaar geleden, voordat ze in die bungalow trok, al deze woningen heel acceptabel zou vinden, en dat je je, heus waar, aan alles in het leven kunt aanpassen als je je er maar even toe zet. 'Wat een prachtige jurk, Katherine,' zegt Carolyn. 'Je gaat me toch niet vertellen dat je die zelf hebt gemaakt?'

Katherine glimlacht en Conor slaat zijn arm om haar middel. Conor en zij hebben het vaker gehad over Carolyns gewoonte om Katherine te complimenteren met haar vermaakte tweedehands jurken. Misschien meent ze het, maar aangezien Katherine haar nooit in iets anders heeft gezien dan designerkleding, met als accessoires schoenen van achthonderd dollar en grote handtassen die, net als showhonden, een stamboom en een titel hebben, hoort Katherine altijd een ondertoon van minachting in die complimenten.

'Zoals je kunt zien,' zegt Carolyn, met een vaag handgebaar, 'is er een parkeergarage. Ik weet dat dit iets anders is dan jullie gewend zijn, maar deze buurt begint supertrendy te worden.'

In de paar dagen dat ze nu bezig zijn met hun huizenzoektocht, heeft Katherine geleerd hoe ze makelaarsjargon moet interpreteren. 'Begint trendy te worden' betekent: 'Dit wordt een geweldige buurt om te wonen – over tien jaar.' Dus misschien betekent 'supertrendy' over vijf jaar.

Carolyn loopt voor hen uit het trapje op naar de deur van het gebouw. Haar hakken klikken en alles aan haar ziet er belachelijk misplaatst uit. Terwijl ze aan het wriemelen is met haar enorme sleutelbos zegt ze: 'Ik heb met de eigenaar gesproken en hij heeft me verzekerd dat die geur wel verdwijnt als ze de ramen een paar dagen openzetten. En maak je niet druk om het tapijt. Hij heeft me beloofd dat ze dat gaan vervangen. Tenzij de schoonmaker er iets aan kan doen.'

De voordeur leidt rechtstreeks naar een keuken met een eigenaardige vorm, een luidruchtige koelkast en een fornuis met een vettig deksel. Het is zo'n idiote kamer die wel ruim is, maar door de hoeken en deuren bijna niet is in te richten.

'Dit formica-aanrecht is echt iets voor jou, Kat,' zegt Carolyn. 'Een stukje nostalgie. Ik geloof dat ik ergens heb gelezen dat je deze brandplekken er met bleekmiddel uit krijgt.'

Het lijkt alsof ze het aanrecht wil aanraken maar zich bedenkt.

'Ik zal je de badkamer laten zien, maar nogmaals, de schoonmakers zijn nog niet langs geweest. Ze hebben beloofd dat ze het bad van een nieuwe laag voorzien als de vlekken niet weggaan. En trouwens, er hangt een briefje aan het douchegordijn waarop staat dat het geen bloed is maar roest.'

Katherine steekt haar hoofd om de deur, maar kan zich er niet toe zetten naar binnen te gaan. 'Het is nogal...'

'Klein, ik weet het. Maar de huisbaas zegt dat je je geen zorgen hoeft te maken over die schimmelgeur. Die schijnt van boven te komen, niet uit deze badkamer.'

'Is er geen raam?' vraagt Katherine.

'Vanaf de straat zie je dat er achter die wand van vinyl bij het bad een raam zit. Een kleine ingreep.'

'Zo besparen we in ieder geval geld op luxaflex,' zegt Conor.

'Die uitspraak ga ik onthouden,' antwoordt Carolyn.

De muren van de slaapkamer zijn in een blauwe tint geschilderd, die doet denken aan een verpleeghuis of een psychiatrische afdeling en het tapijt heeft een ondefinieerbare kleur. 'Ik heb nog nooit eerder ramen gezien die zo hoog in de muur zitten,' zegt Katherine.

'Ach, dan hebben we meer plaats bij de muur om het bed tegenaan te zetten,' zegt Conor. Carolyn kijkt op haar lijst. 'Nou, dat is het dus. Het is geen paleis, maar je kunt er wel wat van maken.'

'Dus er is geen woonkamer?'

Carolyn neemt haar papieren door. 'Interessante vraag.' Ze zet een met strassteentjes bezette bril op. 'O, ik zie het al. Ze noemen de keuken een "woon/eet/kookvertrek". Open ruimtes zijn heel erg in trek, zoals je weet.'

Met een pruilmondje kijkt Katherine Conor aan en dan barsten ze allebei in lachen uit. Hij neemt haar in zijn armen, draait haar om, drukt zijn borst tegen haar rug en laat zijn kin op haar kruin rusten. 'Ik heb tegen Conor gezegd dat ik met hem overal zou kunnen wonen,' zegt ze, 'maar misschien heb ik me vergist.'

Carolyn haalt haar schouders op. 'Er moet veel aan worden gedaan. Je zei dat je graag je handen uit de mouwen steekt, Conor. Hier ben je wel een tijdje zoet mee.'

Hij laat Katherine los en loopt in zijn eentje door het appartement, terwijl Carolyn en zij wat ongemakkelijk de stilte vullen met een gesprek over Chloe en hoe leuk ze het vindt om les te geven bij Edendale. Als Conor terugkomt zegt hij: 'Denk je dat de huisbaas me toestemming geeft om wat timmerwerk te doen?'

'Ik denk niet dat hij daar moeilijk over zou doen.'

Als Conor een opschrijfboekje uit zijn achterzak haalt waarin hij wat schetsen maakt en een paar geschatte afmetingen noteert, krijgt Katherine het gevoel dat ze misschien wel naar haar nieuwe huis kijkt.

Als ze buiten staan, schudt Carolyn hun hand en zegt: 'Geloof het of niet, dit appartement is zo weg als het echt op de markt komt. Als jullie ook maar een beetje geïnteresseerd zijn, moet je het me zo snel mogelijk laten weten. Het is niet het slechtste huis dat ik in de afgelopen tijd heb gezien. Het is ruimer dan het lijkt, tenzij jullie aan kinderen denken.'

Katherines maag trekt samen. Toen ze ongeveer zes maanden bij elkaar waren, begon Conor opmerkingen te maken over hoeveel hij van kinderen houdt en hoezeer hij ernaar uitkijkt om op een dag vader te worden. Hij was zo verstandig om niet te beginnen over hen beiden, maar het hangt altijd ergens tussen hen in, zeker nu ze van plan zijn te gaan samenwonen. Hij heeft Katherine nooit onder druk gezet met vragen over haar verleden en hij heeft nooit blijk gegeven van vooroordelen, maar in wezen is hij nogal conventioneel. Hij zou een geweldige vader zijn. En Katherine weet dat zij geen geweldige moeder zou zijn.

'We zullen erover nadenken,' zegt Katherine.

Als ze terugrijden naar de studio zegt Conor: 'Ik geloof niet dat dat roestvlekken waren in het bad.'

'Heb je gekeken? Dan ben je dapperder dan ik, meneer Roodhaar.'

'Natuurlijk ben ik dat. Anders zou ik jou toch niet laten rijden?'

'Dat wil je zelf per se.'

'Ik weet het, maar ik zie dat je het leuk begint te vinden. Je wilt het alleen niet laten merken. Je bent niet zo open van geest als je je voordoet.'

'Ik heb niet graag dat iemand denkt dat hij me beter kent dan ikzelf.'

'Het zou leuk zijn als we een groter appartement vinden,' zegt Conor. 'Nee, je hoeft niet zenuwachtig te worden. Ik heb het niet over kinderen, maar een kamertje waar we ons voor elkaar kunnen verstoppen zou handig zijn. En ik zou best een hond willen.'

Als ze dit appartement nemen en een contract voor een jaar sluiten, kan er geen sprake zijn van kinderen, van een gezin. Katherine heeft al genoeg te stellen gehad met haar eigen familie.

'Je weet toch wel dat ik nooit het type zal worden voor een huis in een buitenwijk, drie kinderen en een suv?'

'Daar ben ik nog niet zo zeker van,' zegt Conor. 'Als je nu al begint te wennen aan deze pick-up, dan durf ik geen voorspellingen te doen over die suv.'

'Nee, meneer Roodhaar. Ik meen het. Ik wil niet de verkeerde indruk wekken.'

'En waarom niet, Brodski?'

'Omdat ik daarvoor te veel van je hou. En ik wil je nog even herinneren aan mijn miljoen-en-een gebreken.'

'Ik weet van je miljoen gebreken, maar wat is die ene?'

'Alsjeblieft, Conor,' zegt ze. Ze hoort een zweem van wanhoop in haar eigen stem die haar niet bevalt, maar voordat ze gaan samenwonen, voordat hun relatie dieper wordt, is het belangrijk om zeker te weten dat hij haar begrijpt en haar accepteert zoals ze is.

Hij pakt haar hand en zegt: 'Is het nooit bij je opgekomen dat ik van je hou vanwege al die dingen die jij als gebreken beschouwt? Het enige wat je moet doen is altijd jezelf blijven.'

Katherine voelt haar telefoon trillen in het zakje van haar zomerjurk en geeft hem aan Conor. 'Als dat een van mijn exen is, zeg dan maar dat ik naar een villawijk ben verhuisd en nu *labrapoedels fok*.'

Conor kijkt op het schermpje. 'Het is Imani,' zegt hij. 'Die heb je lang niet gesproken.'

'Ben je boos op ons, mama?' vraagt Michael.

Dat is ze inderdaad, maar ze weet dat haar boosheid voornamelijk gericht is op iemand anders. Ze wil de jongens graag vertellen dat ze 'niet boos maar teleurgesteld' is, maar omdat dat de favoriete passief-agressieve manier van haar eigen moeder was om haar woede te uiten en tegelijkertijd Lee een schuldgevoel te bezorgen, besluit ze het over een andere boeg te gooien.

'Ik dacht dat we een afspraak hadden over geheimen,' zegt ze. 'Namelijk dat we geen geheimen voor elkaar zouden hebben omdat niemand daar beter van wordt.'

'Ja,' zegt Marcus. 'Maar papa zei dat het niet echt een geheim was, alleen maar iets wat we jou nog niet zouden vertellen.'

Haar iets nog niet vertellen is blijkbaar Alans specialiteit en zijn favoriete manier om een regelrechte leugen te bagatelliseren. Toen ze hem confronteerde met zijn overspel, deed hij alsof hij niet begreep waarom ze zo van streek was, want hij zou het haar heus wel hebben verteld als het moment daar was.

'Ik weet het niet, lieverd. Dat klinkt toch heel erg als iets geheimhouden. Vind je niet?'

'Papa zei dat je het niet goed zou vinden dat we een mobiel hadden,' zegt Michael. 'En Kyra zei dat die mobieltjes belangrijk zijn voor onze veiligheid, en dat we er daarom nog even met niemand over mochten praten.'

'En bedoelde ze met "niemand" toevallig mij?'

De jongens kijken elkaar aan en halen hun schouders op. 'Misschien wel,' zegt Michael.

'En hoe lang zou dat "even" volgens haar duren?'

'Waarschijnlijk tot jij zou zeggen dat we een mobieltje mochten.'

Die logica past zo bij Alan, dat ze bijna begint te lachen. Het is duidelijk dat Alan in Kyra zijn gelijke heeft gevonden.

Lee heeft nog veel meer vragen, maar ze wil ze niet weer betrekken in een ouderlijk conflict. Toch is er één vraag die ze wel móét stellen.

'Jullie mochten me zeker ook nog niet vertellen dat Kyra papa's vriendin is, hè?'

Michael graait diep in de zakken van zijn wijde broek. 'Mag ik je toch mijn telefoontje laten zien, mam?' vraagt hij.

'Toe maar.'

Ook Marcus pakt zijn telefoon en plotseling is Lee opgelucht omdat ze haar zo graag iets willen laten zien, haar ergens deelgenoot van willen maken. Het is een troostprijs maar beter dan niets. Geen wonder dat ze tegenwoordig zo graag bij Alan zijn. Twee mensen die hen verwennen, van wie er een dure en onweerstaanbare speeltjes uitdeelt. Als zij een vriend zou hebben, zouden ze dan liever bij haar zijn? Maar ze kan zich niet voorstellen dat dt hen overlaadt met elektronica. Budokon-lessen misschien. Dat zouden ze vast prachtig vinden.

'Papa zei dat je Kyra niet aardig vindt, en dat we het dus niet met jou over haar mochten hebben,' zegt Marcus. Hij haalt een nieuwe iPhone in een groen hoesje met hologram uit zijn zak en begint een spelletje te spelen.

'Jullie weten dat jullie vader en ik niet meer bij elkaar zijn, dus hij mag zelf bepalen bij wie hij wil zijn. Het doet er niet toe of ik haar aardig vind of niet.'

'O, oké,' zegt Michael. 'Dus je vindt haar inderdaad niet aardig?'

'Dat zei ik niet, schat. Ik ken haar niet goed en ik heb haar heel lang niet gezien.'

'Ja, maar vond je haar aardig toen je haar wel zag?'

'Waar het om gaat is dat jullie haar aardig vinden, want jullie brengen veel tijd met haar door,' zegt Lee.

Een tijd geleden had ze eindelijk door dat je nooit iets in een e-mail moet zetten waarvan je niet wilt dat het per ongeluk over de hele planeet wordt verspreid. Iets minder lang geleden ontdekte ze dat een gesprek met de tweeling de mondelinge equivalent is van een e-mail en dat ze in hun aanwezigheid niets kan zeggen wat niet mag worden herhaald tegen Alan en, zoals nu blijkt, Kyra Monroe. Hoe langer ze erover nadenkt, hoe beter ze die twee bij elkaar vindt passen. Kyra en Alan zijn duidelijk zielsverwanten en verdienen elkaar. Als ze elkaar gelukkig maken, kan dat uiteindelijk alleen maar goed voor haar zijn. Wat nog geen excuus is voor het feit dat Kyra spullen voor de kinderen koopt waarvan ze weet dat Lee het er niet mee eens is en ze vervolgens aanspoort om erover te liegen. Het is duidelijk tijd voor een goed gesprek.

Ondertussen kan ze maar beter de dingen accepteren die ze toch niet kan veranderen. Ze pakt haar eigen telefoon.

'Oké,' zegt ze, 'geef me dan maar jullie nummers zodat ik ze in de contactenlijst kan zetten. Marcus, jij eerst.'

'Dus die meid is zomaar wat gaan zwerven met een baby in een kinderwagen?' zegt Conor. Zijn arm ligt over de rugleuning van Katherines stoel, wat het autorijden op de een of andere manier veel minder intimiderend maakt, bijna alsof ze het eigenlijk niet alleen doet. 'Rechtdoor bij het stoplicht en dan de tweede links.'

'Ik heb Renay nog nooit gezien,' zegt Katherine. 'Lee heeft haar wel een of twee keer ontmoet en ze vond haar een beetje wazig. Misschien wist ze niet meer waar ze was.'

'Maar waarom laat Imani haar dan oppassen? Ze kan zich toch wel wat beters veroorloven?'

'Dat moet je niet aan mij vragen,' zegt Katherine.

Op het gebied van ouderschap zijn er veel dingen die ze niet begrijpt, dus meestal houdt ze haar mond er maar over. Als ze mensen met warmte en weemoed hoort praten over hun ouders, hun familie en hun jeugd, heeft ze het gevoel dat ze in een parallel universum leeft. Het beste wat ze over haar jeugd en haar eigen moeder kan zeggen is dat ze beide heeft overleefd. Ternauwernood – maar het verleden is het verleden. Toen Katherine bij een van haar pogingen om het contact met haar moeder te herstellen aan haar vroeg waarom ze indertijd vond dat ze best kalmerings- en slaapmiddelen door de voeding van haar baby kon mengen (toegegeven, het is een beladen vraag), begon haar moeder zichzelf meteen te verdedigen: 'Die pillen waren heel duur en het kostte heel wat moeite om eraan te komen. En geloof me, ik wilde ze het liefst zelf ook innemen. Maar dat deed ik niet. Ik gaf ze aan mijn kinderen.' En nog steeds was ze daar zichtbaar trots op. 'Dus je kunt zo vaak zeggen dat ik egoïstisch ben als je wilt, Kathy, maar het doet me niets. Je maakt mij niet wijs dat er iets mis is met een moeder die ervoor zorgt dat haar kinderen 's nachts goed slapen.'

Wat moet je daar nou op zeggen? En ja, in haar gestoorde manier van denken was haar moeder er echt van overtuigd dat ze goed voor haar kinderen zorgde, omdat ze op de straten van Detroit pillen kocht voor hen in plaats van voor zichzelf. Dat is Katherines rolmodel. Niet erg veelbelovend, en iedereen met een beetje gezond verstand zou die cyclus willen stoppen.

Ze rijden naar het adres dat Imani haar heeft gegeven en inderdaad zien ze op een bankje een tienermeisje zitten dat, met haar neus in een dik boek, zachtjes een kinderwagen heen en weer wiegt. Eigenlijk verwachtte Katherine een jongere versie van Imani, maar al uit de verte kan ze zien dat Renay lang en dun is. Te zien aan de manier waarop ze over haar boek gebogen zit is ze gelukkig ook enigszins berouwvol. Maak je geen zorgen, wil Katherine tegen haar zeggen, ik ben niet in de positie je te veroordelen.

Katherine parkeert de auto vrij netjes aan de kant en loopt met Conor naar Renay. Hij pakt haar hand, iets wat hij zo vaak doet dat Katherine bijna is vergeten hoe lief dat gebaar is. 'Renay,' roept ze. 'Ik ben Katherine, een vriendin van je tante Imani. Ze heeft je verteld dat ik zou komen, toch?'

Renay houdt op met lezen, steekt een boekenlegger op de plaats waar ze is gebleven en legt het boek op een rekje onder de kinderwagen.

Conor gaat op zijn hurken zitten en kijkt onderzoekend naar Daniel. 'Hoe gaat het met dit kereltje?'

'Hij heeft honger,' zegt Renay. 'Maar verder gaat het goed.'

Katherine kijkt toe terwijl Conor de baby behendig uit de kinderwagen tilt. Hij heeft drie zussen, die allemaal jonge kinderen hebben; Katherine weet niet precies hoeveel neven en nichten er zijn. Daniel is een schattig knulletje met een groot hoofd en een grappig knorrige gezichtsuitdrukking, als een oud mannetje dat boos is op de hele wereld. Hij kijkt naar Conor en knippert met zijn ogen. Katherine moet lachen om zijn blik, die lijkt te zeggen: 'Haal me hier verdomme vandaan!' Hij doet een mompelende poging tot communiceren, een zinloze onderneming in deze fase van zijn leven, wat het nog schrijnender maakt. Hoe kunnen al die mensen de kwetsbaarheid van hun baby's verdragen? Katherine zou constant in tranen zijn.

'Ik heb tegen Imani gezegd dat we jou en Daniel zouden meenemen naar de yogastudio van Lee, zodat jullie daar op haar kunnen wachten. Je bent er wel eens geweest, weet je nog?'

Zonder antwoord te geven staat Renay op en klapt ze het kinderwagentje in. 'Jullie hebben geen kinderzitje in de auto,' zegt ze.

'Imani vond het goed,' zegt Conor. 'Het is maar een paar blokken. Ik help je wel even.'

Hij geeft Daniel aan Katherine. Hij is zwaarder dan ze had gedacht, en veel minder eng om vast te houden dan ze had gevreesd. Het heeft iets hartverscheurends dat hij erop vertrouwt dat Katherine, een volslagen onbekende, voor hem zal zorgen. Ze legt zijn hoofd tegen haar schouder en klopt hem op de rug. Als hij zijn hoofd een beetje opzij draait en zijn gezicht in haar hals duwt, smelt Katherine.

'Als je maar niet denkt dat ik rijd,' zegt ze tegen Conor. 'Die verantwoordelijkheid wil ik niet.'

'Dit keer ben je vrijgesteld,' zegt Conor. 'Bedank Daniel maar, niet mij.'

Terwijl ze naar Edendale rijden, vraagt Renay aan niemand in het bijzonder: 'Denken jullie dat tante Harriet me naar huis stuurt?'

Katherine kijkt Conor aan. De toon in Renays stem is moeilijk te doorgronden, iets tussen boosheid en bezorgdheid in. Maar ze is zo chagrijnig en onbenaderbaar, dat het een opluchting is om haar überhaupt iets te horen zeggen.

'Waarom denk je dat?' vraagt Katherine.

Als ze zich omdraait naar de achterbank ziet ze dat Renay haar ogen ten hemel slaat. 'Nou, omdat ik de hort op ben gegaan en verdwaald ben met de baby.'

Katherine leunt tegen Conor aan en ze beginnen te lachen. 'Daar zeg je wat, Renay,' zegt hij. 'Daar zeg je wat.'

'Ik denk dat ze het wel begrijpt,' zegt Katherine. 'Als ze eenmaal gekalmeerd is.'

'Ik geloof dat ze me toch al niet zo aardig vindt. Ze kan niet goed met mijn moeder overweg.' Ze drukt Daniel wat strakker tegen haar borst en zegt dan, zonder naar Katherine te kijken: 'Mooie jurk heb je aan.'

'Juffrouw Brodski maakt haar eigen kleding,' zegt Conor trots. 'Ze is een zeer getalenteerde dame.'

'Ach, je moet hem niet geloven,' zegt Katherine. 'Ik vermaak alleen maar oude kleren.'

Renay draagt een spijkerbroek en een grijs bloesje dat haar niet echt past en ook niet goed staat bij haar huidskleur. Het straalt aan alle kanten H&M uit, maar met een paar ingrepen zou het haar veel beter staan. Katherine zou de mouwen inkorten zodat er meer te zien is van Renays slanke armen. Als ze de kraag er helemaal vanaf zou halen, zou het best een schattig bloesje kunnen worden. Renay heeft zo'n lang, slank lichaam waar bijna alles goed bij staat, en het is jammer dat ze daar niet meer mee doet. Ze heeft mooie jukbeenderen en een langgerekte nek, maar haar haar is gestraight en ziet er droog en touwig uit. Met een heel kort kapsel en de juiste neklijn zou ze echt een schoonheid kunnen zijn.

'Wat ben je aan het lezen?' vraagt Katherine.

'*Great Expectations*. Dat kreeg ik van mijn leraar Engels voordat ik naar L.A. vertrok. Ik wil niet te veel achterstand oplopen.'

'Dat is toch van Dickens?' vraagt Conor. 'Dat verhaal met die oude vrouw in de bruidsjurk?'

'Juist. Miss Havisham. Heb je het gelezen?'

'Ik denk dat ik het móést lezen. Waarschijnlijk ben ik niet verder gekomen dan de samenvatting of de stripversie.'

Omdat haar middelbareschooltijd een nogal wazige periode was en ze nooit zo van lezen heeft gehouden, zegt Katherine niets. Ergens zou ze willen dat ze het soort leerling was geweest dat uit vrije wil Dickens las, het soort leerling dat iets geïnteresseerder was in wat boeken haar over het leven konden leren, en iets minder geïnteresseerd in wat ze op straat kon leren. Inmiddels is ze tot de conclusie gekomen dat de waarde van ervaring uit de eerste hand sterk wordt overschat. Meestal wordt het gebruikt als excuus voor onaangepast gedrag.

'Kun je naaien?' vraagt Katherine.

Renay haalt haar schouders op. 'Een beetje.'

'Dan moet je maar een keer bij me langskomen. Ik kan je een paar simpele trucjes leren om die blouse nog mooier te maken dan hij is.'

'Mijn moeder heeft geprobeerd het me te leren, maar we kregen altijd ruzie.'

Katherine durft te wedden dat dit een aardige samenvatting is van de relatie tussen Renay en haar moeder.

'Katherine is een geduldige lerares,' zegt Conor. 'Anders zou ze het nooit met mij uithouden.'

Katherine ziet dat Renay nog een keer naar haar jurk kijkt en vervolgens naar de tatoeages op haar bovenarmen. 'Ik weet dat ik er niet uitzie als een naaister,' zegt ze. 'Maar het is heel leuk om te leren, vooral als het niet je moeder is die je lesgeeft.'

Als Imani Daniel heeft gevoed en hem heeft verschoond op de babytafel in de wc van de studio, komt ze een beetje tot rust. Hij ligt gezond en wel in haar armen te slapen; dat is het belangrijkste. Ze kijkt naar haar spiegelbeeld. Oké, dit was geen beste dag. Dit was ook geen beste maand. Haar ogen zijn gezwollen van het huilen en haar huid ziet er dof uit. Zelfs als ze vannacht goed slaapt (wat er waarschijnlijk niet in zit), zal de visagiste op de filmset morgen flink wat werk te verzetten hebben. Het geeft haar een vreemd soort voldoening als ze bedenkt wat die eikel van een Rusty Branson zal balen als hij haar ziet. Misschien moet ze op weg naar huis een bak ijs halen en zich eens goed volvreten om hem nog meer op de kast te jagen.

Maar misschien ook niet.

Ze gaat naar buiten en loopt naar het groepje in de hal. Tot nu toe heeft ze Renay niet kunnen aankijken, maar inmiddels is ze wat milder gestemd en voelt ze zich sterker. Edendale had dat effect ook altijd op haar toen ze hier tijdens haar zwangerschap les had. Alsof de gemoedelijke, vriendschappelijke sfeer die hier hangt het beste in haar naar boven brengt. Lee loopt zenuwachtig heen en weer met een kop koffie. Het lijdt geen twijfel dat dit niet het beste jaar uit haar leven is, en ze doet altijd haar best het te verbergen, wat de verwerking misschien wel ten goede komt. Toen Imani aankwam was er wat gedoe met de kinderen, maar Chloe is ergens met ze gaan eten, zodat Lee zich kan voorbereiden op de les van halfacht.

'Voel je je wat beter?' vraagt Lee.

Imani legt Daniel op de zachte bank en hij zucht, kijkt naar haar op met dat verfrommelde gezicht van hem, strekt zijn handjes uit en begint te lachen. Jij bent echt de liefste die ik ken, denkt ze. Ik hoop dat je nog lang zo leuk blijft. Ze kan de verleiding niet weerstaan om hem weer op te pakken en tegen zich aan te drukken. Er zijn momenten waarop iedereen om haar heen naar de achtergrond verdwijnt en ze alleen met hem op de wereld is. Dat gebeurt soms zelfs met Glenn, al probeert ze hem dat nooit te laten merken.

'Kijk nou hoe gelukkig hij is,' zegt Imani. 'Hij is zo snel tevreden. Een maaltijd en een schone luier.'

'En hoe gaat het met zijn moeder?' vraagt Lee.

'Het was een zware middag.'

Toen Imani bij de studio aankwam, merkte ze meteen dat iedereen het gevoel had dat ze Renay moesten beschermen, alsof Imani naar binnen zou stormen en haar een pak rammel zou geven. Als zij in hun schoenen stond, had ze dat ook gedaan, maar nog steeds welt er woede in haar op als ze naar Renay kijkt, en eigenlijk heeft ze inderdaad zin om haar een pak slaag te geven. Het is maar goed dat de anderen erbij zijn, want nu kan ze in een neutrale omgeving tegen Renay zeggen wat ze te zeggen heeft.

'Op weg hiernaartoe heb ik Glenn gebeld,' zegt ze, en eindelijk kijkt ze Renay in de ogen. 'We hebben besloten om het voor iedereen gemakkelijker te maken en een andere oppas te nemen. We hebben iemand op het oog die voor een van zijn patiënten heeft gewerkt.'

Renay knikt. 'Het was stom van me. Het spijt me echt.'

'Dat weet ik, lieverd. En ik weet dat het voor jou ook niet zo'n fijne middag was.'

Renay haalt haar schouders op en zegt: 'Heb je het aan mijn moeder verteld?'

'Ik heb haar nog niet gesproken.' Ze had Gloria nog niet gebeld; ze zat niet te wachten op nog meer paniek. Ze wil Gloria ook geen extra reden geven om tegen Renay tekeer te gaan, dus ze zal een smoes moeten verzinnen om uit te leggen waarom ze haar dochter eerder terugstuurt dan was afgesproken. 'We bedenken later wel wat we haar vertellen. Je kunt nog wel even blijven, als je wilt. Dan heb je wat vrije tijd.'

'Tijd waarvoor?' vraagt Renay.

Daar heeft Imani niet over nagedacht. Renay is niet bepaald het type dat graag bij het zwembad ligt en ze heeft ook geen gelegenheid gehad om vrienden te maken. Al die tijd in L.A. heeft ze bijna geen woord gezegd, en Imani had zoveel omhanden dat ze weinig te weten is gekomen over wat haar nichtje bezighoudt.

Katherine, die in een van de leunstoelen naast Renay zit, pakt Renays arm vast. 'Je hebt die naailessen waar we het over hebben gehad, weet je nog?'

Imani ziet aan Renays gezicht dat ze net zo verbaasd is als zij. Het is de eerste keer dat ze het idee heeft dat Renay en zij op dezelfde golflengte zitten.

'Renay komt een paar middagen per week bij mij voor naailessen. Dat hebben we toch afgesproken?'

'Is dat zo?'

'Min of meer,' zegt Katherine. 'Ik ga in tweedehandswinkels op zoek naar goedkope jurken en dan gaan we die opknappen.'

Terwijl ze over Daniels buik wrijft denkt Imani erover na. Hij trappelt met zijn beentjes. 'Nu doet hij de blije-babyhouding,' zegt ze.

Toen ze ermee instemde om Renay op Daniel te laten passen, zag Imani voor zich dat ze een mentor maar ook een beetje de excentrieke tante voor Renay zou zijn, en ook al is het duidelijk dat dat niet meer gaat gebeuren, ze zou het verschrikkelijk vinden om haar niet terug te sturen zonder dat ze ook maar een klein beetje invloed op haar heeft gehad, zonder dat ze haar iets heeft kunnen bijbrengen wat ze in Texas niet had kunnen leren. Het zou mooi zijn als na deze middag alles in één klap zou veranderen, maar het heeft geen zin om te doen alsof. Katherine met haar wilde verleden en die vriend die helemaal niet bij haar lijkt te passen, is een betere kandidaat voor de rol van inspirerende, prettig gestoorde tante. Imani heeft de jurk gezien die Katherine vorig jaar voor Lee heeft gemaakt, een prachtig, zilverkleurig gewaad dat ze had nagemaakt van een foto in een tijdschrift.

Ze draait zich om naar Katherine en zegt: 'Als jij zegt welk type naaimachine ik moet hebben, bestel ik er online een voor haar. Eentje die mee kan naar Texas als ze teruggaat.'

Een paar minuten later zegt Lee tegen zichzelf dat ze in actie moet komen. Ze drinkt haar koffie in één slok op. 'De les begint over twintig minuten. Ik moet me klaarmaken.'

Imani kijkt vanaf de bank naar Lee op en vindt dat ze er mager en vermoeid uitziet. Het is de eerste keer dat Imani haar zo zenuwachtig en gespannen ziet, en plotseling voelt ze zich een egoïstische botterik omdat ze alweer haar eigen problemen heeft meegenomen naar de studio. Yogaleraren – misschien wel alle leraren – krijgen te vaak de rol van verzorger opgedrongen. Lee heeft nu zelf verzorging nodig. 'Jij bent er toch altijd klaar voor?' zegt Imani, want wie voelt zich niet beter na een paar complimentjes? 'Dat is een van de vele geweldige dingen aan jou, Lee.'

'Ik ben er niet altijd klaar voor,' zegt Lee. 'Zeker vandaag niet.' Haar stem breekt, bijna alsof ze boos is over Imani's compliment. 'Ik heb een zware middag achter de rug.'

Katherine springt onmiddellijk op uit haar stoel en slaat haar armen om Lee heen. 'Ik dacht wel dat er iets mis was. Wat is er gebeurd?'

'Ach, niets,' zegt Lee. 'Ik ben gewoon moe. Echt, er is niets aan de hand.'

Maar op het moment dat ze dat zegt, begint ze te huilen en leunt ze wat zwaarder tegen Katherine aan. 'Ik ben moe en ik heb te veel koffie gedronken en de kinderen liegen tegen me en je raadt nooit wie Alans nieuwe vriendin is. Niet dat dat er allemaal iets toe doet.'

'Vraag iemand om voor je in te vallen,' zegt Katherine. 'Als je nu meteen iemand belt...'

'Daar is het te laat voor. En ik red me wel. Ik bedoel, ik zie er afschuwelijk uit, maar ik red me wel. Ik hoop alleen dat ik mijn zelfbeheersing niet verlies en halverwege de les een donderpreek begin over scheiden.'

De deur van de studio gaat open en Imani ziet een pezige man met blond haar en een rond brilletje naar binnen lopen. Hij neemt het groepje in de lobby op met een sceptische blik; het is duidelijk dat hij het gevoel heeft dat hij in een vrouwendomein is beland.

'Ben ik... te vroeg voor de les?'

Als ze zijn stem hoort draait Lee zich bliksemsnel om. 'David,' zegt ze. Ze grist een tissue uit een doos die op het tafeltje voor de bank staat. 'Nee, helemaal niet. Perfecte timing. Ik zal je even voorstellen aan mijn vriendinnen.'

Lee zit vandaag vol verrassingen.

Deel twee

Ongeveer twee uur nadat het vliegtuig van Stephanie en Roberta is vertrokken uit L.A. komen ze terecht in turbulentie. Niets ernstigs, maar het vliegtuig stuitert wel zo hevig dat de piloot de passagiers opdracht geeft hun gordels om te doen en hun tafeltjes in te klappen en laat weten dat hij toestemming heeft gevraagd om op een aangenamere hoogte te vliegen. Roberta, die vanuit San Francisco naar L.A. is gevlogen en Stephanie daar op het vliegveld heeft ontmoet, zucht diep en strengelt haar vingers in die van Stephanie.

'Het zou toch jammer zijn als we de enige keer dat we eersteklas vliegen neerstorten,' zegt ze.

Stephanie verstevigt haar greep en zegt: 'Het spijt me je te moeten teleurstellen, maar ik geloof niet dat we in stijl aan ons einde komen. In ieder geval niet vandaag.'

'Beloof je dat?'

'Ten eerste zijn er geen wolken, dan is de turbulentie meestal minder erg. Ten tweede zijn deze vliegtuigen zo gebouwd dat ze ongeveer vijf keer zo zware turbulentie kunnen verdragen.'

'Ik ben blij dat je vader piloot was.'

'Je kunt het vergelijken met autorijden over een zandweg,' zegt Stephanie. 'Een beetje hobbelig, dat is alles.'

'Ik vind het verschrikkelijk om over zandweggetjes te rijden.' Roberta legt haar hoofd op Stephanies schouder. 'Ik zou wel wat willen slapen, maar dat is zo zonde van al die luxe.'

'Sybille kennende staat ons in New York nog veel meer te wachten. Ze heeft me gisteravond een mail gestuurd waarin ze schreef dat onze kamers ons zeker zouden bevallen.'

Een van de dingen die Stephanie zo leuk vindt aan Roberta is dat ze een vat vol tegenstrijdigheden is. Ze is ongelooflijk sterk, wereldwijs en onafhankelijk – ze is loodgieter, nota bene, en ze weet zoveel van elektra dat ze de woonkamer van Stephanie van nieuwe draden kon voorzien toen ze ontdekte hoe oud sommige stopcontacten waren. Als zich een probleem voordoet krijgt ze meestal een houding die zegt: uit de weg, laat mij dit maar afhandelen, zonder dat het intimiderend overkomt. En toch lijdt ze aan irrationele angsten en schaamt ze zich daar niet voor. Ze haat vliegen, ze vindt het doodeng om over route 101 te rijden en de enige keer dat ze samen naar Discovery Channel hebben gekeken, begon ze bij het zien van een slang te gillen als een klein meisje. Als ze het appartement van Stephanie uit loopt weigert ze zelf de deur open te maken omdat ze gelooft dat ze dan niet meer terugkomt.

Door al die dingen heeft Stephanie er voor het eerst in haar leven geen enkele moeite mee om haar eigen angsten te tonen. In haar relaties met mannen deed ze altijd haar best om niet kwetsbaar over te komen, uit angst dat ze haar zwak zouden vinden en zouden denken dat ze haar gemakkelijk klein kunnen krijgen. Als ze daaraan terugdenkt moet ze toegeven dat dat altijd tamelijk vermoeiend was.

In haar relatie met Roberta voelt ze geen enkele competitiedrang, alleen maar een openheid die nieuw voor haar is. En ja, na zes maanden kan ze niet meer ontkennen dat dit écht een relatie is.

'Wat bedoelde je toen je "onze kamers" zei? Je gaat me toch niet vertellen dat Sybille een suite voor ons heeft gereserveerd?'

'Nee, dat denk ik niet.' Stephanie besluit dat ze het er maar beter nu meteen over kan hebben zodat Roberta een paar uur heeft om tot bedaren te komen. 'Ze zei dat ze twee kamers zou reserveren en ik dacht: ach, waarom niet? Snap je?'

'Ja, schat, ik snap het. Je wilde haar niet vertellen dat we maar één kamer, of zelfs maar één bed, nodig hadden. Dat durfde je niet.'

Roberta maakt haar vingers los uit die van Stephanie, duwt de leren rugleuning van haar brede stoel naar achteren en draait haar gezicht naar het raam.

Stephanie en Roberta hebben een paar ruzies gehad over het feit dat Stephanie niet voor hun relatie durft uit te komen. Stephanie vindt niet dat ze erover liegt of het geheimhoudt. Ze heeft het er gewoon niet over. Wat ze doet met wie gaat niemand wat aan. Als ze iets heeft geleerd van haar werk in de filmindustrie, is het dat je schrikbarend kwetsbaar wordt als je je privéleven publiekelijk maakt – hoe dat er ook uitziet. Hoe meer ze van je weten, hoe meer munitie ze hebben om je mee aan te vallen. Je seksuele voorkeur, je medische geschiedenis, degene met wie je een relatie hebt, de leerstoornissen van je kinderen, je ervaringen met drank en drugs. Als je belangrijk bent, doet dat er niet veel toe, maar op haar niveau is er altijd wel een hongerige figuur die zich op ieder kruimeltje informatie stort en het tegen je gebruikt.

Bovendien is het allemaal nieuw en verwarrend voor haar. Het is nooit in haar hoofd opgekomen dat ze een relatie zou krijgen met een vrouw. Helemaal nooit? had Roberta gevraagd toen ze dat aan haar vertelde. Nou, misschien wel, maar dan in de vorm van vage gevoelens en onduidelijke beelden die niet echt tot haar bewustzijn doordrongen en waaraan ze nauwelijks aandacht besteedde. Ze had het te druk met haar werk. Of met drinken. Dat laatste had ze er niet bij verteld, maar diep vanbinnen knaagde nog steeds de wroeging daarover. Als ze erover nadenkt was dat misschien wel de reden dat ze zo vaak dronken was, om al die gevoelens vaag te houden.

Roberta keert zich weer naar haar toe en duwt zich op haar elleboog overeind. 'Er zijn zo'n tienduizend dingen die ik aan mezelf zou willen veranderen, maar wat ik voor jou voel hoort daar niet bij. En laten we eerlijk zijn, één blik op mij en je hoort een medley van de grootste hits van Melissa Etheridge in je hoofd. Dus als je hulp nodig hebt om te bedenken hoe je Sybille moet vertellen dat ik niet je persoonlijke assistent ben of je niet uit het noorden, dan vraag je het maar. Ik ben je graag van dienst.'

Een paar minuten later ziet ze Roberta's borstkas rustig op- en neergaan, een teken dat ze diep in slaap is. Waarschijnlijk maar beter ook, want de turbulentie is plotseling heviger geworden. Als kind van een luchtmachtpiloot zat Stephanie al op jonge leeftijd regelmatig in het vliegtuig. Haar vader heeft haar opgevoed met het idee dat vliegen de natuurlijkste en veiligste manier van reizen is. Op burgervluchten nam hij haar op schoot en wees hij op de vreemde, stille schoonheid van de wolken, het landschap onder hen en het koude, eindeloze blauw daarboven. En nog steeds voelt ze zich licht en gelukkig zodra de wielen van het vliegtuig loskomen van de startbaan, hoewel ze op iedere vlucht haar vader mist. Maar eigenlijk mist ze hem altijd. Ze kijkt langs Roberta naar de ondergaande zon en de wolken in de verte. Ze vraagt zich af wat haar vader van Roberta zou vinden, of eigenlijk wat hij van Stephanies relatie met haar zou vinden. Zelfs als hij het er niet mee eens was, weet ze zeker dat hij haar zou hebben aangemoedigd om het leven te leiden dat haar gelukkig maakt.

Ze wenkt de steward die voorbijloopt.

'Heb je misschien een kussen en een deken voor mijn... geliefde?'

Hij kijkt even naar Roberta en knipoogt: 'Natuurlijk.'

Omdat ze voor ongeveer negentig procent zeker weet dat de steward homoseksueel is, stelt het niet heel veel voor, maar toch vindt ze het dapper van zichzelf dat ze het heeft gezegd.

Terwijl hij de spullen uit het vakje boven hun hoofd haalt, draait Roberta zich weer naar haar om. 'Dat hoorde ik,' zegt ze.

'Ik dacht dat je sliep.'

'Ik deed alsof omdat ik boos was. Het klonk wel goed zoals je dat zei. Daar zou ik best aan kunnen wennen. We moeten er alleen achter komen of jij eraan kunt wennen om het te zeggen.'

Een paar minuten later, als de turbulentie voorbij is en Roberta echt slaapt, staat Stephanie op en loopt ze door het gangpad naar achteren. Passagiers uit de tweede klas mogen niet voorin komen, maar als zij naar de staart van het vliegtuig loopt zegt niemand er iets van. Al na een paar uur in de eerste klas ziet het achterste deel van het vliegtuig eruit als een veewagen, en zo ruikt en klinkt het ook. Ze heeft medelijden met de arme drommels die tweedeklas moeten reizen, maar niet genoeg om haar ruime stoel op te geven.

Ze kan maar beter niet gewend raken aan dit soort luxe, of welke luxe dan ook, want Sybille zal niet eindeloos blijven spekken. Maar ze vindt het ongelooflijk dat ze nooit eerder heeft opgemerkt hoe dicht iedereen hier op elkaar zit, hoe vol het ligt met kranten en – nu er geen maaltijden meer worden geserveerd – verpakkingen van sandwiches en chips. En dan heb je nog al die baby's.

Twee rijen voor de wc's in de staart ziet ze een man in de middelste stoel met een koptelefoon op en zijn armen strak over zijn borst gevouwen. Hij wiegt heen en weer, waarschijnlijk op de klanken van de muziek. Daardoor ziet hij er een beetje gestoord uit. Niet het type dat je graag in een vliegtuig ziet. Ze durft te wedden dat ze op het vliegveld 'toevallig' hém eruit hebben gepikt om zijn bagage en schoenen te controleren.

Stephanie kijkt nog eens goed naar zijn gezicht en realiseert zich dat hij haar bekend voorkomt. Hij heeft zijn ogen dicht, maar toch is ze er vrij zeker van dat het Graciela's vriend is, een nerveuze, onzekere jongen die ze één keer kort heeft gesproken op een feestje dat Lee voor Graciela had georganiseerd nadat ze was aangenomen voor de tournee van Beyoncé. Op een gegeven moment stonden ze samen in een hoekje. Ze probeerde een gesprek aan te knopen maar dat werd niets. Hij is dj, herinnert ze zich. Best lief, maar zo iemand bij wie vanbinnen de frustratie borrelt, over zijn mislukte carrière en andere niet-gespecificeerde dingen. Graciela moet hem het geld hebben overgemaakt voor een vlucht naar de Oostkust. Blijkbaar hadden Imani en zij zich vergist over Graciela's redenen om in New York te blijven. Ze overweegt zich aan hem voor te stellen – dit soort onverwachte ontmoetingen zijn ideaal om een paar minuten tijd te doden tijdens een vliegreis – maar iets in zijn lichaamstaal en de manier waarop hij zit te wiegen, doet haar ervan afzien. Ze heeft zelf genoeg problemen om over na te denken, en eigenlijk heeft ze geen zin om nog veel langer achter in het vliegtuig te blijven. Daar voorin is Roberta, én de lunch die de steward zo meteen aan de eersteklasreizigers zal serveren.

Zodra ze de yogastudio binnenkomen en Jacob de lussen van rode zijde aan het plafond ziet hangen pakt hij Graciela bij haar arm en zegt: 'Waarom heb ik me in godsnaam door je laten overhalen?'

'Omdat je van nieuwe ervaringen houdt?' zegt ze.

'Ik ben een totale neuroot wat vaste patronen betreft. Ik haat nieuwe ervaringen,' antwoordt hij. 'Ik vind jou leuk, dat is de reden dat ik ja heb gezegd.'

'Misschien vind je de les ook wel leuk.'

'Blijf voor de zekerheid maar in de buurt,' zegt hij.

Dacht hij echt dat ze hem uit het oog zou verliezen?

Graciela voelt de warmte van Jacobs lichaam tegen het hare en leunt tegen hem aan. Sinds hij haar heeft gered op die hoek op Broadway (want achteraf voelt het als een redding) hebben ze maar een paar uur apart van elkaar doorgebracht. Hij had een training en één wedstrijd, maar door de regen die het speelschema in de war gooide, konden ze de rest van de tijd bij elkaar zijn. Als hij niet mee was gegaan naar de les, had ze waarschijnlijk zelf de les laten schieten, ook al verheugde ze zich er erg op. Voordat ze vorig jaar met yoga begon, zou ze nooit hebben gedacht dat ze opgewonden zou raken van het bericht dat er een nieuwe vorm van yoga was met oorspronkelijke en verrassende elementen. Maar nu moet en zal ze alle nieuwe varianten proberen, zoals sommige mensen popelen om een nieuw, hip restaurant te testen.

En een leuke bijkomstigheid is dat dit haar de kans biedt iets in het openbaar te doen met Jacob Lander. Ze weet niet precies waarom dat zo heerlijk spannend is, tenzij het komt doordat hij altijd zo op zijn hoede is voor de paparazzi – uit zelfbescherming, maar misschien ook omdat hij wil voorkomen dat zij met haar gezicht op TMZ of een van de andere duizenden roddelsites verschijnt.

'Hoe werkt dit?' fluistert hij in haar oor. 'Klimmen we in die lussen of gaan we op de vloer liggen?'

'Ik ben geen expert,' zegt ze.

Deze workshop heet Aerial Swing en hij wordt gegeven door een docente uit Montreal. Graciela heeft nog nooit van haar gehoord, maar het schijnt dat Nicole LaPierre een aantal jaren bij Cirque du Soleil zat, voordat ze vanwege een blessure yoga ging doen. Dana, een van de docentes en de bedrijfsleidster van deze studio, heeft Graciela verteld dat ze zich nooit vrijer heeft gevoeld dan in deze lessen: 'Het lijkt wel alsof je al je zorgen op de grond achterlaat terwijl jij door de lucht zweeft.' Misschien was dat een beetje overdreven, maar Dana, een prachtige vrouw met rossig haar, is een van die yogi's met een duizelingwekkend lenige en krachtige manier van bewegen. Graciela moet haar wel geloven. Het idee dat ze boven al haar zorgen kan uitstijgen, spreekt haar zo aan dat ze Jacob heeft overgehaald mee te gaan. Haar zorgen worden iedere dag groter – dat gaat ongeveer gelijk op met de toename van haar geluksgevoel als ze bij Jacob is.

De grote rode lussen die aan haken in het plafond hangen geven de studio een wonderlijk sfeertje. Een beetje erotisch, een beetje eng. Net als Cirque du Soleil, realiseert Graciela zich. Een vrouw die dit blijkbaar vaker heeft gedaan hangt ondersteboven in de lus met haar knieën naar buiten, als een kikker. Ze draait heel langzaam, heel loom rond en ze ziet er inderdaad vrij uit. Oncomfortabel maar vrij.

'Ik denk dat we op de vloer moeten beginnen,' zegt Graciela.

Ze pakken twee matten die ze naast elkaar neerleggen, veel dichter bij elkaar dan waarschijnlijk de bedoeling is. Maar Graciela vindt de gedachte onverdraaglijk dat ze in dezelfde ruimte is als Jacob maar hem niet zou kunnen aanraken. Misschien vindt hij dat ook, want zodra ze op hun mat liggen legt hij zijn been over haar dij.

'Zeg eens, doen jij en je vriend samen yoga?' vraagt hij.

Er verstart iets in haar lichaam. Graciela heeft haar best gedaan om het onderwerp Daryl te vermijden en Jacob begon er ook niet over. Ze heeft geen zin om over Daryl te praten en ze heeft nog minder zin om Jacob te vragen of hij ergens een vriendin heeft. Ze kan zich niet voorstellen dat dat niet zo is, maar ze heeft niets gemerkt van telefoontjes of berichten van een eventuele geliefde.

Met een loodzware mengeling van schuldgevoel en angst zegt Graciela, hopelijk op een neutrale toon: 'Nee.'

Jacob kijkt nog steeds naar haar, zonder iets te zeggen. Zijn voet maakt lichte bewegingen tegen haar been die haar hele lichaam in vuur en vlam zetten. Ze zijn nooit toegekomen aan die lunch die hij zo graag voor haar wilde maken. Ze waren nog niet binnen bij Jacob of ze begonnen elkaar uit te kleden. Niet omdat ze elkaars lichaam wilden zien, maar omdat ze de huid van de ander tegen hun eigen huid wilden voelen. Ze had hem ingeschat als een snelle, agressieve minnaar, misschien omdat hij zo sterk en competitief moet zijn voor zijn beroep. Maar hij bleek ongelooflijk sensueel en teder te zijn, en de manier waarop hij haar aanraakt, het ene moment zijn volle gewicht tegen haar aandrukt en haar het volgende moment plaagt met niets dan de warmte van zijn lichaam, geeft haar het gevoel dat hij haar lichaam minstens zo goed kent als zijzelf. 'Dit zou ik best voor eeuwig kunnen doen,' zegt hij als ze seks hebben. En het voelt alsof ze het ook al eeuwig doen, alsof ze elkaar al heel lang kennen.

Daryl is een ander soort minnaar, hij neemt op een gulzige manier bezit van haar lichaam, alsof hij probeert haar te verteren zodat niemand anders haar kan krijgen. Soms heeft ze het gevoel te worden verslonden, alsof hij er zeker van wil zijn dat ze uitgeput en volkomen leeg is, zodat ze niet eens kan dénken aan een andere man. Ze vond het altijd heerlijk om zo door iemand begeerd te worden, ook al lag er wanhoop aan ten grondslag. Het gaf haar een gevoel van macht. Maar dat was voordat Daryl begon zijn jaloezie en woede op een gewelddadige manier te uiten.

'Hij doet niet aan yoga,' gaat ze verder, zorgvuldig Daryls naam en de term 'mijn vriend' omzeilend. 'Hij speelt vaak basketbal met zijn vrienden.'

'Wonen jullie samen?'

'Hij is een tijdje geleden bij mij ingetrokken.'

Om de een of andere reden vindt ze het belangrijk dat hij weet dat het háár huis is. Ze wil niet dat hij denkt dat ze samen op zoek zijn gegaan naar een appartement, hoewel ze niet helemaal be-grijpt waarom ze daar zoveel waarde aan hecht.

Morgen (morgen al!) vliegt Jacob naar Saint Louis voor een wedstrijd, en de dag daarna gaat zij terug naar L.A. Met andere woorden, het is bijna voorbij. Waarom zou ze niet over Daryl pra-ten? Het is maar een flirt, zegt ze tegen zichzelf. Alsof zij ooit goed is geweest in flirts. Alsof ze zelfs maar weet wat dat eigenlijk is.

'Je vriend mag in zijn handjes knijpen,' zegt Jacob.

'Dat weet ik niet zo zeker,' antwoordt zij.

'Ik wel.' Hij haalt zijn hand door haar haar. 'Je hebt geen idee hoe mooi je bent.'

Ze begint zowaar te blozen en kijkt even naar een lenige vrouw die dicht bij hen op een mat ligt, niet wetend of ze bang is dat ze hun gesprek kan horen, of daar juist op hoopt. Ze wil boven op Jacob kruipen. Niet op een wellustige manier, maar omdat ze hun lichamen tegen elkaar aan wil voelen.

'Waarschijnlijk heb je wat meer zelfvertrouwen nu je een tijdje bij Beyoncé hebt gedanst, maar diep vanbinnen luister je nog steeds naar die oude twijfels die in je hoofd zijn gestampt door een broer of zus, of een jaloerse vriendin van de middelbare school of je moeder.'

'Je verspilt je talent met honkbal,' zegt ze. 'Je zou gedachtelezer moeten worden.'

'Profsport verdient beter.'

De lerares en haar assistente komen binnen en gaan vooraan op hun mat liggen. Nicole LaPierre is een lenige vrouw met lange benen en nauwelijks een kin, het type dat niet echt mooi is maar op de een of andere manier een ongelooflijk sexy uitstraling heeft, door de combinatie van katachtige verleidelijkheid en brutaal zelfvertrouwen. Ze laat haar blik over de aanwezigen glijden en Graciela ziet dat ze Jacob registreert. Ze stopt een halve seconde met haar inleidende praatje en spert haar ogen open van verba-zing – het is duidelijk dat ze onder de indruk is. Het vult Graciela met trots: hij is met haar meegekomen! Maar tegelijkertijd wordt ze er zo onzeker van dat ze de studio uit wil vluchten.

De magie van yoga (of hoe je dit dan ook moet noemen) treedt algauw in werking, zoals altijd. De lerares praat over haar leven als artiest (hoe kan het dat het Graciela nooit eerder is opgevallen hoe sexy het accent van Quebec is?) en begint dan haar lange, gespierde lichaam met soepele gratie om de zijdeachtige, rode stof te kronkelen. Ze beschrijft deze vreemde bewegingen zo helder dat het opeens heel eenvoudig en natuurlijk lijkt om zelf onderste-boven te hangen, gewikkeld in elastisch materiaal. In deze zwevende positie kan Graciela haar rug zo onvoorstelbaar ver buigen dat het lijkt of ze in een ander lichaam zit.

'Als je rondjes begint te draaien en misselijk wordt, richt je *drishti* dan op een punt in je lichaam dat niet beweegt,' zegt Nicole.

Graciela kijkt naar Jacob om te zien hoe het hem vergaat. Hij trekt zich omhoog langs de rode stof en zijn ongelooflijke bicepsen zwellen op. Hij ziet er zo goed uit – deels als een turner, deels als een gewichtheffer, deels als een gespierd dier – dat ze zich afvraagt of hij niet gewoon probeert er nog aantrekkelijker uit te zien voor de docente en de andere vrouwen in de ruimte die hun ogen niet van hem af kunnen houden. Wat hij doet heeft niets te maken met de instructies die de lerares geeft.

'Als je de zwaartekracht loslaat,' zegt Nicole, 'zul je versteld staan van de nieuwe en bijzondere dingen die je lichaam kan doen. Dingen die je niet voor mogelijk had gehouden. Vertrouw er gewoon op dat de lus je houdt en laat los. Laat los! Voel hoe heerlijk het is om te vliegen. En als je ziet wat je hier kunt doen als je loslaat, zul je overal in je leven mogelijkheden zien.'

Dat is een tamelijk accurate beschrijving van haar hele ervaring met yoga. Door kleine stapjes te nemen, haar lichaam steeds verder te rekken en leniger te maken, werden allerlei dingen mogelijk.

Wat zou er gebeuren als ze haar leven in L.A. echt losliet? Als ze Daryl losliet? Welke nieuwe mogelijkheden zouden zich aandienen? Misschien moet ze niet al te ver in de toekomst kijken, naar alle problemen en pijn die het gevolg zijn van loslaten. Misschien hoeft ze zich alleen maar de eerste stap voor te stellen: Daryl vragen weg te gaan. Of hem vertellen dat ze alleen wil wonen. Misschien hoeft ze alleen dat deel van de verandering te visualiseren.

Aan het einde van de les geeft Nicole ze opdracht languit in de rode stof te gaan liggen. Het materiaal rekt zo mee dat ze er bijna door worden omwikkeld, van top tot teen, alsof ze in een rode cocon liggen. Dit moet dat heerlijke gevoel zijn waar Dana het over had, want plotseling voelt Graciela zich volledig bevrijd van alles waarover ze zich daarbeneden zorgen maakt, en ze weet niet of ze wil lachen of huilen. Ze doet haar ogen een heel klein beetje open om door de smalle spleet bij haar voeten te kijken. De cocon met Jacobs grote, zware lichaam hangt zo dicht bij de hare dat ze zijn warmte bijna voelt, maar toch zo ver dat ze niet tegen elkaar kunnen botsen.

In de kleedkamer zegt een vrouw die zich naast haar aan het omkleden is: 'Jacob Lander, toe maar. Hoe is dat zo gekomen?' Maar het klinkt vijandig, alsof ze Graciela vraagt hoe iemand als hij op iemand als zíj kan vallen.

Graciela haalt haar schouders op. 'Hij vindt mijn haar mooi.'

Als ze met Jacob over Broadway loopt durft ze haar hoofd op zijn schouder te leggen. 'Dank je wel dat je mee bent gegaan,' zegt ze. 'Dat was heel lief.'

'Ik vond het af en toe best leuk,' zegt hij.

Hij loopt met haar terug naar het hotel en moet dan weg om een paar spullen in te pakken voor zijn vertrek. Ze spreken af om later samen te dineren.

Ze belooft hem over een uur te bellen en op de stoep voor haar hotel neemt ze zijn hoofd in haar handen en kust ze hem op de mond. Dit is de eerste keer dat ze in het openbaar zo assertief is bij hem, en eigenlijk hoopt ze dat haar vriend Lyle, de receptionist, het ziet.

Achter de balie zit niet Lyle maar de norse jonge vrouw met de lichte snor die haar altijd aankijkt alsof ze van plan is handdoeken te stelen. 'Je hebt bezoek,' zegt ze tegen Graciela, wijzend naar het zithoekje bij de liften. 'En hij zit er al een tijdje.'

Tina klopt op de deur van Lee's kantoor en steekt haar hoofd naar binnen.

'Heb je even voor me?' vraagt ze. 'Er zijn hier twee mensen met wat producten en ik wil graag jouw mening.'

Lee zit al tien minuten achter haar bureau moed te verzamelen om David Todd te bellen. Ze heeft niets meer van hem gehoord sinds hij op het slechtst mogelijke moment de studio binnen was gekomen en meteen na de les via de achterdeur was weggeglipt. Ze heeft al twee keer zijn nummer ingetoetst maar beide keren heeft ze geen verbinding gemaakt. Vond hij haar les slecht? Ze was waarschijnlijk niet op haar best, hoewel zijn aanwezigheid haar wel opbeurde. Afleiding in de vorm van verkopers is misschien precies wat ze nodig heeft.

'Waarom niet?' zegt ze. 'Laat ze maar binnen.'

Tina haalt haar schouders op. Zij beheert al meer dan een jaar de verkoopafdeling van de studio, maar ze durft nog steeds niet alle beslissingen zelf te nemen, vooral omdat ze bij ieder artikel bang is dat mensen er aanstoot aan zullen nemen. Als de nieuwe vleugel opengaat krijgt ze meer verantwoordelijkheden en Lee hoopt dat ze het aankan. Tot nu toe is het Lee niet gelukt Tina's zelfvertrouwen op te krikken of haar van haar onderdanige houding en afhangende schouders af te helpen.

'Je kunt beter even meekomen,' zegt Tina. 'Ze hebben wat artikelen uitgepakt.'

Lee laat haar telefoon op haar bureau liggen en loopt naar voren. Als ze de twee mensen bij Tina's toonbank ziet staan, weet ze precies wat er komen gaat. Het zijn een jonge man en vrouw, ongeveer even lang, allebei dun en allebei met lange, asblonde dreadlocks. Ze hebben *geknoopverfde* T-shirts aan en wijde, vormeloze broeken die zijn gemaakt van een combinatie van biologische hennep en katoen. Ze kijken Lee met een brede glimlach aan en hebben zo'n intens stralende blik dat ze wel wat weg hebben van buitenaardse wezens.

Rawfood-eters, denkt Lee.

Er zijn zoveel idiote dieettrends in de yogawereld dat ze het niet meer kan bijbenen. Ongeveer eens per maand duikt er een nieuw soort gefermenteerde thee, exotische alg of zaad op dat alles zal genezen. Ze krijgt eindeloze hoeveelheden e-mails, catalogi en telefoontjes over deze producten, die allemaal hun oorsprong hebben in een oude, verloren gegane cultuur. Helaas is die cultuur dus zelf niet in de buurt om zich te verdedigen.

Rawfood staat op dit moment hoog op ieders lijst. Het is een onderwerp dat vraagtekens oproept bij Lee. Het meeste van wat ze eet en drinkt – salades, vruchten, sappen en *smoothies* – is rauw. Ze is meer tijd kwijt met het schoonmaken van haar sapcentrifuge dan met het aanzetten van de oven. Maar iedere keer dat ze naar een rawfood-restaurant gaat en het menu leest – rauwe 'scones', rauwe 'pasta'? – moet ze denken aan die vegetarische restaurants van de zevendedagsadventisten die alles waarvan ze zeggen dat het gezond is vermommen als iets ongezonds: gehaktballen, hamburgers, worstjes, maar dan allemaal van nepvlees. Restaurants waar alle gerechten op de menukaart tussen aanhalingstekens staan vertrouwt ze doorgaans niet. En dat geldt eigenlijk voor extremisme in het algemeen.

Een paar keer per maand komen er mensen langs met een rawfood-product – koekjes of chocolade of een notenmix – waarvan zij denken dat het bij uitstek past bij de klantenkring van de studio. Vaak zijn het stelletjes die zo'n hechte relatie hebben dat ze zich hetzelfde kleden en op dezelfde manier praten. Maar het is haar opgevallen dat het meestal de man is die het woord voert.

Llandra en Lucas zijn twee jaar geleden met hun bedrijf begonnen.

'Geweldig,' zegt Lee. 'Hoe heet jullie bedrijf?'

Lucas kijkt haar scherp aan. 'Rauw of je leven,' zegt hij.

'Dat is in ieder geval duidelijk,' antwoordt Lee.

'Het is een keuze,' zegt Lucas. 'Waarom zou je daaromheen draaien?'

Hun assortiment bestaat uit rauwe crackers en brood van

kiemzaden en verschillende combinaties van gedroogde groenten en fruit. Alle producten hebben namen die op weinig subtiele wijze refereren aan ziekte en dood: 'rauw brood of de dood', 'kokossnoep of kanker', 'lijnzaadkoekjes of leverproblemen'. De namen zijn zo afschrikwekkend dat Lee liever niet wil proeven, maar Lucas houdt de zakjes zo voor haar neus dat hij haar lijkt uit te dagen om het aanbod af te slaan.

Hoewel ze niet direct het verschil proeft tussen de 'dadel-sesambonbons of diabetes' en die kokos-kankerdingetjes, zijn ze allebei verrassend lekker.

'Heerlijk,' zegt ze. En om te kijken of ze Llandra aan het praten kan krijgen, vraagt ze rechtstreeks aan haar of ze de recepten zelf bedenken.

'Ja,' zegt Lucas. 'Wij samen.'

Hoe langer Lee kauwt, hoe sterker ze een bittere nasmaak proeft. Alsof er iets niet helemaal in orde is. 'Hoe duur zijn ze?'

'Vijftien vijfennegentig per zakje,' zegt Lucas. 'Behalve de "boerenkoolchips of buikpijn", die kosten vijftien vijftig.'

Lee kijkt naar Tina. Had ze Lee echt nodig om hierover te beslissen? 'Om eerlijk te zijn,' zegt Lee, 'is dat waarschijnlijk wat te duur voor onze yogi's. De meesten van hen hebben niet veel geld.'

Lucas grist het zakje uit haar hand. 'Het is maar hoeveel waarde ze hechten aan hun leven. Ze kunnen wel genoeg geld bij elkaar krijgen voor de yogales, toch? En dat zouden ze thuis ook kunnen doen.'

'Laat je kaartje maar achter bij Tina, dan overleggen we even en nemen we contact met je op.'

'Ik peins er niet over,' zegt Lucas. 'Als je moet overleggen over de keuze tussen leven en dood, dan kan ik je niet helpen. Blijkbaar eten je leerlingen liever dood voedsel om een paar centen uit te sparen. Maar wij zijn hier niet om zieltjes te winnen. Als je je leerlingen wilt aansporen om zelfmoord te plegen, is dat jouw keuze.'

Als Lucas al buiten staat, draait Llandra zich om in de deuropening en zegt: 'Ik zag dat je les gaat geven op het Flow and Glow Festival. Ik ben aan het sparen om erheen te kunnen.'

'Met Lucas?' vraagt Lee.

'Nee, die is niet geïnteresseerd.'

Lee opent de kassalade en geeft Llandra een briefje van twintig dollar. 'Ik hoop dat het je lukt. Als ik iets hoor over kortingen op het inschrijfgeld, zal ik je mailen. Hebben jullie een website?'

'Ja, maar Lucas leest de mails. Ik werk als serveerster bij Denny's op South Figueroa. Daar kun je me bereiken.'

Als de deur dicht is, zegt Tina: 'Sorry. Ik durfde niet te proeven, daarom haalde ik jou erbij. Ik wist niet of het betekende dat het kanker geneest of dat je er juist kanker van krijgt.'

'Tina, als de nieuwe ruimte opengaat zullen er veel meer mensen binnenkomen met producten. En in de meeste gevallen zul je op je eigen oordeel moeten vertrouwen. Of je kunt het aan Lainey vragen. Ik durf er niet aan te denken hoe zij zou reageren op Rauw of dood.'

'Rauw of je leven,' corrigeert Tina haar. 'Hoe dan ook, ik denk dat Lainey meer van roken houdt dan van koken, als je begrijpt wat ik bedoel.'

'Maar niet in de studio, toch?'

'O nee, ze blaast de rook door de achterdeur naar buiten.'

'Ik zal wel even met haar praten,' zegt Lee.

Als ze weer in haar kantoor is, pakt ze haar telefoon en kijkt naar het zwarte schermpje. 'David of je leven,' zegt ze en toetst zijn nummer in.

En na al die opgebouwde spanning krijgt ze zijn voicemail. 'David,' zegt ze zo luchtig mogelijk. 'Je bent laatst na de les stiekem weggeslopen. Ik wil mijn excuses aanbieden. Ik had een zware middag gehad met mijn kinderen en was niet op mijn best. Nu snap je waarom ik je hier nodig heb.' Je gaat te lang door, spreekt ze zichzelf toe, rond het af! 'Bel me als je tijd hebt, zodat ik nog wat langer door kan ratelen. Ik was heel blij om je te zien. Je moet me nog een keer die overgang van handstand naar vuurvlieg laten zien. Dat heb ik nog nooit iemand op die manier zien doen. Meestal doe ik...' Niet nu. Rond het af! 'Dag.'

Stom, denkt ze, ik klonk als een idioot. Wat is er zinlozer en onaantrekkelijker dan al die verontschuldigingen? En dat geklets. Maar ze wil écht met hem over zijn yogastijl praten. Onder meer. Ze kan veel van hem leren. Er zijn zoveel dingen die ze met hem wil bespreken.

Ze schrikt op als een paar seconden later haar telefoon gaat. Dat is snel. Behalve dat het David Todd niet is.

'Lee,' zegt Graham, 'we moeten deze week de knoop doorhakken over de vloer.'

'Maar dat heb ik al gedaan, Graham. Alleen wil jij dat maar niet accepteren.'

'Dat is waar,' zegt hij. 'Ik geef mijn nederlaag niet graag toe. Geef me nog één kans. Ik neem je mee uit eten en laat je de staaltjes zien. Als je dan nog steeds niet wilt, nemen we het hardhout. Dan zal ik niet meer proberen je over te halen. Afgesproken? Heb je de kinderen vanavond?'

'Nee, die zijn bij Alan.'

'Mooi. Ik kom je om acht uur ophalen bij de studio. Heb je een voorkeur voor een bepaald restaurant?'

'Als ze het eten maar koken,' zegt Lee.

Toen de man van Sybille Brent haar na een huwelijk van vijfendertig jaar inruilde voor een jong ding van zesentwintig, hield ze er behalve tweeëndertig miljoen dollar ook een 'vakantiehuisje' in East Hampton en een appartement in Beekman Place aan over. Stephanie heeft Sybille nooit naar dit verhaal durven vragen, en Sybille liet er zelf maar weinig over los en noemde uiteraard nooit bedragen. De details kwamen uit roddelbladen en een lang artikel over de scheiding, dat Stephanie ooit had gelezen in het tijdschrift *New York*. Een van de gevaren van getrouwd zijn geweest met een beroemd projectontwikkelaar is, blijkbaar, dat je een hele lading ongewenste publiciteit over je heen krijgt. Een van de voordelen... tja, het is moeilijk om het geld en de huizen als een nadeel te zien, hoe breed de ontrouw van haar man ook werd uitgemeten.

Stephanie had Roberta verteld dat het haar verstandig leek om in haar eentje naar Sybilles huis te gaan. Sybille had duidelijk gemaakt dat ze Stephanie iets wilde vertellen, en hoewel ze geen enkele aanwijzing had gegeven, wist Stephanie zeker dat het iets ernstigs was. Waarom zou Sybille haar anders naar New York laten komen? Ze weet niet precies hoeveel van haar eigen geld Sybille in de film heeft gestoken, maar ze neemt aan dat ze haar wil vertellen dat ze haar investering wil terugschroeven. Misschien verwacht ze dat iedereen de broekriem flink aanhaalt.

Stephanie besluit van het hotel naar Beekman Place te lopen. Het hotel zelf is een beetje teleurstellend. In de Regency schijnen belangrijke zakenlunches te worden gehouden en worden grote deals gesloten bij een martini, maar de kamers zijn verbazingwekkend gewoon. Of eigenlijk 'de kamer'. Bij het inchecken – terwijl Roberta op de balie leunde en haar uitdagend aankeek – had Stephanie zenuwachtig tegen de receptionist gezegd: 'Het blijkt dat we maar één kamer nodig hebben.'

'Het gaat je steeds beter af,' zei Roberta terwijl ze haar kuste in de lift. En toen ze de deur naar hun kamer opendeden: 'Hmm, misschien waren we wat te voorbarig. Een tweede kamer was toch niet zo'n slecht idee.'

Het is een warme, winderige dag. Stephanie doorkruist Manhattan in oostelijke richting en voor ze het weet staat ze in de afgeschermde enclave van Beekman Place. Het lijkt wel of iedereen hier heeft gewoond, van filmsterren tot politici. Het is er rustig en lommerrijk, en het voelt alsof je hier helemaal bent afgezonderd van de rest van de stad, ook al is het maar een paar blokken verwijderd van de drukte van First Avenue en het VN-gebouw.

Op de elfde verdieping komt de lift rechtstreeks uit in het appartement van Sybille, waar Stephanie wordt begroet door een mooi geklede jonge vrouw die zich alleen voorstelt als Marie. Sybille wordt altijd omringd door mensen die ongetwijfeld bij haar in dienst zijn maar die zich kleden en gedragen alsof ze gewoon behulpzame vrienden zijn. 'Sybille is aan de telefoon, ze is bijna klaar,' zegt Marie. 'Lekker weer, hè?'

'Prachtig. Ik had niet verwacht dat het zo warm zou zijn.'

'De lente is dit jaar vroeg begonnen. Kom maar mee.'

Ze loopt voor Stephanie uit een gang door naar een donkere bibliotheek met houten lambrisering. De muren zijn volledig bedekt met boeken en de ruimte staat vol met zware, leren meubels. Tot nu toe had Stephanie Sybille alleen in huurhuizen of chique, moderne hotels gezien, dus dit traditionele, saaie decor is een verrassing. Het lijdt geen twijfel dat elk meubelstuk, waarschijnlijk tot en met de boeken zelf, is gekozen en neergezet door iemand die daarvoor is ingehuurd. Maar misschien is het toch niet zo verrassend. Sybille is niet het type dat zelf meubels koopt en haar huis inricht. Hoe mooi het ook is, het ziet er nogal onpersoonlijk uit, als de standaard inrichting van een rijke New Yorker. Gek genoeg wordt Stephanie treurig van de gedachte aan Sybille in dit overgedecoreerde appartement, met alleen betaald personeel om zich heen.

'Volgens mij kunnen we hier wel wat licht gebruiken,' zegt Marie. Ze duwt twee zware gordijnen opzij – geen gemakkelijke opgave – en opent vervolgens de onvoorstelbaar lange, houten luxaflex. Plotseling stroomt fel zonlicht naar binnen. Stephanie deinst een beetje terug voor het bijna schokkend mooie uitzicht op de East River, met het glinsterende water en een boot op weg naar het noorden.

'Ik weet het,' zegt Marie. 'Dat zou je niet zeggen als je beneden staat, hè? Vanuit de woonkamer is het nog mooier. Wil je iets drinken?'

Stephanie gaat zitten en probeert te ontspannen. Ze pakt een tijdschrift, maar binnen een paar seconden wordt ze nerveus en rusteloos. Misschien is Sybille teleurgesteld over de fragmenten van de film die ze heeft bekeken. Was Roberta er maar – kordate, pragmatische Roberta. Ze pakt haar telefoon en stuurt haar een sms: **Eerste reactie: wauw! En dan heb ik alleen nog maar de bibliotheek gezien.**

Ze grinnikt nog na om het antwoord van Roberta **(Jat iets voor**

me.) als de deuren openglijden. Ze draait zich om en daar staat Sybille glimlachend in de deuropening.

'Welkom in New York,' zegt ze.

Ze draagt een duifgrijze, wollen broek en een crèmekleurige zijden blouse, allebei typisch Sybille. Maar in de maanden sinds Stephanie haar voor het laatst heeft gezien, is haar vriendin en mentor enorm afgevallen. Haar gezicht is gelig en haar normaal zo stralende ogen liggen diep weggezonken in haar schedel. Stephanie springt van de bank en loopt naar haar toe. Ze wil haar armen om haar heen slaan, maar zo'n soort relatie hebben ze niet en Sybille zit duidelijk niet op sentimentele taferelen te wachten. Stephanie volgt Sybilles voorbeeld en zoent haar twee keer op de wang.

'Ik ben zo blij je te zien,' zegt Stephanie. En ze meent het, ook al ziet Sybille er slecht uit. Het is moeilijk om gehecht te raken aan iemand met zo'n enorme buffer van rijkdom om zich heen, maar Stephanie heeft haar erg gemist.

'Over "mij zien" zullen we het zo hebben,' zegt Sybille. 'Hoe bevalt het hotel?'

'Prima. Het is heel comfortabel.'

'Marie heeft geprobeerd kamers te regelen in het Plaza Athénée, maar daar was niets beschikbaar. Ik hoop dat jullie niet teleurgesteld zijn. Ik ben zelf niet zo dol op dat hotel.'

'De kamers zijn prachtig. De kamer. We hebben er maar één nodig, dus die andere heb ik geannuleerd.'

'Dat vermoedde ik al, maar je kunt je vermoedens maar beter niet hardop uitspreken.' Ze loopt naar een van de leren stoelen en laat zich zakken, langzaam, maar met de sierlijke elegantie die ze in al haar bewegingen legt. 'Ben je gelukkig?' vraagt ze. 'Met Roberta, bedoel ik.'

'Het is niet wat ik me had voorgesteld,' zegt Stephanie.

'Dat was mijn vraag niet, lieverd.'

Stephanie realiseert zich dat dit is wat ze het meest aan Sybille heeft gemist: ze is altijd recht voor z'n raap zonder dat het klinkt als kritiek.

'Roberta is grappig en slim op een verrassende manier. Ze heeft dingen heel snel door.'

'Ze heeft jou door, bedoel je.'

'Ja, ik geloof dat ik dat bedoel.'

Het is moeilijk om niet over Sybilles uiterlijk te beginnen, maar Stephanie weet dat ze moet wachten tot Sybille dat onderwerp zelf aansnijdt. Dat heeft te maken met hun leeftijdsverschil, maar meer nog met geld.

Sybille vraagt naar de film en Stephanie vertelt wat dingen waarvan ze vrij zeker weet dat ze het er al eerder over heeft gehad. Ze hebben nog drie weken te gaan en dan begint de postproductie. Ze begint aan een anekdote uit de lange geschiedenis tussen Rusty en Imani, maar halverwege krijgt ze het gevoel dat ze ook dit al eerder heeft verteld. Ze raakt in de war, struikelt over haar woorden en gaat steeds sneller praten. Ze kijkt naar buiten in plaats van naar Sybille en vraagt zich af of er nog een touw aan haar verhaal vast te knopen is. Dan kijkt ze terug naar de vrouw die tegen alle verwachtingen in een vriendin is geworden, en tot haar grote verrassing voelt ze de tranen over haar wangen biggelen.

Sybille staat geruisloos op, met dezelfde vertraagde gratie als eerder, en gaat naast Stephanie op de bank zitten. Ze neemt Stephanies hand in haar handen en zegt: 'Het geeft niet, huil maar.'

Stephanie drukt haar gezicht tegen Sybilles schouder. 'Je bent ziek,' zegt ze.

'Ja, lieverd. Helaas wel.'

'Wat heb je?'

'Twee jaar geleden had ik kanker, vlak voordat mijn man de scheiding aanvroeg. Geen ongewone opeenvolging van gebeurtenissen, trouwens. Die ziekte was het enige wat ik buiten de pers heb weten te houden. Helaas is het teruggekomen. En nu is het uitgezaaid.'

Stephanie begint weer te huilen en voelt de dunne armen van Sybille stevig om zich heen. Ze wil van alles vragen maar heeft het gevoel dat het haar zaken niet zijn, en bovendien, wat doet het ertoe? Sybille is ziek.

'Ik ben vorige week met chemotherapie begonnen. Het wordt geen pretje, maar ik verkeer in de positie dat ik mezelf kan omringen met alle comfort. Ik wilde jou nog zien voordat ik er middenin zit. Ik wilde je bedanken.'

'Mij? Waarvoor?'

'Voor de film. Voor je vriendschap.'

'Maar ik moet jou bedanken! Het is jouw verdienste. Zonder jou zou er geen film zijn.'

'Ik heb alleen maar wat cheques uitgeschreven. Jij hebt het script geschreven. Je hebt geen idee hoeveel plezier ik het afgelopen jaar aan dit project heb beleefd. Het was eigenlijk een belachelijk idee om in de filmindustrie te gaan, althans, dat zei iedereen tegen me. Maar toen ik jou ontmoette, wist ik dat we iets moois zouden kunnen creëren. En dat is ook gebeurd. Dankzij jou.'

'Maar je wordt heus wel weer beter,' zegt Stephanie. Ze gaat rechtop zitten en kijkt Sybille aan. 'Je wordt toch wel weer beter?'

Sybille begint te lachen, een iets afgezwakte versie van het kelige geluid dat ze normaal maakt. 'Om eerlijk te zijn betwijfel ik dat ten zeerste. Ik zal echt mijn best doen en "niet opgeven" en zo, maar uiteindelijk besef je dat het iets waardigs heeft om je over te geven aan het onvermijdelijke. En ik hecht veel belang aan waardigheid.'

'Dank je wel dat je het me persoonlijk hebt verteld.'

'Dat is nog maar een van de dingen die ik je wilde vertellen,' zegt Sybille. Ze staat op en loopt terug naar haar stoel. Stephanie vermoedt dat het nu weer over zaken zal gaan. 'Zoals je weet ben ik hier voor de lol mee begonnen. Half voor de lol, half uit wraak, om te laten zien dat ik na mijn scheiding meer met mijn leven deed dan ervandoor gaan met een plastisch chirurg, wat in mijn kringen de normale gang van zaken schijnt te zijn. Niet dat ik dat niet ook heb gedaan. Ik hoopte dat dit project iets zou opleveren, dat het me de komende decennia iets te doen zou geven. Alleen zijn er opeens geen decennia meer.'

Stephanie wil haar de mond snoeren, haar op haar kop geven omdat ze zo negatief is, maar Sybille is degene die het allemaal moet doormaken, en natuurlijk heeft ze alle recht om erover te spreken zoals zij wil.

'En dus heb ik niets aan die mooie, indrukwekkende vermelding in de aftiteling, die ik in het contract heb vastgelegd. Jammer, want het wordt een goede film. Nog beter dan we hadden gehoopt. Ik hoor veel lyrische reacties op het script. Er hebben al distributeurs interesse getoond, en ik heb begrepen dat dat eigenlijk ongehoord is in dit stadium van de productie.'

Als iemand anders dat had gezegd – Rusty Branson, bijvoorbeeld – zou Stephanie het met een flinke korrel zout hebben genomen, maar Sybille gaat zich zelden te buiten aan overdrijvingen. Ze voelt een golf van opwinding, vermengd met schuldgevoel omdat zij (voor zover ze weet) gezegend is met een goede gezondheid en de luxe heeft om op de lange termijn te denken.

'Dus schenk ik jou de vermelding als producent.'

'Dat kun je niet doen,' zegt Stephanie. 'Dat kan ik niet toestaan.'

Sybille lacht en strijkt haar haar naar achteren. Voor het eerst deze ochtend ziet ze eruit als haar oude zelf. 'Ik ben vereerd, maar je weet heel goed dat je me niet tegen kunt houden. De papieren zijn al getekend. Mijn naam zal nog steeds een prominente plaats krijgen, maar jij krijgt de vermelding waar je het meest aan hebt. Ik hoop alleen dat je voorbereid bent op wat je te wachten staat. Laat je er niet door van de wijs brengen.'

Als Stephanie het appartement verlaat is het buiten veel warmer geworden. Te warm. Ze loopt richting het hotel, maar de wandeling lijkt eeuwig te duren, alsof het hotel kilometers verderop ligt. Ze probeert een taxi te wenken, tevergeefs, en loopt na een paar minuten verder. Op Third Avenue zijn haar voeten zo zwaar dat het lijkt of ze in een nachtmerrie zit. Ze begint te rennen. Sybille gaat dood. Net als haar vader, die ook te jong en op een pijnlijke manier stierf, en later haar moeder. Sybille gaat dood en Stephanie zal haar nooit meer zien. Die film kan haar niets schelen. Wat stelt zo'n film nou voor? Wat heb je aan een vermelding op de titelrol, wat heb je aan eerbetoon? Ze raakt deze vrouw kwijt, deze vreemde, fantastische vrouw die haar leven zo ingrijpend heeft veranderd. Op Park Avenue slaat ze af in noordelijke richting en begint ze nog harder te rennen. Ze weet dat ze er wanhopig en lichtelijk gestoord uitziet.

In de lobby van het hotel staan mannen in pak; ze kijken met een zelfvoldane glimlach naar haar en wenden zich dan af, alsof ze zich voor haar schamen. Bezweet rent ze naar de lift. Als ze boven door de gang holt, voelt het alsof haar keel wordt dichtgeknepen. Ze bonst op de deur van hun kamer en als Roberta opendoet is ze weer aan het huilen. Roberta strekt haar armen uit en trekt haar naar zich toe.

'De film...' zegt Stephanie. '... de film wordt echt heel goed.'

'Waarom ben je zo afwezig?' vraagt Daryl.

'Dat ben ik helemaal niet,' zegt Graciela. 'Er is hier alleen zoveel te zien overal om je heen.'

'O, dus je bedoelt dat je wel afwezig bent.'

Ze besluit er niet verder op in te gaan.

Ze lopen door 77th Street naar het park.

Het is een warme, winderige dag en de zon schijnt aangenaam. Graciela haalt een zonnebril uit haar schoudertas en zet hem op.

'Waar heb je die vandaan?' vraagt Daryl.

'Weet ik niet meer. Een drogist, waarschijnlijk.' Ze heeft de bril in Parijs gekocht en hij was belachelijk duur, iets van tweehonderd euro. Ze is zo wijs om dat niet aan Daryl te vertellen; dan zou hij zich maar weer bedreigd en buitengesloten voelen. Ze past erg op haar woorden en is erin geslaagd de namen van de steden waar ze is geweest en de mensen die ze heeft ontmoet te omzeilen. Het is allemaal al erg genoeg.

'Dat moet dan een verdomd chique drogist zijn geweest.'

Ze stopt midden op de stoep en staart hem aan. 'Kunnen we hier niet mee ophouden?'

'Waarmee?'

'Ik heb voortdurend het gevoel dat je me aan het uithoren bent. Kunnen we niet gewoon van de dag genieten en een wandelingetje maken in het park?'

'Ik zou het niet weten. Zeg jij het maar.'

En zo gaat het al sinds het moment dat zij het hoekje van de hotellobby om liep en Daryl onderuitgezakt op het bankje bij de lift zag zitten. Iedere keer dat ze aan dat moment denkt, gaat er een rilling door haar lichaam. Ze vond het zo moeilijk voor te stellen dat hij een ticket had gekocht en op het vliegtuig was gestapt, dat ze niet kon geloven dat hij echt daar zat. Wat zou er zijn gebeurd als Jacob met haar mee naar binnen was gegaan en haar naar de lift had gebracht? Maar dat heeft hij niet gedaan, dus het heeft geen zin om daarover na te denken.

Het gekke is dat ze aan één kant blij was Daryl te zien. Hij is afgevallen en hoewel hij nu iets woests in zijn gezicht en ogen heeft, zag hij er lief uit toen hij op het bankje zat, moe van de vlucht, als een jongetje dat voor de deur van zijn huis zit te wachten tot hij naar binnen mag. Hoe heeft hij de shuttlebus gevonden die van JFK naar Manhattan rijdt, en hoe heeft hij de weg naar het hotel gevonden? Toen ze hem zo zag zitten keerde die bekende mengeling van genegenheid en medelijden terug die ze altijd voor hem voelt, gecombineerd met iets van opluchting. Dit betekende dat Jacob echt verleden tijd was. Geen twijfel mogelijk. Ze zou teruggaan naar L.A., terug naar Daryl; de flirt was voorbij. Hoe had ze het in haar hoofd gehaald om over Jacob te fantaseren? Dacht ze echt dat Jacob Lander geïnteresseerd in haar was? Dat ze meer voor hem was dan een vrouw met wie hij een paar dagen een romance had?

Ze rende naar Daryl en sloeg haar armen om hem heen. 'Wat doe je hier?' vroeg ze. 'Ik kan nauwelijks geloven dat je hier in New York bent!'

Maar Daryl reageerde met een kil: 'Waar was je verdomme?'

'Yogales,' zei ze, blij dat ze hem de waarheid kon vertellen. Of een deel van de waarheid.

'Ja, maar ik bedoel de afgelopen wéék, Graciela. Je had al terug moeten zijn.'

'Ik heb toch gezegd dat ik een paar dagen zou blijven?' zei ze. Ze wees naar zijn rugzak. 'Is dat je enige bagage?'

'Nou, we blijven hier niet lang,' zei hij. 'Bovendien heb ik niet zo'n dure rotkoffer.'

In haar kamer draaide hij cirkeltjes om haar heen alsof hij op zoek was naar aanwijzingen dat ze hem had bedrogen. Ongewild bracht ze haar hand naar haar gezicht en nek, zich afvragend of Jacob ergens op haar lichaam zichtbaar was. Hadden zijn lippen sporen nagelaten? Of zijn schrapende stoppelbaard? Was het mogelijk dat iets wat ze vanbinnen zo sterk voelde, aan de buitenkant niet te zien was?

'Wat is er aan de hand?' vroeg ze aan hem.

'Dat weet ik nog niet precies.'

Ze ging naar de badkamer en inspecteerde zichzelf in de spiegel, millimeter voor millimeter. Toen ze de slaapkamer weer in liep, lag Daryl op het bed. Hij greep haar hand, trok haar boven op hem, rolde om en pinde haar polsen vast tegen het matras. 'Ben je blij me te zien?' vroeg hij.

Maar het was geen vraag; het was een dreigement. En toen ze seks hadden, voelde het als een aanval waar geen van beiden van genoot. Terwijl ze onder hem lag en door het smoezelige raam naar de luchtkoker keek, kon ze alleen maar aan Jacob denken. Zou ze hem kunnen bereiken? Hem op de een of andere manier kunnen vertellen wat er is gebeurd? Hij zat thuis op haar te wachten, in de veronderstelling dat alles in orde was, terwijl haar dít overkwam. Een uur eerder zweefde ze nog boven de grond, hoog boven al haar zorgen. Alles leek mogelijk. Maar waarom kon ze dan niet iets van die moed terughalen?

Toen het voorbij was, zei Daryl: 'Je bent anders.'

'Er is dit jaar veel gebeurd, dat weet je.'

'Ik weet meer dan je denkt.'

Ze verafschuwt zijn jaloezie, zijn vijandige houding, zijn impliciete beschuldigingen, maar anders dan al die andere keren, zijn zijn beschuldigingen nu terecht. Hij heeft alle reden om jaloers te zijn. Nu is zij degene die in de fout is gegaan, en ze verdient alles wat hij haar aandoet.

Ze kreeg de kans niet om Jacob te bellen, omdat Daryl haar geen seconde uit het oog verloor. Uit angst dat haar telefoon over zou gaan en Daryl hem uit haar handen zou grissen, had ze hem uitgezet en onder in haar tas gestopt. Dat alles gaf haar het gevoel dat ze van de wereld was afgesneden en opgesloten zat met Daryl – in het kleine hotelkamertje, in het kleine Indiase restaurant waar ze gingen eten, zelfs op straat, waar ze omringd werden door duizenden mensen.

En nu, terwijl zij met Daryl door het park loopt, zit Jacob in Saint Louis. En morgen nemen Daryl en zij het vliegtuig terug naar L.A. Einde verhaal.

Als ze op Columbus Avenue komen, ziet Graciela een groenteboer en ze zegt tegen Daryl dat ze een flesje water wil kopen. 'Wil jij ook iets?' vraagt ze.

'Nee,' zegt hij. 'Ik wacht hier wel even.'

Ze gaat naar binnen, blij met dit kleine beetje privacy, hoewel Daryl haar vanaf de straat nog steeds in de gaten houdt. Ze pakt een flesje en gaat in de rij staan. De man achter de kassa ruziet met een klant over de prijs van het fruit en de vrouw voor haar draait zich om en zegt: 'Dit gebeurt iedere keer dat ik hier kom.'

Het is Nicole LaPierre. Ze kijkt Graciela onderzoekend aan en zwiept haar lange krullen naar achteren. 'Jij was gisteren in de les!' zegt ze. 'Je hebt een prachtige manier van bewegen. Je bent vast danseres.'

Graciela glimlacht flauwtjes. De tournee is nog maar een paar dagen afgelopen, maar ze heeft nu al het gevoel dat ze die titel niet meer echt verdient. 'Dat klopt,' zegt ze. 'Tenminste als ik werk heb. Ik vond je les geweldig. Het was zo leuk om te doen.'

'Het is goed om een beetje te husselen. Ik zou liever pure Iyengar-lessen geven, maar met nieuwe varianten is meer te verdienen. In ieder geval op dit moment. Er is zo'n overvloed van leraren dat je wel iets moet verzinnen. Dus waarom niet een circusact?'

De fruitdiscussie bij de kassa is voorbij en de verkoper rekent Nicoles salade af. Ze glimlacht naar Graciela en zwaait naar haar vanuit de deuropening. Graciela heeft het gevoel dat ze door het oog van de naald is gekropen. Ze heeft Nicole gisteren naar Jacob zien kijken, maar gelukkig is ze te discreet om iets te zeggen. Stel je voor dat Daryl iets zou opvangen. Graciela staat even stil in de deuropening voordat ze naar buiten gaat. Ze draait de dop van het flesje en wacht tot Nicole, die nu bij de stoeprand staat te wachten tot ze kan oversteken, veilig uit het zicht is. Het licht springt op groen, maar voordat ze begint te lopen, draait ze zich om en roept naar Graciela: 'Jacob Lander! Woehoe! Goed gedaan, meid!' Ze steekt haar duim naar Graciela op en zwaait.

In een fractie van een seconde bedenkt Graciela hoe ze moet reageren. Ze glimlacht, zwaait naar Nicole en kijkt haar na. Dan draait ze zich nog steeds glimlachend om naar Daryl en haalt haar schouders op. Ze houdt het waterflesje naar hem op. 'Heb je dorst?'

Hij kijkt haar aan zonder te antwoorden en ze ziet die kille, woeste blik weer. 'Wie was dat?' vraagt hij.

'Een yogalerares. Ik heb gisteren een les bij haar gevolgd. Wat lijkt dat al lang geleden.'

'En wat had dat te betekenen? Waarom zei ze dat?'

'Ik heb geen idee. Jacob Lander is toch een honkballer? Misschien is ze een fan.'

'Denk je dat dat het is?'

'Zoals ik al zei: ik heb geen idee. Je weet dat ik geen belangstelling heb voor sport. Laten we naar het park gaan. Ik wil je het meer en Bethesda Fountain laten zien.'

'Natuurlijk,' zegt hij. 'Alsof die fontein me een moer kan schelen.' Hij pakt haar bovenarm vast. 'We gaan terug naar het hotel.'

'Daar komen we net vandaan, Daryl. Het is zulk mooi weer.'

'Geen discussie,' zegt hij. Hij klinkt alsof hij zo in tranen kan uitbarsten. 'We gaan nú terug.' Hij knijpt hard in haar arm, maar ze voelt het niet meer. 'Jij vuile slet,' begint hij te mompelen. 'Jij vuile slet.'

Graham heeft aangeboden om Lee met de auto bij de studio op te halen en samen naar het restaurant te rijden, maar ze vond dat te veel lijken op een romantisch afspraakje, dus stond ze erop dat ze elkaar daar zouden treffen. Het is beter om niet van hem afhankelijk te zijn voor vervoer, dan kan ze ook zelf beslissen hoe laat ze vertrekt. Het enige wat er in het kledingkastje in haar kantoor hangt, is een lang vest met een ceintuur, maar met een legging en een strak topje eronder kan het wel. Ze vindt het sowieso verstandiger om zich niet te veel op te doffen.

En het is ook verstandig om niet te vroeg te zijn, want dat komt te gretig over. Terwijl ze wacht tot het tijd is om te vertrekken, neemt ze de biografieën van haar docentes door, die volgens Lainey moeten worden bijgewerkt voor de nieuwe website van de studio. Ter voorbereiding heeft ze gegrasduind op andere websites. Het lezen van tientallen biografieën van yoga-instructeurs is een nogal deprimerende aangelegenheid. De meeste beginnen met een hoop ellende.

'Sabrina maakte kennis met yoga toen ze te horen had gekregen dat ze leed aan...'

'Brian was wedstrijdskiër tot hij als gevolg van een auto-ongeluk...'

'Ik was een boze, gewelddadige tiener en verschillende reclasseringsambtenaren hadden me verteld dat het een wonder zou zijn als ik ouder zou worden dan...'

'Vlak na 9/11...'

'Na Crystals tweede zelfmoordpoging in nog geen zes maanden...'

'In 2002 was ik bijna drie minuten hersendood...'

Als Lee helemaal eerlijk zou zijn in haar eigen biografie, zou die er niet veel vrolijker uitzien.

'Nadat zij teleurgesteld was geraakt in de studie geneeskunde, een depressie had doorgemaakt, tien kilo was kwijtgeraakt die ze eigenlijk niet kon missen en zich drie maanden in haar appartement had opgesloten, werd Lee door iemand meegetroond naar een yogales in de kelder van een kerk in de Upper West Side van Manhattan...'

Nadat ze yoga hebben ontdekt, verzanden de verhalen van de docenten meestal in vage wartaal.

'Yoga heeft me geleerd te leven in de overvloed van het heden van de toekomst.'

'Crystal probeert haar inzicht in het belang van de scheppende kracht mee te nemen in haar lessen.'

'Brians reis begon op de mat en eindigt op de mat bij ieder nieuw begin.'

'Sabrina noemt haar yogalessen "Geen Yoga" omdat het yoga ís.'

Lee zou eigenlijk wat minder kritisch moeten zijn, want als ze probeert uit te leggen wat zij wil bereiken in haar les of wat haar definitie van yoga is, wordt ze al even vaag: 'Het is mijn doel om mensen te helpen een sterkere verbinding te voelen met hun lichaam. Zodat ze beter geaard en meer in balans zijn. Zodat ze het verschil kennen tussen behoeften en verlangens. Zodat ze hun eigen vermogen om hun fysieke en emotionele wonden te genezen kunnen aanspreken.'

Misschien zou het interessanter en mogelijk ook relevanter zijn om te weten van welke muziek een leraar houdt, wat zijn of haar drie favoriete films zijn en wat de titel is van het laatste boek dat hij of zij heeft gelezen. En nu ze erover nadenkt: de kans dat Lainey dat een goed idee vindt, is best groot.

De biografie van David Todd, die ze tegenkomt op de site van een obscure studio in Venice waar hij kennelijk geen les meer geeft, is nogal summier: 'David verdiept zich al bijna vijftien jaar in yoga. Hij is via de vechtsport bij yoga terechtgekomen. In zijn lessen probeert hij zo open en eerlijk mogelijk te zijn en moedigt hij zijn leerlingen aan om ook zo eerlijk mogelijk tegen zichzelf te zijn.'

Het klinkt goed, maar ze begint zich af te vragen hoe eerlijk hij tegen haar is.

Als ze de studio verlaat, ziet Katherine haar en zegt: 'Mooi vest, juffrouw Lee. Ga je uit?'

Katherine is te tactvol om haar mening te geven, maar Lee weet dat zij vindt dat Lee open moet staan voor mannen. Ze heeft een keer gezegd dat ze Lee graag aan iemand zou willen koppelen. 'Er lopen een heleboel ex-vriendjes van mij rond, en om de een of andere reden willen ze allemaal contact houden. Maar ik heb het vermoeden dat je niet van gluiperds en junkies houdt.'

'Ik heb een afspraak met Graham,' zegt Lee. 'Een zakenetentje, echt waar.'

Katherine doet de kraag van Lee's vest goed. 'Ik mag Graham wel. Hij is slim. Hij heeft iets betrouwbaars. Misschien komt dat door die gesteven overhemden.'

'Eerst maar eens afwachten of de verbouwing op tijd klaar is, dan zullen we wel zien hoe betrouwbaar hij is.'

Katherine buigt zich over de agenda met afspraken achter de balie en zegt terloops, zonder Lee aan te kijken: 'Hé, hoe zit het met die David Todd?'

De nonchalante toon is zo gekunsteld dat Lee bijna begint te lachen. 'Hoe bedoel je? Hij is een geweldige leraar en ik probeer hem over te halen hier les te komen geven. Helaas is hij niet op zoek naar werk.'

Of naar wat dan ook, blijkbaar. Na Lee's bericht op zijn telefoon stuurde hij midden in de nacht een sms'je waarin hij zei dat hij de les heel goed had gevonden en nog contact met haar zou opnemen. Maar dat was een paar dagen geleden. Ze wordt heen en weer geslingerd tussen de gedachte dat ze dit als aanwijzing moet zien en de wetenschap dat hij het echt heel druk heeft.

'Wat vond je van hem?' vraagt Lee.

'Mooi haar, goed lichaam. Hij lijkt me zo'n type dat heel hard zijn best doet om een goed mens te zijn.'

'Maar het niet is?'

'Ik ken hem niet. En ik vind het al heel wat als iemand dat probeert. Hopelijk doen we dat allemaal. Ik denk dat veel mannen die serieus yoga beoefenen proberen hun duistere krachten de baas te worden, hun woede en agressie te kanaliseren. En natuurlijk hopen ze dat ze iemand kunnen versieren.'

'Wat een cynische visie,' zegt Lee.

'Ik vertel je alleen maar wat ik denk. Je weet dat ik veel ervaring heb met duistere krachten, dus ik bedoel het niet neerbuigend. Hoe laat heb je afgesproken?'

Het restaurant ligt aan Hyperion, en zodra Lee binnenkomt, ziet ze dat ze beter iets netters en verhullenders had kunnen aantrekken. Het is een klein Italiaans restaurant met het soort schemerlicht dat niet geschikt is voor een zakenafspraak. Graham zit aan een tafeltje achterin en als ze achter de gastvrouw aan naar hem toe loopt, staat hij op, met een stralend gezicht en een glanzend wit overhemd.

'Je ziet er net zo prachtig zen uit als altijd,' zegt hij.

'En jij ziet er net zo... smetteloos uit.'

Gelukkig moet hij lachen en hij blijft daadwerkelijk staan tot ze gaat zitten. Het is haar opgevallen dat hij altijd de deur voor haar openhoudt en andere galanterieën vertoont die misschien ouderwets zijn maar ook zo oprecht, dat ze ze gek genoeg heel plezierig vindt.

'Het is een karakterfout,' zegt hij. 'Een van mijn vele, tot mijn verdriet. Ik zal je er nog twee verklappen.'

'Je probeert altijd mensen kleverige, rubberachtige vloeren aan te smeren?'

'Nee, dat is een van mijn weinige deugden. De eerste is dat ik een verschrikkelijke wijnsnob ben en de tweede is dat ik van kalfsvlees hou. Je stormt nu toch niet meteen de deur uit, hè?'

'Laat me eerst die wijn maar eens proeven,' zegt ze.

'Gelukkig. Hij komt zo.'

'Sorry dat ik een beetje laat ben.'

Hij schudt zijn hoofd. 'Je bent precies op tijd.'

Er ligt een sereen glimlachje op zijn gezicht, alsof hij een binnenpretje heeft. Hij zei dan wel dat Lee zo zen leek, maar eigenlijk is hij degene die er kalm en ontspannen uitziet. Hij heeft het slanke, gebruinde gezicht van een hardloper – hij doet haar een beetje denken aan een marathonloper met wie haar kamergenoot op de universiteit een relatie had. Lee beseft dat ze niet veel weet van zijn privéleven. Ze wil er wel naar vragen, maar misschien geeft ze hem daarmee een verkeerde boodschap.

Graham vouwt zijn handen op tafel. 'Voordat de wijn komt,' zegt hij, 'wil ik je vertellen hoe prettig ik het vind om voor je te werken. Het was het hoogtepunt van deze lente.'

'Dan moet het een zware lente zijn geweest. Ik heb niets anders gedaan dan proberen de kosten te drukken en jou bombarderen met vragen over wanneer je klaar denkt te zijn.'

'Zo gaan mensen nou eenmaal met hun architect om. Over het algemeen. Het punt is, Lee, dat jij het op een heel aardige manier doet.' Hij strekt zijn arm uit en legt zijn hand op de hare. 'Daar wil ik je voor bedanken.'

Het zou onaardig zijn om haar hand onder de zijne vandaan te halen, dus geeft ze maar met haar vrije hand een paar klopjes op zijn knokkels, in de hoop dat dat niet te uitnodigend is, maar ook niet te veel overkomt als 'braaf, hondje, braaf'. 'Aardig van je om te zeggen,' zegt ze. 'Alles is zoveel mooier geworden dan ik me had voorgesteld, dus ik vind dat ik jou heel veel dank verschuldigd ben. En liggen we nog op schema?'

Net voordat het ongemakkelijk wordt trekt hij zijn hand terug. Lee vraagt zich af of ze zijn interesse misschien verkeerd heeft geïnterpreteerd. 'Perfect op schema.'

'En ik neem aan dat dit jouw teken is om de vloerstaaltjes te-voorschijn te halen...'

Hij houdt afwerend een hand op en zegt: 'Dat kan wachten tot de wijn er is. Hoe dan ook, dat is niet waarom ik met je wilde af-spreken.'

Daar komt het, denkt Lee.

'Ik weet dat we boven het budget zitten. Dat is standaard, maar ik begrijp dat jij veel minder ruimte voor vergissingen hebt dan de meesten voor wie ik werk. Dus zal ik je een groot deel van mijn honorarium kwijtschelden. Dan zit je er nog steeds een beetje boven, maar niet meer zoveel.'

Lee probeert iets te zeggen, maar hij kapt haar af.

'En nog iets. De aannemer en ik organiseren een feest voor de opening. Probeer maar niet te weigeren. Ik heb het erover gehad met Lainey, en we weten allebei dat zij het laatste woord heeft.'

Lee laat haar blik door de schemerige eetzaal glijden en ziet dat de meeste andere gasten stelletjes zijn, die rustig en genoeglijk met elkaar zitten te praten in het flatterende licht. Uiteindelijk is dat waarvoor je betaalt in dit soort restaurants: redelijk eten en fantastische belichting. De ober komt naar hun tafeltje met de wijn en schenkt een bodempje in Grahams glas om te proeven. Graham nipt ervan en vraagt de ober dan om Lee te laten proeven.

'Ik vertrouw op jouw oordeel,' zegt ze.

Hij knipoogt naar haar waardoor ze zich alleen maar nog ellendiger voelt.

Als de ober weg is en Lee de wijn heeft geproefd, leunt ze achterover. 'Dat kan ik niet accepteren, Graham?' zegt ze. 'Noch het feest, noch die korting op je honorarium. Je moet niet denken dat ik het niet waardeer. Het kan gewoon niet. Het klopt niet.'

Graham heeft nog steeds die serene glimlach om zijn lippen. 'Ik weet waarom je er zo over denkt. Maar daar hoef je je geen zorgen over te maken. Ik hoop dat je me een goede architect vindt en ik hoop dat je blij bent met de nieuwe ruimte. Verder verwacht ik niets. Ik ben niet dom genoeg om te ontkennen dat ik je aantrekkelijk vind, maar daar gaat het nu niet om. Ik heb gezien hoe je met mensen omgaat – met je leerlingen, je kinderen, iedereen – en ik wil alleen maar iets teruggeven. Goed karma, wat vind je daarvan? En dat is precies wat ik nu nodig heb want ik ga zo dat kalfsvlees bestellen.'

Het klinkt als een aanbod dat ze niet kan weigeren. En dus weigert Lee niet. Ze bedankt Graham voor zijn aardigheid en begrip. Ze pakt de menukaart en terwijl ze de pastagerechten bestudeert, vraagt ze zich af of David Todd vegetariër is.

Katherine vindt het aan de ene kant ontroerend en aan de andere kant een typisch voorbeeld van de buitensporigheid van Hollywood-sterren dat Imani een spiksplinternieuwe, supergeavanceerde naaimachine voor Renay heeft gekocht die waarschijnlijk rond de vijfhonderd dollar heeft gekost. Ze heeft ze in webwinkels zien staan en wilde er dolgraag een hebben, maar wist dat ze daar nooit genoeg geld voor zou hebben – en dat ze er nooit mee overweg zou kunnen als ze er genoeg geld voor had. Imani liet hem rechtstreeks naar Katherines huis sturen – als spoedzending, uiteraard. 'Tante Harriet' is maar wat aardig voor haar nichtje.

Katherine haalde hem uit de doos en zette hem op een tafel in de naaikamer, en toen ze hem aan Renay liet zien, keek het meisje wat verdwaasd.

'Is die voor mij?' vroeg ze.

'Voor zover ik weet wel,' zei Katherine. 'Je mag ermee doen wat je wilt. En ik hoop dat dat naaien is.'

Nu zitten ze naast elkaar aan Katherines naaitafel en proberen ze het computerprogramma van de naaimachine te doorgronden. Er schijnen driehonderd naaipatronen in te zijn geprogrammeerd, en dat is ongeveer 295 meer dan Katherine kent.

'Dit is allemaal nogal nieuw voor mij,' zegt Katherine. Ze wijst naar de Singer uit de jaren vijftig van de vorige eeuw die ze jaren geleden op de kop had getikt op een vlooienmarkt en voegt eraan toe: 'Ik ben nogal ouderwets, zoals je ziet.'

'Ik vind je geweldig,' zegt Renay met verrassende overtuiging.

'Zeg dat maar niet te hard, Renay. Ik wil nog wel eens veranderen in een monsterlijk kreng zodra mensen me aardig gaan vinden. Vraag maar aan mijn vriend.'

'Die vindt jou geen kreng. Hij houdt van je.'

'Echt waar? Kon je dat opmaken uit dat korte ritje in de auto?'

Renay glimlacht en knikt. 'Inderdaad.' Bij binnenkomst had ze haar schoenen uitgedaan en nu zit ze met haar voeten op de stoel en haar knieën tegen haar kin. Ze ziet eruit als een hoogpotige maar sierlijke vogel.

'Hij is brandweerman,' zegt Katherine. 'Die zijn trouw van beroep. Heb je ooit yoga gedaan, Renay?'

Ze trekt een pruilmondje en verbergt haar kin tussen haar knieën. 'Nee, daar ben ik niet echt het type voor.'

'Wat bedoel je daarmee?'

'Ik bedoel dat ik nogal klunzig ben. En mijn evenwichtsgevoel is ook niet denderend. Ik lees liever.'

'Zoals je nu op die stoel zit zou ik zeggen dat je een natuurtalent bent. Als Conor het kan, kan iedereen het.'

'Doet hij aan yoga?'

Misschien is Renay een beetje verliefd op Conor. 'Hij is altijd overal voor in. Hoe zit het eigenlijk met jou? Heb je iemand?'

'Niet echt.'

'Niet echt betekent meestal ja.'

'Het betekent niet meer. Daarom ben ik hier.' Ze stopt en staart uit het raam. 'We mochten elkaar niet meer zien van mijn moeder en zijn ouders. Waarschijnlijk zou hij het toch wel hebben uitgemaakt.'

'Waarom denk je dat?'

Katherine ziet dat Renay ergens mee worstelt, dat ze zich afvraagt of ze hier met haar over wil praten. 'We hoeven het er niet over te hebben als je niet wilt.'

'Ik wil het wel, maar ik heb aan mijn moeder beloofd dat ik mijn mond zou houden.'

'Dan denk ik dat we het er niet over moeten hebben,' zegt Katherine. Op de een of andere manier zal het toch wel een keer ter sprake komen. Maar het is aan Renay om te beslissen wanneer en het heeft geen zin om haar nu onder druk te zetten. 'We hebben al genoeg aan ons hoofd met die naaimachine.'

Katherine laat een spoel in de machine zakken en de naald steekt gedwee de draad door zijn oog. Gisteren is ze naar een kringloopwinkel van een unitarische kerk gefietst. De winkel was niet ver van het laatste appartement dat Conor en zij met Carolyn hebben bezichtigd. Ze reed langs het appartementengebouw en zocht iets wat ze er mooi aan kon vinden, maar besloot dat het beste eraan was dat het er zo krakkemikkig uitzag dat het waarschijnlijk binnen tien jaar zou worden gesloopt. De buurt beviel haar beter en ze was weg van de kringloopwinkel. Ze kocht een paar schattige cocktailjurkjes waar ze wel wat van dacht te kunnen maken. Renay is niet bepaald het type voor cocktailjurken – misschien iets te lang en slungelig – maar Katherine wil haar laten zien hoe je de rok kunt innemen, korter maken en de jurk een chiquere uitstraling kunt geven, die hopelijk een beetje doet denken aan de stijl van Audrey Hepburn. Ze geeft Renay de schaar en vertelt waar ze moet beginnen met knippen. 'Leef je maar lekker uit. Die jurk kostte vier dollar, dus we kunnen ons er geen buil aan vallen.'

In het begin is Renay nogal onhandig met de schaar, maar als ze eenmaal bezig is en haar eigen ritme vindt, blijkt ze een vaste hand te hebben, en verrassend veel geduld. Ze komt zelfs op het idee om in de rug een kleine split te maken, en Katherine beschouwt dat als een teken van ontluikend modegevoel.

'Dus je leest veel?' vraagt Katherine terwijl ze aan het werk zijn.

Renay haalt haar schouders op. 'Niet meer dan gemiddeld, denk ik.'

Daar moet Katherine om lachen. 'Gemiddeld is voor mij één boek per twee jaar.'

Ze zegt het schertsend, maar het is waar, en niet alleen waar, maar ook een bron van schaamte en frustratie. Toen ze klein was verslond ze boeken, vooral om te ontsnappen aan de chaos bij haar thuis en aan haar moeder. Maar toen ze drugs begon te gebruiken en omging met de verkeerde mannen, nam haar concentratievermogen snel af. Dat is niet iets wat ze snel aan mensen vertelt.

'Zo weinig?' zegt Renay.

'Welja, Renay,' zegt Katherine lachend. 'Wrijf het nog maar eens in. Ik kan me niet goed concentreren,' bekent ze.

Terwijl Renay heel langzaam de zoom van de rok onder de naald door laat glijden, zegt ze: 'Het vraagt minder concentratie dan dit. Een van mijn leraren zei dat ik iedere dag direct na het opstaan tien minuutjes moest lezen. Zo ben ik begonnen.'

Als ze klaar zijn met het project, glinstert het licht van de middagzon op het meer in de verte, zoals het hoort. Dit tijdstip en de dageraad zijn Katherines favoriete momenten in dit huis, als het licht warm en zacht is en de hele buurt doortrokken is van rust en stilte. De jurk ziet er niet zo mooi uit als Katherine had verwacht, maar Renay lijkt er blij mee te zijn, althans, met het feit dat ze hem zelf heeft gemaakt.

'Vind je dat ik hem aan kan doen als ik naar huis ga?' vraagt ze.

'Ik vind dat je dat móét doen. Het is toch al bijna tijd voor cocktails?'

'Denk je dat tante Harriet hem mooi vindt?'

'Daar komen we vanzelf achter.' Katherine neemt Renay op vanuit een ander standpunt, loopt vervolgens naar haar kledingkast en haalt een paar hoge, paarse gympen tevoorschijn. 'Kijk eens of je deze past. Het zijn niet de schoenen die je bij die jurk zou verwachten, maar ze geven er een maf, ironisch tintje aan. Een beetje zelfspot kan nooit kwaad.'

De gympen staan belachelijk bij de jurk, maar juist daardoor is het een fantastische combinatie. 'Wil Imani dat je haar tante Harriet noemt?' vraagt Katherine.

'Nee, mijn moeder wil dat. Ze zegt dat Imani niet haar echte naam is. Maar het is wel een veel mooiere naam.'

'Misschien moet je aan je tante vragen hoe zij wil dat je haar noemt. Ik denk dat ze dat zal waarderen.'

Renay bijt op haar lip en knikt. 'Dat zal ik doen. Wanneer zullen wij weer afspreken?'

'Tenzij er iets tussen komt, komt overmorgen mij goed uit.'

'Dan neem ik een boek voor je mee,' zegt Renay. 'Iets gemakkelijks om mee te beginnen.'

Lee is met Alan aan het praten over de telefoons van de kinderen. Het is een discussie waar ze nogal tegen opzag, maar ze kan niet blijven doen alsof ze van niets weet. Ze staan in de woonkamer van de bungalow die ze samen hebben gekocht en waarin ze het grootste deel van hun huwelijk hebben gewoond, en alles aan dit gesprek voelt onbehaaglijk en verkeerd, te beginnen met het feit dat Alan voortdurend om zich heen kijkt, alsof hij probeert erachter te komen of Lee meubels naar de lommerd heeft gebracht.

'Het gaat om hun veiligheid,' zegt hij. 'We moeten ze kunnen bereiken.' Dat heeft ze eerder gehoord: volgens de jongens heeft Kyra precies hetzelfde gezegd. 'Daarom heb ik ze die telefoons gegeven, Lee. En ga me nou niet vertellen dat je daar ook al iets over te klagen hebt.'

'We hadden een afspraak,' zegt ze. 'Je had met me moeten overleggen. En dat je ze dan ook nog vertelt dat ze het voor mij verborgen moeten houden! Zoiets zou ik nooit doen. Dat is gewoon ondenkbaar.'

En jij was niet degene die ze de telefoons heeft gegeven, denkt ze, maar ze zegt het niet hardop.

Alan laat zich op de bank vallen, met zijn armen over elkaar, als een mokkend kind. Het enige wat haar de laatste tijd een goed gevoel geeft als ze Alan ziet, is dat ze niet meer ontvankelijk is voor zijn fysieke charme. Hij heeft zoals altijd een broek en een hemdje aan van Lululemon, en hoewel hem duidelijk is aan te zien dat hij vaker dan ooit naar de sportschool gaat en zijn haar prachtig glanst (nieuwe shampoo die hij van Kyra krijgt?), rilt ze bij de gedachte dat ze hem zou moeten aanraken. Het is een grote opluchting om te weten dat deze bindende factor tussen hem en haar voorgoed tot het verleden behoort.

'Laten we er niet omheen draaien, Lee. Ik weet dat de kinderen je hebben verteld dat Kyra Monroe en ik een relatie hebben. Dat is de echte reden dat je boos bent. Zeg dat dan gewoon.'

'Weet je, Alan, ik ben blij dat je een relatie hebt met Kyra.'

'En waarom dan wel?'

'Omdat ik vind dat jullie uitstekend bij elkaar passen. En verder kan het mij niets schelen. Je mag zelf bepalen met wie je omgaat.'

'Als je bang bent dat ik haar vertel hoe vijandig je al die jaren tegen me bent geweest, kan ik je geruststellen. Dat zou ik nooit doen. Dat vind ik niet eerlijk tegenover haar.'

'Daar lig ik nou niet bepaald wakker van. Kun je me tenminste beloven dat je de kinderen nooit meer vraagt tegen mij te liegen?'

'Waarom zou ik je iets beloven als je me toch niet vertrouwt? Dat zou verspilde moeite zijn.'

Daar zit wel wat in. Ze vertrouwt Alan niet en als ze een belofte uit hem zou krijgen, zou ze daar eigenlijk geen enkele waarde aan hechten. 'Je hebt gelijk,' zegt ze. 'Laat maar zitten.'

Alan installeert zich wat gemakkelijker op de bank, meestal is dat een teken dat hij iets van haar wil. 'Is er nog iets wat je wilt bespreken?' vraagt ze.

'Weet je, als je zelf iemand zou hebben, zou je je misschien niet zo druk maken om Kyra. Dan zou je niet zo gefrustreerd zijn.'

'Voel je vrij om te gaan wanneer je wilt,' zegt ze. 'En ik hoop dat dat nú is.'

'Moet je al die ruimte zien, Lee. Ik bedoel, kijk eens om je heen. Al die ruimte voor één persoon, terwijl ik in een klein appartementje zit. Vind je dat eerlijk?'

Lee kijkt hem aan en probeert te begrijpen waar hij naartoe wil. Hij zal toch niet verwachten dat ze gaat verhuizen? Met de huidige huizenprijzen zou ze wel gek zijn om het te verkopen. Zij heeft veel meer geld in het huis gestoken dan hij en ze is bezig hem uit te kopen.

'Zijn Kyra en jij van plan te gaan samenwonen? Bedoel je dat?'

'Haar appartement is te klein.'

'Nou, ik heb begrepen dat kopen nu heel gunstig is, dus misschien moet je maar op zoek naar iets groters.' Ze is benieuwd hoe lang deze relatie al gaande is en misschien nog meer hoe lang hij nog standhoudt. Wat haar het meest verbaast is dat iemand die zo ambitieus is als Kyra – iemand die getrouwd was met een muziekproducer, die yoga beschouwt als een vorm van showbizz – geïnteresseerd kan zijn in Alan. Misschien is een knappe, mannelijke levensgezel goed voor de publiciteit.

'Ik ben hier een keer met Kyra naartoe gereden,' zegt Alan. 'Ze vindt het prachtig en is weg van de locatie. En nee, ik heb haar het huis niet vanbinnen laten zien.'

'Denk je nou echt dat ik Kyra nodig heb om mij te vertellen dat dit een mooi huis is?'

'Ik vraag me af hoe je dit denkt te kunnen betalen, Lee. Met al die kosten voor de nieuwe studio. Heb je enig idee hoeveel Kyra verdient met haar optredens?'

Dus nu komen ze eindelijk bij de kern. Kyra vindt het huis mooi en wil Lee uitkopen. Niet helemaal wat Lee in gedachten had. 'Ik doe mijn best, Alan. Als alles volgens plan gaat, zou het festival me wat nieuwe leerlingen moeten opleveren.'

'Even uit nieuwsgierigheid,' zegt Alan, 'hoe heb je het toch voor elkaar gekregen om te worden uitgenodigd voor Flow and Glow?'

'Daar hebben we het al uitgebreid over gehad. De echte vraag is waarom jij het zo onvoorstelbaar vindt.'

'Weet je hoeveel leraren erin proberen te komen? Heb je enig idee hoe moeilijk dat is? Als je nou een enorme fanclub had op Facebook of Twitter, dan had ik het kunnen begrijpen, maar je zit helemaal niet in die markt.'

'Misschien troost het je dat ik vereerd ben dat ze me hebben gevraagd.' Ze kan maar beter niet vertellen dat ze bijna een week heeft getwijfeld of ze het wel moest doen.

'Alleen de echte sterren staan op het festival, Lee. Ze hebben duizenden leraren afgewezen, ook twee leraren die op de cover van *Yoga Journal* stonden.'

'Zo te horen weet je er veel meer van dan ik.'

'Ja, dat geloof ik ook. Maar waarom wil je dan, als het je zo koud laat?'

Als Lee boosheid voelt opkomen, probeert ze diep adem te halen tot het is gezakt. Maar bij Alan werkt het therapeutischer om haar gevoelens gewoon te uiten.

'Ik ben aan het uitbreiden en heb meer leerlingen nodig. Het is goed voor mijn reputatie. Ik krijg betaald. Ik probeer een reserve aan te leggen voor de opleiding van de kinderen. Ik probeer, ik probeer, ik probeer. Ik wíl niet gaan, ik móét gaan. Ik kan deze kans niet laten schieten.'

Alan houdt afwerend zijn handen op. 'Sorry dat ik het vroeg.' Als hij opstaat zegt hij: 'Je hebt toch geen verhouding met Krishna O'Reilly?'

'Wie?'

'Hij regelt alle boekingen voor het festival.'

'Donder op, Alan. *Namaste.*'

'Ik heb je dit nooit willen zeggen, maar al die tijd dat wij bij elkaar waren heb je met je negatieve houding mijn spiritualiteit geblokkeerd.'

Als Stephanie haar een halfuur later belt voelt ze nog steeds de lage, stille brom van woede in haar buik.

'Ik dacht dat je in New York was,' zegt Lee.

'Dat ben ik ook. We komen morgen terug. Ik bel over Graciela. Ik probeer haar al twee dagen te bereiken, maar haar telefoon staat uit en ze reageert niet op mijn berichten.'

'Weet je zeker dat ze nog in de stad is?'

'Vrij zeker,' zegt Stephanie. 'Haar vriend zat bij ons in het vliegtuig, en ik kan me niet voorstellen dat ze meteen weer naar huis zijn gegaan.'

'Daryl?' vraagt Lee.

'Dat is de enige met wie ik haar ooit heb gezien.'

Al haar ergernis over Alan ebt weg en maakt plaats voor een knagende ongerustheid. Graciela heeft haar nooit iets verteld over Daryl, maar het was duidelijk dat er iets niet goed zat in hun relatie. Lee vermoedde dat het te maken had met verbaal of emotioneel geweld. Of erger. Toen Graciela haar belde vanaf een straat in New York, had Lee de indruk dat ze op het punt stond iets te doen wat je niet van haar zou verwachten. Die lieve, trouwe Graciela had blijkbaar iemand ontmoet. En is Daryl toen onaangekondigd ten tonele verschenen?

'In het beste geval,' zegt Lee, 'vieren zij en Daryl dat ze weer samen zijn en willen ze niet worden gestoord door de telefoon.'

'Daar heb ik ook aan gedacht,' zegt Stephanie. 'Maar hoe lang duurt zo'n feestje? Heeft ze jou de naam van het hotel gegeven waar ze logeert?'

Lee denkt terug aan het telefoontje van Graciela. Ze herinnert zich geen details, maar ze weet wel dat ze iets zei over de buurt. 'Ik geloof dat ze zei dat het een klein hotel in de buurt van 70th Street was. Ze heeft geen naam genoemd.'

'We vinden het wel,' zegt Stephanie. 'Roberta zweert bij Google Earth.'

Roberta stond erop dat ze hun zoektocht zouden beperken tot een lijst van vijf voor de hand liggende hotels. Het kwam goed uit dat Graciela voor die buurt had gekozen, want daar zitten minder hotels dan in de rest van Manhattan. Binnen een uur nadat ze het Regency hebben verlaten, hebben ze twee van de vijf beste mogelijkheden gehad. Beide keren vroegen ze of ze konden worden doorverbonden naar haar kamer, maar kregen ze te horen dat Graciela niet geregistreerd stond.

Als ze de saaie lobby van het Lucerne Hotel verlaten, voelt Stephanie haar geloof in een positieve uitkomst langzaam wegzinken. 'En als Lee zich heeft vergist in het adres? Of als ze ergens anders naartoe zijn gegaan? Ik krijg het gevoel dat we naar een naald in een hooiberg zoeken.'

Roberta staat stil en legt haar handen op Stephanies schouders. 'We vinden haar heus wel. Vertrouw maar op mij. Wat is de volgende naam op de lijst?'

'Beacon Hotel.'

'Dat hotel naast het theater?' vraagt Roberta. 'Die slaan we even over. Graciela heeft het hele jaar in theaters doorgebracht. Ik denk dat ze daar even afstand van wil nemen.'

'Dan blijven de Woogo en de Belleclaire over.'

'Dan durf ik te wedden dat het de Belleclaire is,' zegt Roberta.

'Ik kan me niet voorstellen dat ze zou kiezen voor een hotel met een suffe naam als Woogo.'

Vanaf de overzijde van Broadway ziet de Belleclaire er majestueus uit. Het gebouw valt een beetje uit de toon tussen de kleurloze nieuwere gebouwen. Het is zo'n fascinerend art-nouveaugebouw met pilasters, gedraaide torentjes en asymmetrische ramen, dat erin slaagt eigenzinnigheid te combineren met een vleugje boosaardigheid. De lobby is klein en pretentieloos en het ruikt er vaag naar de cafetaria die ernaast zit. Stephanie geeft de receptioniste Graciela's naam en vraagt of ze haar mag bellen met de balietelefoon.

De receptioniste, een kleine vrouw met een lichte snor, kijkt heen en weer van Stephanie naar Roberta. Ze fronst haar wenkbrauwen, maar geeft Stephanie toch de telefoon. Roberta glimlacht. 'Ik zei het toch? Had ik gelijk of niet?'

'Je had gelijk,' zegt Stephanie.

Er wordt niet opgenomen. Stephanie spreekt een bericht in, een variant op de boodschap die ze al minstens vijf keer op Graciela's voicemail heeft achtergelaten en geeft de telefoon terug aan de vrouw.

'Heeft u haar de afgelopen dagen nog in de lobby gezien?' vraagt Stephanie.

De receptioniste kijkt Stephanie nors aan en Stephanie heeft het gevoel dat ze Roberta niet mag en dat ze zo het hare denkt over hun relatie. 'Heeft u enig idee hoeveel kamers we hebben, mevrouw?'

'Honderdzevenennegentig,' zegt Roberta. 'Wat wilt u daarmee zeggen?'

De receptioniste begint op haar toetsenbord te tikken. 'Als u een briefje voor haar wilt achterlaten, help ik u graag.'

'Nee, dank u,' zegt Roberta.

De moed zinkt Stephanie in de schoenen als ze de lobby uit lopen. Het nieuws over Sybilles ziekte heeft het knagende gevoel achtergelaten dat haar bij iedere hoek die ze omslaat iets ergs wacht. Als er nare dingen kunnen gebeuren met Sybille in haar arendsnest in Beekman Place, durft ze niet eens te denken aan wat er in dit geval mis kan zijn. Als ze op de stoep staan leunt ze tegen Roberta aan en slaakt een zucht.

'We hebben in ieder geval het juiste hotel,' zegt Roberta. 'We gaan later vanmiddag terug.'

'Dat heeft geen zin,' zegt Stephanie. 'Ze neemt de telefoon toch niet op; dat voel ik gewoon.'

'Dat hoeft niet te betekenen dat er iets mis is.'

Ze kijken omhoog naar de sierlijke gevel van het gebouw, naar al die hoog boven hen uittorenende verdiepingen, en Stephanie voelt een rilling door haar lichaam trekken. Graciela is ergens in dat gebouw. Samen met Daryl.

Ze besluiten zichzelf te verwennen met iets vets als avondeten, maar als ze de cafetaria binnen willen gaan, komt er een kleine, blonde man naar ze toe die zich voorstelt als Lyle.

'Ik werk in de Belleclaire,' zegt hij. 'Bij de receptie. Ik ben net klaar, maar ik hoorde dat jullie naar Graciela hebben gevraagd. Zijn jullie vriendinnen van haar?'

'Ja, uit L.A.,' zegt Stephanie. 'Ken je haar?'

'We maakten vaak een praatje aan de balie. Een paar dagen geleden kwam haar vriend. Ik heb ze een paar keer zien weggaan en terugkomen.'

'En alles was in orde?' Roberta stelt het als een vraag, maar Stephanie hoort aan haar dat ze hoopt op een bevestiging dat ze zich geen zorgen hoeven te maken.

'Ja, eerst wel. Maar op zaterdag kwamen ze halverwege de middag terug en sindsdien heb ik ze niet meer gezien. Ik heb de schoonmaker naar hun kamer gestuurd, maar die was vergrendeld. Dat is niet zo uitzonderlijk. Het zal je verbazen hoeveel mensen hun kamer niet meer uit komen als ze eenmaal zijn ingecheckt.'

'Maar waarom klink je dan zo bezorgd?' vraagt Stephanie.

'Niet echt bezorgd,' zegt hij. 'Alleen... toen ze die zaterdag binnenkwamen, zat ik achter de balie en haar vriend hield haar vast bij haar arm. Ze keek me niet aan, alsof ze hoopte dat ik het niet zag. Het leek wel of hij haar meesleurde.'

'Dat geeft de doorslag,' zegt Roberta. 'Geef ons het nummer van hun kamer. We gaan naar boven.'

Imani weet dat ze vroeg of laat haar zus moet bellen om haar te vertellen dat Renay geen succes was als oppas, maar het is niet bepaald een gesprek waar ze naar uitkijkt. Gloria weet het ongetwijfeld zo te draaien dat Imani zich uiteindelijk schuldig voelt, alsof zij haar nichtje heeft laten stikken, haar zus heeft laten stikken en het maar beter helemaal kan opgeven en terugkomen naar Texas. Ze was van plan Renay zo snel mogelijk naar huis te sturen, maar ze heeft gemerkt dat haar nichtje aan het veranderen is. Misschien was de verantwoordelijkheid voor Daniel te veel voor haar en komt ze tot rust nu die last van haar schouders is. Of misschien heeft Katherines aardige aanbod om haar naailessen te geven een positief effect.

In ieder geval niet op haar kleding. Tot nu toe hebben ze samen twee kledingstukken gemaakt en het zijn de lelijkste kleren die Imani in lange tijd heeft gezien. Een monsterlijk hemdje, gemaakt van een jurk, en dat er – o, verrassing – uitziet als een halve jurk, en een cocktailjurk die nog wel iets grappigs heeft op een nostalgische manier. Wat Imani het meest verbaast is dat Renay de kleren prachtig vindt en zich altijd erg verheugt op de naailessen bij Katherine.

En als door een wonder praat ze opeens ook tegen Imani. Brynja, de nieuwe oppas, is kort na het incident met de kinderwagen begonnen. Ze komt uit IJsland en is belachelijk efficiënt. Haar professionele houding compenseert haar gebrek aan humor. Renay hielp Brynja meteen haar draai te vinden, en uit de manier waarop ze dat deed bleek dat ze veel beter in de gaten had hoe het er in het huishouden aan toeging dan Imani had verwacht. Sinds twee dagen noemt Renay haar zelfs Imani. Wat die doorbraak teweeg heeft gebracht is een groot mysterie, maar ze vermoedt dat Katherine ook daar iets mee te maken heeft. Vandaag gaan Katherine en Renay samen naar de kapper en yogakleding kopen. Katherine heeft duidelijk de rol op zich genomen die Imani in het leven van haar nicht had willen spelen. Er is tenminste iemand die iets met haar kan bereiken.

Imani is op de set en heeft een paar minuten de tijd voordat ze wordt opgeroepen voor de volgende scène. Ze belt Gloria. Haar zus antwoordt met haar gebruikelijke warmte.

'Wacht even, Harriet, ik ben even bezig.'

'Anders bel ik zo even terug,' zegt Imani.

'Kun je niet even dertig seconden wachten terwijl ik mijn broodje opeet?'

'Oké, ik wacht wel even.'

'Ach, laat ook maar. Als je er zo moeilijk over doet, word ik zenuwachtig. Ik weet dat jij nooit eet omdat je broodmager moet blijven.' Zo te horen neemt Gloria een flinke hap van haar broodje. Tussen het kauwen door kan ze nog net verstaanbaar vragen hoe het met Renay gaat.

'Ik geloof dat ze begint te wennen,' zegt Imani. 'Ze is dol op Daniel en ze is heel lief tegen hem.'

'Met andere woorden, wat een verrassing dat een kind van mij iets van baby's weet? Ik ben dan misschien geen filmster maar ik heb haar heus wel iets geleerd. Ik ben dan misschien geen Imani Lang, maar jij ook niet! Vergeet dat niet!'

Dit is het moment waarop Imani gewoonlijk van zich af begint te bijten en het hele gesprek in een neerwaartse spiraal terechtkomt, wat uitmondt in een drama. In plaats daarvan doet ze iets wat lijkt op een ritmische ademhalingsoefening die Tara haar heeft geprobeerd te leren.

'Renay is begonnen met naailessen bij een vriendin van me.'

'Naailes? Dat heb ik ook geprobeerd. Ze kan niet naaien, daar is ze te ongeduldig voor.'

'Nou, ze lijkt het wel leuk te vinden. Katherine zegt dat ze het heel goed doet.'

'Benieuwd hoe lang dat zal duren. Hoe dan ook, ze moet helemaal geen naailes nemen; ze is daar verdomme om te werken.'

Imani's kleedkamer is een provisorisch hok in een oud klaslokaal, maar ze heeft hier tenminste wat privacy en daar is ze dankbaar voor. De visagiste steekt haar hoofd naar binnen en wijst naar haar met een borstel. Imani wenkt haar binnen te komen.

'We hebben haar takenpakket wat aangepast.'

'Wat bedoel je daarmee?'

'We hebben besloten dat ze wat meer vrije tijd nodig heeft omdat ze in een nieuwe omgeving is. Dat betekent dat ze nu eigenlijk de assistent-oppas is.'

'Dat was niet de afspraak, Harriet! Als je haar hebt ontslagen, moet je het zeggen en komt ze nu naar huis. Als ik in geen tien jaar een vakantie heb gehad, krijgt zij die zeker niet.'

Imani tovert een nonchalante grijns op haar gezicht voor de visagiste, die deze hele tirade woord voor woord heeft kunnen volgen.

Mimi is een stevig gebouwde, fletse vrouw met enorme heupen en een slechte huid. Ze verschijnt altijd op de set in een te strakke spijkerbroek en een te strak truitje, en zo te zien heeft ze nog nooit iets op haar eigen gezicht gesmeerd. Ze is jong en een beetje te druk, maar ze is goed in haar werk. Ze gebruikt een spons om Imani's make-up te mengen, en Imani merkt dat ze het vervelend vindt dat ze niet kan kletsen zoals normaal, hoewel ze waarschijnlijk ook wel geniet van al die roddels die ze later kan rondvertellen.

'Het is geen vakantie,' zegt Imani. 'Ze leert iets nieuws en ze neemt mij veel werk uit handen. Als ik vandaag klaar ben, ga ik met haar naar yoga. Dat zal haar goeddoen.'

'Yoga! Luister, dat je met een blanke man trouwt, dat je aan *yoga* doet, dat je in die nepwereld rondhangt en je anders voordoet dan je bent, dat moet je zelf weten! Maar zo wil ik mijn dochter niet opvoeden. Zij moet weten wie ze is, en ze is geen magere blondine die in een strak pakje haar benen in de lucht steekt.'

Imani heeft al haar zelfbeheersing nodig om haar boosheid te onderdrukken. Ademen, ademen, ademen, zegt ze tegen zichzelf. Ze windt zich zo op over de uitspraken van haar zus dat ze ter plekke besluit er alles aan te doen Renay voorlopig hier te houden.

'Het zal moeilijk zijn om het ticket nog om te ruilen,' zegt Imani. 'Als ze met het naaien flinke vooruitgang boekt, dan kan ze iets nuttigs op het moment dat ze hier vertrekt.'

'Maar natuurlijk. Míjn dochter is alleen goed genoeg om naaister te worden. Jezus Harriet, dat slaat echt alles. Jij krijgt alles op een presenteerblaadje aangereikt – je schoonheid, geld, roem, alles – en dan behandel je ons als vuil? Geloof me, als ik maar de helft van jouw geluk had, dan zou ik jou nooit zo kwetsen als jij mij nu kwetst.'

'Ik moet weer aan het werk,' zegt Imani. 'Geef Renay nog twee weken de tijd, dan hebben we het er daarna weer over.'

Ze hoort Gloria nog tekeergaan als ze de verbinding verbreekt.

Rusty komt de kleedkamer binnen en ploft neer op de versleten bank. Net waar ze behoefte aan heeft.

'Je ziet er fantastisch uit,' zegt hij. 'Mimi verricht wonderen.'

Niet toehappen! 'Inderdaad,' zegt Imani. 'Misschien moet je haar ook eens haar gang laten gaan bij jou.'

Hij lacht, iets te uitbundig. Ze hoopt dat wat hij ook heeft ingenomen blijft werken tot het einde van de opname. Ze telt de dagen: nog tien te gaan.

'Ik heb een plan dat ik je wil voorleggen,' zegt hij. 'Wil je het horen?'

'Ga je gang.' Dit is de zevende take voor deze scène en iedereen, ook Imani, weet dat er iets niet klopt.

'Je speelt die scène alsof Dina niet weet wat er aan de hand is met haar man. Wat zou je ervan vinden als Dina het wel weet, maar dat niet laat blijken? Aan hem of aan wie dan ook? En als je hem een klap geeft, leg je daar alles in – de dingen die hij tegen haar heeft gezegd, wat er in het weekend is gebeurd, al die woede die ze heeft opgekropt sinds ze het weet. Die acteur kan de pot op; haal maar flink uit.'

Mimi is klaar met de make-up en haalt het beschermdoekje weg. Rusty's idee, dat nooit eerder ter tafel is gekomen, klinkt zo goed, dat Imani een siddering langs haar rug voelt lopen. Het lijkt opeens zo voor de hand liggend dat ze niet begrijpt waarom ze het niet van begin af aan zo hebben gedaan. En dan nog die relatief beleefde manier waarop hij het vroeg. Misschien wordt Rusty menselijker nu de opnameperiode ten einde loopt. Dat schijnt wel vaker te gebeuren.

'Wat vind je ervan?'

'Ik vind het geniaal. Dan valt alles op zijn plek.'

Hij steekt zijn armen omhoog en rekt zich uit. 'Zie je wel? Als je van je divatroon komt en naar je regisseur luistert wordt het alleen maar beter, schat.'

Misschien was het ook te optimistisch om te verwachten dat zijn karakter zou veranderen, maar het was leuk zolang het duurde. Mimi, die de kilte in de lucht voelt en al heel wat van hun donderbuien heeft meegemaakt, stopt snel haar borstels en tubetjes in haar koffer.

Rusty gaapt overdreven en leunt achterover tegen de rugleuning met zijn armen boven zijn hoofd, waarbij zijn bleke, slappe buik onder zijn smoezelige t-shirt tevoorschijn komt. 'Ik wist wel dat jij en ik het best met elkaar zouden kunnen vinden zodra we van die lesbo af waren.'

'O-o-o-oké,' zegt Mimi. 'Ik zie je over vijf minuten.'

Imani staat op en loopt langzaam naar Rusty. 'Ik vind je idee geweldig,' zegt ze. 'Maar ik ben je "schat" niet, Rusty, en ik ben geen diva. Ik ben Harriet. Uit Texas. Gewoon een van die zwarte meiden met een goed gezicht die mazzel hebben gehad. Wat ben ik toch een geluksvogel, hè?'

Hij kijkt haar aan met een mengeling van verbazing en minachting. Onaantrekkelijke mannen als hij zouden moeten leren wat vrolijker te zijn en vaker te glimlachen. Als je geen regisseur was, was je nooit aan je trekken gekomen, wil ze tegen hem zeggen.

'Maar voor de duidelijkheid,' zegt ze, 'Becky Antrim heeft me verteld dat jij bij je vorige filmproject nog voordat de opnames begonnen, bent ontslagen omdat ze je een verwaande klootzak vonden met wie niet te werken viel. De producenten hadden geen zin in toestanden. Deze film is niet beneden je stand, Rusty, je hoopt met dit project je carrière te redden. En als dat lukt, heb je dat aan Stephanie te danken, want we weten allebei dat "die lesbo" het brein van dit hele project is. En bovenal is ze mijn vriendin.'

Ze legt haar hand op zijn schouder. 'Dus ik doe het zoals jij het wil. Ik leg alles erin, alle woede die ik al die tijd heb opgekropt, en ik haal flink uit.'

En dan zwaait ze haar arm naar achteren en slaat hem zo hard in zijn gezicht dat haar palm ervan tintelt. 'Zoiets?'

Stephanie, Roberta en Lyle staan in de gang van de achtste verdieping en kloppen op Graciela's deur. Er komt geen antwoord, maar als Lyle nog een keer klopt, harder dit keer, horen ze vanbinnen een gedempt geluid.

'Ze zijn daarbinnen!' zegt Roberta.

Stephanie begint in paniek op de deur te bonzen. Het is warm en daardoor krijgt de gang iets claustrofobisch, wat het er niet beter op maakt. 'Graciela!' roept ze. 'Stephanie hier. Doe open, we komen je alleen maar even gedag zeggen.'

Er klinken meer geluiden, meubels die worden verschoven.

'Heb je je sleutels bij je?' vraagt Roberta aan Lyle.

'Ja, maar ik weet zeker dat ze de ketting erop hebben gedaan.'

Roberta fronst haar wenkbrauwen en Stephanie ziet dat ze is omgeschakeld in de problemen-oplosstand. Ze leunt tegen de deur en zegt: 'Graciela, luister, Roberta hier. We weten dat Daryl en jij daarbinnen zijn. Jullie zijn al dagen niet naar buiten gekomen en iedereen maakt zich zorgen. Óf jullie doen nu de deur open, óf we bellen de politie en dan kan het allemaal heel vervelend worden.'

Ze wachten nog even. Er klinken stemmen en dan horen ze Daryl iets roepen wat ze niet verstaan.

'Ik ga nu bellen,' zegt Roberta.

Ze horen iets kapot vallen en een deur dichtslaan, en dan, heel langzaam, gaat de deur naar de gang open. Daar staat Graciela en ze zien meteen dat het erger is dan ze hadden verwacht. Stephanie begint te huilen en pakt Roberta's arm. Graciela's gezicht is uitgemergeld en haar huid heeft een zieke, gele kleur, behalve daar waar blauwe plekken zitten. Haar ogen hebben de doffe, starende blik van iemand die al heel lang heel ver weg is. Maar waar Stephanie het meest van schrikt is dat er een sweater of t-shirt om haar hoofd zit, als een idiote, smerige tulband.

'Graciela, lieverd,' zegt Stephanie zachtjes. 'Is Daryl er?'

Graciela knikt langzaam en Stephanie strekt haar hand uit en raakt de tulband aan. Hij glijdt van Graciela's hoofd en Stephanie ziet dat haar schitterende, ravenzwarte haar ruw is gekortwiekt. Het lijkt wel alsof er een mes is gebruikt. Stephanie drukt haar tegen zich aan.

'Godverdomme,' roept Roberta. Ze duwt de deur open en stormt de kamer in. 'Waar is hij?'

Aan de andere kant van de gang is iemand uit een kamer gekomen, en Stephanie wil met Graciela naar binnen. Zodra ze aanstalten maakt begint Graciela te trillen. Haar hoofd ligt op Stephanies schouder en ze fluistert in haar oor: 'Hij is de badkamer ingegaan. Ik denk dat hij via de brandtrap is gevlucht.'

Stephanie herhaalt deze woorden tegen Roberta, die snel naar de badkamer loopt. Als ze roept dat er niemand is en het raam openstaat, trekt Lyle Stephanie terzijde en zegt heel zacht: 'De badkamers op deze verdieping hebben geen brandtrap.'

Deel drie

Lee is nooit goed geweest in lijstjes maken, maar omdat ze over een week naar het festival gaat, maakt ze sinds een tijdje aantekeningen over wat er allemaal moet worden gedaan voordat Katherine en zij op het vliegtuig stappen. Helaas raakt ze de papiertjes waar ze al die belangrijke taken op heeft gekrabbeld steeds kwijt.

Ze zit aan het bureau in haar kantoor met Valerie te praten, met in haar handen een kop koffie – is het de zevende van vandaag? Ze weet niet wat zorgelijker is, dat ze er zeven heeft gehad of dat ze niet precies weet hoeveel ze er heeft gehad. Valerie kijkt schuin naar de koffie, maar eerder met een geïnteresseerde dan een kritische blik.

Mam bellen over aankomsttijd, schrijft Lee op. En dan zegt ze: 'Ik kan je zeggen dat ik je les heel goed vond.'

'Wat fijn om te horen,' antwoordt Valerie. 'Ik was een beetje zenuwachtig en ik deed een schietgebedje dat niemand het zou merken.'

'Dat gebedje is verhoord. Je kwam heel beheerst en sterk over.'

Kosten van het openingsfeest navragen, krabbelt Lee, en dan beseft ze hoe onbeleefd ze is en legt het lijstje in haar la.

Valerie is een lange, hoekige vrouw met lichtblond haar in een paardenstaart. Als onderdeel van haar sollicitatie heeft ze vanochtend een halfuur lesgegeven, en ze was een van de beste kandidaten. Ze was energiek en zorgvuldig, en gaf blijk van een bewonderenswaardige kennis van de anatomie en de wisselwerking tussen de krachten in het lichaam. Ze volgt niet één specifieke yogaschool, maar haalt invloeden uit verschillende stijlen. Net als de meeste yogaleraren – David Todd, bijvoorbeeld – vermengt ze yoga met elementen uit andere disciplines: balletsprongen, kniebuigingen uit de vechtsport en een paar expressieve bewegingen die van Martha Graham lijken te komen. Ze heeft ook gevoel voor humor. Op een gegeven moment, toen de leerlingen in een omgekeerde driehoek lagen, liet ze hen de rug van hun hand melodramatisch tegen hun voorhoofd leggen, een houding die ze 'soap-asana' noemde.

Misschien sprak Valeries les haar wel zo aan omdat hij een beetje leek op die van David. Een van de neveneffecten van de drukte is dat ze geen tijd heeft om al te veel na te denken over dt en over het feit dat ze al weken niets van hem heeft vernomen. Ze heeft verschillende stadia van teleurstelling en woede doorlopen en uiteindelijk geconcludeerd dat ze alleen maar haar eigen hoop en verlangens op hem heeft geprojecteerd. Achteraf beseft ze dat hij nooit iets heeft toegezegd, geen enkele belofte heeft gedaan. Ze kan hem niets verwijten. Alan had gelijk. Waarschijnlijk is ze eenzaam en gefrustreerd, en beeldt ze zich daarom in dat hij met haar heeft geflirt.

Nu ze met Valerie eindelijk een goede lerares heeft gevonden, voelt ze zich wat minder in de steek gelaten door dt – op het gebied van werk dan.

'Dit is een beetje een lastig onderwerp,' zegt Lee, 'maar er kan in de les van alles gebeuren. Ik wil je niet in verlegenheid brengen, maar...'

'Vragen over ethische kwesties?' zegt Valerie. 'Daar ben ik helemaal voor, Lee. Laten we eerlijk zijn, we werken hier met de lichamen en het welzijn van mensen. Dit is belangrijk.'

'Fijn dat je het wat gemakkelijker maakt,' zegt ze. 'Sommige mensen raken nogal van slag.'

'Dat betekent dat er iets niet goed zit.'

Lee heeft een lijst met twintig vragen die ze aan de sollicitanten voorlegt. Ze haalt hem uit haar archiefkast. Meestal hoeft ze er maar een paar te stellen om een goede indruk te krijgen van iemands persoonlijkheid. 'Ben je er klaar voor?'

'Brand maar los. Ik heb opeens het gevoel dat ik in een schoonheidswedstrijd zit.'

'Als je vermoedt dat een van je leerlingen een eetstoornis heeft, hoe ga je daar dan mee om?'

'Goede vraag. En we kunnen niet ontkennen dat het een groot probleem is in de yoga-gemeenschap. Zeker in L.A. Ik heb een keer een leerling gehad die onmiskenbaar aan anorexia leed. Ze volgde minstens twee lessen per dag en je kon alle botten in haar rug en borstkas zien. Het was heel akelig. Je zag andere leerlingen vol afschuw naar haar kijken.'

'Wat heb je gedaan?'

'Ik heb haar na de les apart genomen en gezegd dat ik wist dat ze een probleem had, maar dat ze altijd bij me terechtkon en dat ik haar wilde helpen met het zoeken naar kleding die haar lichaam wat meer verhulde. Lange mouwen, een hoge col – een boerka, eigenlijk. Ze was me heel dankbaar.'

'Dat geloof ik graag.' Eén punt. 'Stel dat een leerling je regelmatig dure cadeaus geeft. Wat zou je dan doen?'

Valerie knijpt haar ogen toe en strijkt haar haar naar achteren. 'Dat is een gevoelige kwestie. Je wilt diegene niet kwetsen of het gevoel geven dat je de cadeaus niet mooi vindt. Ik zou die leerling bedanken en dan heel vriendelijk opperen dat hij of zij voortaan cadeaubonnen geeft.'

'Vind je dat beter?' vraagt Lee.

'Ja. Zolang je niet zegt welke bonnen je wilt hebben. Dan klinkt het te veel als een verzoek. Je zou iets kunnen zeggen als: "O, iedereen is dol op de kleren van Nordstrom."'

Tja, er zit wat in.

'Je bent hevig verliefd op een van je leerlingen. Wat doe je daaraan?'

Valerie werpt haar hoofd in haar nek en begint te lachen. 'Sorry, maar je hebt geen idee hoe toepasselijk die vraag is. Ik vind oprecht dat je alle leerlingen precies op dezelfde manier moet behandelen. En geloof me, dat doe ik ook. Mijn vriend zegt dat hij geen idee had dat ik verliefd op hem was toen hij in mijn yogaklas zat. Hij zei dat ik met iederéén aan het flirten was.'

Lee loopt met Valerie naar de voordeur en zegt dat ze binnen twee dagen contact met haar zal opnemen. Dat wordt vrijwel zeker een mailtje. Ze wordt overspoeld door een golf van teleurstelling en dan, net zo plotseling, een sterk verlangen om iets van David te horen. Ze haalt haar telefoon tevoorschijn en stuurt hem, zonder er al te lang over na te denken, een sms'je: **Tijd niets gehoord, Lee.**

Lainey zit bij de balie en neemt een slok uit een van die gigantische bekers frisdrank waarmee ze de hele dag rondloopt. Lee heeft haar nooit durven vragen wat er precies in zit, en omdat ze haar eigen koffieprobleem absoluut niet in de hand heeft, vindt ze dat het niet aan haar is om een oordeel te vellen over andermans frisdrankconsumptie.

'Veelbelovende lerares?' vraagt Lainey.

'Geweldige lerares,' zegt Lee, 'maar een paar heel vreemde antwoorden op de vragenlijst.'

Lainey haalt haar schouders op. 'Neem haar aan als vervangster voor de dagen dat jij er niet bent. Dat komt toch niet zo vaak voor. Ik hou haar wel in de gaten. Het wordt voorlopig waarschijnlijk toch rustig. Voor zover ik kan beoordelen, gaat de helft van de yogaleerlingen in L.A. naar Flow and Glow.'

Lee kan niet inschatten of Lainey probeert duidelijk te maken dat zij er ook heen wil. Gezien haar gebrek aan interesse in yoga, lijkt dat onwaarschijnlijk, maar omdat Lee degene is die het zou kunnen regelen, vindt ze dat ze het in ieder geval moet aanbieden.

'Denk je dat jij het ook leuk zou vinden?' vraagt ze.

'O, al die yoga lijkt me een hel, maar er is ook heel veel muziek en ik denk dat ik een heleboel handtekeningen zou kunnen verzamelen voor de campagne.' Die campagne heeft iets te maken met het legaliseren van hasj, maar Lee heeft geen enkele behoefte om daarover door te vragen. 'Maar je hebt me hier nodig. De nieuwe studio gaat twaalf dagen na afloop van het festival open, dus er is veel te doen.'

'Ik wil je iets vragen,' zegt Lee, 'en ik zou het erg op prijs stellen als je een eerlijk antwoord geeft.'

'Niet mijn sterkste kant, maar laten we het proberen.'

'Hoeveel besteedt Graham aan dat openingsfeest?'

'Geen idee, dat moet je aan hem vragen.'

'Dat heb ik gedaan, maar hij deed er heel vaag over. Zei dat het hem ongeveer net zoveel zou kosten als een maand hypotheek.'

Lainey spert haar ogen open boven de rand van haar beker. 'Wauw! Dan heeft hij een flinke hypotheek.'

'Kom op, Lainey, voor de draad ermee. Tweeduizend?'

Lainey wijst met haar duim omhoog om aan te geven dat het meer is.

'Toch niet drie?'

'Bijna vijf,' zegt ze. 'Maar een groot deel ervan kan hij afschrijven.'

'Dat is belachelijk!' zegt ze. 'Geen sprake van. Wat is hij allemaal van plan?'

'Het wordt heel smaakvol,' zegt Lainey. 'Ervan uitgaande dat je een dure smaak hebt.'

Lee baant zich een weg door het plastic dat nog voor de doorgang naar de nieuwe ruimte hangt. Graham heeft haar beloofd dat alles klaar is als ze terugkomt en ze weet dat ze hem kan vertrouwen. Iedere keer dat ze de nieuwe studio in loopt, zwelt ze van trots. Zij heeft dit voor elkaar gekregen, deze prachtige ruimte. En het ís mooi, met de natuurstenen muur achter de balie, de enorme zwart-witfoto's van leerlingen bij de kleedruimtes en, ja, de glanzende hardhouten vloer in de studio zelf. Alles is nog een beetje stoffig en het ruikt nog vaag naar polyurethaan, maar die geur zal voor de opening weg zijn. Terwijl ze daar op de nieuwe vloer staat en haar blik laat glijden over de planken die Graham heeft gemaakt voor de rekwisieten, wordt Lee zo overmand door geluk en dankbaarheid dat ze een handstand maakt en dan haar benen achter haar rug laat zakken tot ze in een omgekeerde v staan.

'Au!' hoort ze. Graham staat met een grijns op zijn gezicht tegen de deurpost geleund. Ze komt overeind. 'Dat zag er pijnlijk uit,' zegt hij.

'Maar het voelde juist heerlijk.'

'Je moet het mij maar eens leren.'

'Misschien is dit niet de beste oefening om mee te beginnen.'

'Misschien ben ik wel veel leniger dan jij denkt. En maak je geen zorgen, als je terug bent van je festival, is dit allemaal opgeruimd.'

'Daar maak ik me geen zorgen over,' zegt Lee. 'Maar we moeten wel even praten.'

'Graag.'

Ze staan ieder aan een andere kant van de ruimte, en spreken luid om de leegte te overbruggen. Hij ziet er lang en slank uit en lijkt hier niet op zijn plaats met zijn witte overhemd en gestreken zwarte spijkerbroek.

'Waar ik me wel zorgen over maak is het openingsfeest,' zegt Lee.

'Alles is geregeld. Je hoeft nergens bang voor te zijn. Gewoon een paar mensen en een paar flessen wijn.'

'Ik heb wat informatie los weten te peuteren uit Lainey en zo te horen wordt het nogal dure wijn.'

'Ik heb een paar mooie flessen in mijn kelder liggen.'

'Dit is belachelijk, Graham. Ik wil niet dat je al dat geld uitgeeft. Dat kan niet.'

Hij loopt naar haar toe. Zijn gepoetste schoenen piepen op de splinternieuwe vloer. Het is een raar geluid en ze moeten er beiden om lachen. Na de stress van de afgelopen dagen is het zo'n opluchting om even te lachen dat Lee nog harder begint te lachen, vooral omdat het zo goed voelt. Als Graham bij haar is en zijn armen om haar heen slaat, terwijl ze allebei nog aan het lachen zijn, zoekt ze er niets achter. 'Het kan wel,' zegt hij zachtjes. Als hij zijn hoofd buigt en haar op de mond zoent, lijkt dat gewoon een vervolg op het grappige moment dat ze met elkaar delen. Pas als ze beseft dat ze hem terugzoent stopt ze met lachen.

'Lee,' zegt hij, 'het kan wel.'

Ze voelt haar telefoon zoemen in haar broekzak en opgelucht over het feit dat ze een excuus heeft om zich van hem los te maken kijkt ze naar het scherm. Een sms'je van David Todd: **Ik zat bij familie in Chicago. Morgen terug. Ik bel je als ik terug ben.**

'Sorry,' zegt ze tegen Graham.

'Wat mij betreft is er niets om je voor te verontschuldigen.'

'Het was niet mijn bedoeling.'

'Dat zou je niet zeggen.'

Ze loopt weg, terug naar de ingang van het oude deel van de studio. 'Ik moet de kinderen halen,' zegt ze. 'Ik had het niet moeten doen.'

'Daar ben ik het niet mee eens.'

'Alsjeblieft, Graham. Laten we doen alsof het niet is gebeurd.' En dan loopt ze door het stijve plastic dat het gat in de muur bedekt.

Katherine dekt de tafel in de eetkamer van haar huisje. Ze zet twee felgekleurde borden op tafel die ze al eeuwen geleden tweedehands heeft gekocht en bijna nooit gebruikt, en legt daarnaast een vrolijk bestek met rode bakelieten handvatten. Ze weet niet meer waar ze die vandaan heeft, maar ze is gesteld op de stralende kleur en het gewicht.

Conor kan ieder moment thuiskomen en ze heeft een uitgebreide maaltijd bereid – een vegetarische uiensoep met gnocchi en een kruidige kaastaart, die ze helemaal zelf heeft gemaakt. Ze is een paar keer naar buiten gegaan, alleen maar om weer naar binnen te kunnen lopen en te genieten van de warme geur van boter en kaas en bladerdeeg. Conors idee van een volmaakt maal komt meer in de buurt van bloederig vlees met een volkomen kapotgekookte, obligate groente, maar hij is lovend over haar kookkunst en altijd bereid iets nieuws te proeven.

Deze specifieke maaltijd is bedoeld om zijn aandacht af te leiden. Als hij het eten lekker genoeg vindt, vindt hij het misschien niet zo erg als ze hem vertelt dat ze het huurcontract van dat benauwde appartementje dat Carolyn hun heeft laten zien niet kan tekenen. Misschien krijgt hij dan niet het gevoel dat ze weer helemaal opnieuw moeten beginnen en zal hij het allemaal niet zo persoonlijk opvatten. Misschien zal hij begrijpen dat ze zich gewoon niet kan voorstellen om met hem vijfenvijftig vierkante meter te moeten delen. Niet omdat ze niet van hem houdt, maar omdat ze bang is dat het de balans van hun relatie zal verstoren. Het zou allemaal zoveel gemakkelijker zijn als ze niet zoveel van hem hield. En misschien, heel misschien, als hij dat allemaal begrijpt, kan ze hem dat andere nieuws vertellen en de beslissing die ze daarover heeft genomen. En misschien begrijpt hij dat ook.

Ze is verbaasd als de deurbel gaat, want Conor gebruikt altijd zijn sleutel, maar als ze bij de deur is, wordt die geopend door True, de makelaar die haar huisbaas in de arm heeft genomen. True is een nerveuze, aantrekkelijke man, waarschijnlijk eind twintig, die zo zijn best doet hip en cool te zijn dat hij vooral wanhopig overkomt. En dan die naam, 'True'. Dacht hij echt dat dat een geschikte naam was voor een makelaar? (Het kan in ieder geval niet de naam zijn die zijn ouders hem hebben gegeven.) Dan kun je net zo goed een groot bord om je nek hangen waarop staat dat je een onverbeterlijke leugenaar bent.

'Katherine,' zegt hij. 'Ik wist niet dat je thuis was. Het ruikt hier heerlijk.'

'Ik krijg een vriend te eten,' zegt ze. 'Hij kan ieder moment hier zijn.'

'Heb je mijn bericht niet gekregen?'

Achter hem staan een man en een vrouw, allebei lang en gebruind, en zij is zo hoogzwanger dat het lijkt of ze zo op het tuinpad zou kunnen bevallen. Katherine weet waar dit naartoe gaat.

'Ik heb geen bericht gekregen.'

'Ik heb mijn assistent gevraagd je te laten weten dat er kijkers zouden komen. Bruce en Charlotte zijn helemaal uit San Diego gekomen.'

Katherine heeft er steeds voor gezorgd dat ze niet thuis was als er mensen kwamen kijken; ze wordt een beetje misselijk bij de gedachte dat er onbekenden in haar huis rondneuzen met de bedoeling erin te trekken. Bruce en Charlotte zien er sowieso al irritant uit, met hun volmaakte zongebruinde huid en die brede grijns op hun gezicht. Maar wat kan ze ertegen doen? Ze zijn 'helemaal' uit San Diego gekomen.

'Ik weet van niets,' zegt Katherine. 'Weet je zeker dat je assistente het juiste nummer heeft gebeld?'

'Dan heeft de techniek ons weer eens in de steek gelaten,' zegt True. 'Mogen we toch binnenkomen? Ik beloof je dat we zo weer weg zijn.'

Katherine kijkt even naar het stel. Charlotte heeft haar armen om haar buik gelegd, alsof ze die naar Katherine ophoudt. Nog een onweerlegbaar bewijs voor Katherine dat ze hun de toegang niet kan weigeren, dat zij meer recht hebben op dit huis dan zij.

Ze doet een stap naar achteren en wenkt hen binnen te komen.

'Heel aardig van je,' zegt Charlotte. 'Ik beloof je dat we niet zullen vragen of we mogen blijven eten. Het ruikt zalig. Maar ja, in deze fase ruikt alles lekker.' Ze klopt op haar maag. 'Maar een glas water sla ik niet af. O mijn god! Moet je dat uitzicht zien.'

'Dat zou je vanaf de straatkant niet zeggen, hè?' zegt True. 'Dat is de grote troef van dit huis. De rest kun je opknappen.'

'Dat weet ik niet zo zeker,' zegt Bruce. 'Volgens mij is dit huis rijp voor de sloop.'

'Dat is wel een beetje overdreven,' zegt Charlotte. 'We moeten alles eruit halen, maar het casco zou ik intact willen laten. Wat vervelend dat we geen tijd hadden om even ergens water te halen. Ik ben volkomen uitgedroogd. De lucht is hier zo droog.'

Katherine begrijpt de hint en gaat naar de keuken om een glas water met ijsblokjes voor haar te halen. En omdat zij er uiteindelijk ook niets aan kunnen doen dat het huis te koop staat, voegt ze er een citroenschijfje aan toe. Ze volgt het geluid van hun stemmen naar de naaikamer, waar Charlotte de oude naaimachine van Katherine bestudeert alsof het een archeologische vondst is. Katherine geeft haar het glas water.

'Wat lief van je om er citroen in te doen,' zegt Charlotte. 'Ik wil niet lastig zijn, maar ik hoorde water stromen in de gootsteen. Komt dit uit de kraan?'

Katherine denkt dat ze een grapje maakt, maar ziet dan dat ze op antwoord wacht. 'Er zit een filter op.'

Charlotte trekt een verontschuldigende grimas. 'Als ik niet

zwanger was, zou ik het wel aandurven, echt waar.' Ze geeft het glas terug alsof er giftige dampen vanaf komen. 'Maar ik kan het gewoon niet. Dat zul je wel begrijpen als je zelf zwanger bent. Wat ontzettend leuk dat je naait. Dat vind ik zo schattig ouderwets.'

Katherine brengt het glas terug naar de keuken, neemt een grote slok en spoelt de rest door de gootsteen. Het beste wat ze kan doen is onmiddellijk het huis verlaten. Ze zet het pitje onder de soep uit en haalt de taart uit de oven. Die kunnen ze morgen wel eten. Ze glipt de voordeur uit, gaat op het houten tuinpad zitten en laat het warme briesje langs zich heen waaien.

Had ze dan verwacht dat het huis niet zou worden verkocht? Had ze gedacht dat Tom opeens van gedachten zou veranderen? Of dat ze opeens een paar miljoen dollar zou krijgen? Misschien zijn Bruce en Charlotte het beste wat haar kan overkomen. Terug naar het echte leven, citroenschijfjes en al.

Als Conor aankomt, zwaait ze naar hem en rent ze naar het einde van het pad. 'Verlangde je zo naar me?' vraagt hij terwijl hij haar in zijn armen neemt.

'De plannen zijn veranderd,' zegt ze. 'Laten we uit eten gaan. Er zit een sushirestaurant bij het nieuwe appartement in de buurt. Misschien moeten we dat maar eens proberen.'

'Waarom?'

'Omdat we daar waarschijnlijk regelmatig gaan eten als we daar wonen.'

Een voordeel van al die sollicitaties is dat Lee de afgelopen weken heel veel verschillende yogalessen heeft gevolgd. De kandidaat van vandaag begint niet veelbelovend. Hij zei tegen Lee dat hij niet wilde worden beoordeeld op de les die hij zou gaan geven. Het was een wonderlijke opmerking, want dat was natuurlijk juist de gedachte achter de proeflessen die Lee de sollicitanten liet geven.

'Ben je ziek?' had ze gevraagd.

'O, nee. Ik ben nooit ziek. Maar de les die ik vandaag ga geven wordt nogal standaard. Normaal heb ik heel originele oefeningen. Ik heb ze helemaal zelf ontwikkeld.'

'Dan wil ik ze graag zien,' had Lee geantwoord. 'Want die oefeningen zou je toch doen als je hier les gaat geven?'

'Dat hangt ervan af. Een vriend van mij is advocaat en hij helpt yogaleraren overal in het land patent te krijgen op hun oefeningen. Hij heeft me verteld dat ik ze niet moet gebruiken voordat we weten of de aanvraag wordt gehonoreerd.'

Lee weet dat sommige leraren in de steeds fellere strijd om een baan bij een gerenommeerde studio, hun best doen een patent te krijgen. Toen ze daar voor het eerst van hoorde, dacht ze dat het een broodjeaapverhaal was. Niet dus. Deze leraar heet Craig en is een kleine, stevig gebouwde man van waarschijnlijk begin dertig. Hij was Lee aanbevolen door een leerling die zei dat hij een energieke, originele stijl heeft. Jammer dat die stijl zo origineel is dat hij geheim moet blijven.

'Maar de hele bedoeling van lesgeven is dat je kennis opdoet en overdraagt op anderen. Zo hebben we het toch allemaal geleerd?'

'Er zijn heel veel leraren die naar andere studio's gaan om nieuwe oefeningen af te kijken. Ze horen verhalen over iemand als ik en komen de oefeningen stelen, inclusief de namen, en dan doen ze alsof ze ze zelf hebben ontwikkeld. Ik moet mezelf beschermen.'

'Kun je me iets vertellen over je stijl?'

Craig heeft een aantrekkelijk, open gezicht – vreemd voor iemand die zo gesloten is.

'Tijdens mijn studie ben ik veel in Europa geweest. Ik dacht eerst dat ik architect wilde worden. Vorig jaar realiseerde ik me dat mijn lesstijl en de oefeningen die ik heb bedacht grotendeels zijn gebaseerd op de gotische architectuur, waar ik erg van hou. Ik heb de kathedraal van Reims als inspiratiebron gebruikt en ik heb mijn oefeningen vernoemd naar elementen die je in die kerk vindt; elementen die niet alleen mooi en vloeiend zijn, maar die ook het stevige fundament van het ontwerp vormen. De "luchtboog", de "bundelpijler", de "gelijkzijdige boog" enzovoort.'

'Interessant idee,' zei Lee. 'Wanneer krijg je de uitslag over dat patent?'

'Snel, hoop ik. Als je wilt kan ik wel even een demonstratie houden voor jou alleen.'

Craig had inderdaad een krachtige stijl, maar de luchtboog leek verdacht veel op krijger 2 en wat het verschil was tussen de bundelpijler en de berghouding was Lee niet duidelijk. De dag ervoor had ze een kandidaat die haar vertelde dat hij met een bevriende yogi naar de Cariben was gegaan om lijken te ontleden en zo meer inzicht te krijgen in de anatomie. Ze had onder de indruk moeten zijn, maar iets in de manier waarop hij erover praatte gaf haar de rillingen.

Als Craig weg is, belt ze haar moeder om hun afspraak dat zij over twee dagen naar L.A. komt te bevestigen.

'O Lee,' zegt ze, 'dacht je nou echt dat ik op het laatste moment zou afzeggen en jou met de gebakken peren zou laten zitten? Ik verheug me er enorm op om naar L.A. te komen en jou nu een keer te helpen!'

'Dat weet ik, mam. En ik verheug me erop om jou te zien. En de kinderen ook.'

'Ik zou best voor iedereen willen koken, maar ik weet dat je weinig vertrouwen hebt in mijn kookkunst, dus ik laat jou zelf iets regelen voordat je vertrekt. Als je de maaltijden voor de eerste dagen in de vriezer zet, dan laat ik de rest bezorgen. De kinderen zijn toch niet allergisch voor ve-tsin?'

'Wat je wilt, mam. We hebben het er wel over als je hier bent.'

'Nee, lieverd, het gaat nu om jou. Vergeet niet je creditcard of contant geld achter te laten. Ik heb Lawrence verteld dat je naar dat festival gaat en hij was lyrisch. Hij zei dat de leraren die daarheen gaan echte sterren worden. Niet dat jij dat niet al bent. Je weet dat ik nooit tv-kijk, maar ik zag laatst *The View* en daar hadden ze het over het festival! Ik viel bijna uit mijn bed. Er was ook een docente die zich nogal aan het uitsloven was. Kyla, of zo'n andere zelfverzonnen naam waar jullie allemaal mee rondlopen.'

'Ik gebruik mijn eigen naam, mam.'

'O lieverd, dacht je soms dat ik was vergeten welke naam ik je had gegeven? Durfde ik maar te rijden in L.A., maar met mijn hoge bloeddruk... We proppen gewoon de koelkast en de keukenkastjes vol voordat je vertrekt. Heb ik je verteld dat ik het South Beach Diet volg? Ik ben nu anderhalve week bezig en ik ben al bijna een pond kwijt. Ik zal je vanavond mijn boodschappenlijstje mailen voor het geval je tijd hebt. O Lee, ik ben zo blij dat ik je eindelijk een keer kan helpen, in plaats van je tot last te zijn.'

'Er komt een ander telefoontje binnen, mam.'

'Ach, ik weet heus wel dat dat niet waar is, lieverd. Je wilt alleen maar van me af. Het geeft niet. Ik zie je snel.'

Het andere telefoontje is van David Todd en zodra ze zijn stem hoort vergeet ze de spanning over de komst van haar moeder.

'Lee,' zegt hij, 'ik ben je een excuus verschuldigd.'

'Ik heb je berichtje gelezen,' zegt ze. 'Wat is er aan de hand met je familie?'

Hij legt uit dat zijn vader een beroerte heeft gehad en dat hij in allerijl voor twee weken naar Chicago is vertrokken om een handje te helpen. 'Het komt wel goed met hem, maar als je zoiets meemaakt, ga je een beetje anders naar je leven kijken, nadenken over je keuzes.'

'Dat was vast niet gemakkelijk.' Toen Lee haar vader verloor, stond haar hele leven op zijn kop.

'Ik heb veel aan je gedacht toen ik daar was,' zegt hij. 'Ik voel me zo schuldig dat ik je niet eerder heb gebeld na de les.'

'Je moest voor je familie zorgen. Ik weet dat je in een tunnel zit als er zoiets gebeurt. Hoe dan ook, ik vertrek over een paar dagen naar het Flow and Glow Festival, dus ik ben blij nu iets van je te horen. Ik ga daar lesgeven. Het kwam op mijn pad en ik kon geen nee zeggen.'

'Dat weet ik,' zegt hij. 'Ik heb besloten ook te gaan. Ik rij er eind deze week naartoe en ik heb me al opgegeven voor een van je lessen. Ik moet nu weg, maar als ik er ben zoek ik je op.'

'Maar er schijnen tienduizend mensen te komen,' zegt ze.

'Ik pik je er heus wel uit.'

Achtenveertig uur lang heeft Stephanie zichzelf ervan proberen te overtuigen dat ze zin heeft in het eindfeest van *Above the Las Vegas Sands*. De opnames zijn voorbij en hoewel ze ervaren genoeg is om te weten dat ze niet zullen worden opgeroepen om een paar scènes over te doen, is de dagelijkse sleur van deze productie achter de rug. Twee dagen geleden werd ze gebeld door iemand van het agentschap ICM, dat veel bekende figuren uit de filmindustrie vertegenwoordigt. Hij had gehoord over haar aandeel in de productie en vroeg naar haar volgende project. 'Ik wil je graag vertegenwoordigen,' zei hij. Ze was zelfverzekerd en alert genoeg om tegen hem te zeggen dat ze hem wel zou terugbellen. Dit was het concreetste bewijs dat haar carrière een nieuw fase had bereikt. Eindelijk komt er iets van de grond. Ze wilde Roberta bellen om het haar te vertellen, maar ze heeft het gevoel dat Roberta weliswaar blij voor haar is, maar zich ook zorgen maakt over deze wending in haar leven. En Sybille? Hoe kan ze Sybille bellen met haar goede nieuws terwijl zij midden in een chemokuur zit?

Eigenlijk wil ze het liefst thuisblijven om aan haar nieuwe project te werken, het oorspronkelijke script dat ze opzij heeft gelegd toen de opnames voor deze film begonnen, maar ze weet dat het bij haar werk hoort om haar gezicht te laten zien op het feest en te doen alsof ze het leuk vindt om daar te zijn.

Het feest wordt gehouden in een verbouwde fabriekshal, zo'n amorfe ruimte die veel gebruikt wordt voor feesten, ook al heeft die een kille, onuitnodigende uitstraling. Er zal redelijk eten en veel te veel alcohol zijn. Niet dat ze nog naar alcohol taalt. Ze denkt er nog wel aan, maar vooral omdat ze zich niet meer kan voorstellen dat ze zo de weg kwijt was en dat ze zich toen zo afschuwelijk voelde. Het ergste aan stoppen met drinken is dat ze nu ziet hoe bezopen en onaantrekkelijk mensen eruitzien als ze bezig zijn aan hun vijfde plastic bekertje slobberwijn.

Als ze over de 101 naar het centrum rijdt, ziet ze om haar heen de lichten van de stad branden, met de rusteloze intensiteit van vuur. De nacht bestaat hier niet, het is altijd dag, in verschillende schakeringen. Na al die jaren is ze daar nog steeds niet aan gewend en ze weet niet of ze het nou juist wel of juist niet prettig vindt. Soms verlangt ze naar een volmaakt donkere hemel en diepe stilte. Weet ze nog wel hoe dat ook alweer was?

Ze voelt zich alleen en nietig. Wat stelt zij nou helemaal voor in deze enorme bijenkorf van macht en ambitie en talent? En als ze dankzij de film, dankzij die agent belangrijk wordt? Geen grote ster, geen vedette, maar iemand die haar problemen te boven is gekomen en heeft bewezen dat ze talent heeft en dat het nog niet zo'n slecht idee was om haar droom na te jagen?

Maar tegen die tijd, als het al zover komt, is degene die ze is gaan beschouwen als haar peetmoeder er waarschijnlijk niet meer. Het is laat aan de Oostkust maar ze weet dat Sybille nog steeds op de onmogelijkste uren wakker is en ze kan het niet laten om haar te bellen.

'Ik dacht dat je naar het feest ging,' zegt Sybille met een zwakke maar verrassend vrolijke stem.

'Ik ben op weg. Ik miste je alleen opeens. Ik wou dat je hier was. Jij bent degene die hier feest zou moeten vieren.'

'Misschien troost het je dat ik waarschijnlijk ook niet naar dat feest zou zijn gegaan als ik had gekund. Hoe ik me ook zou gedragen, ze zouden me alleen maar zien als die dame van het geld en pas na mijn vertrek zou iedereen loskomen. Het is veel beter om op een afstand te blijven. Dan kunnen ze openlijk een hekel aan me hebben in plaats van hun best te moeten doen om beleefd te zijn.'

Er is een onuitgesproken regel dat Stephanie niet mag vragen naar Sybilles gezondheid. Sybille zegt er niets over – noch over de rest van haar privéleven – maar twee dagen geleden heeft ze Stephanie een e-mail met een telefoonnummer gestuurd, waarin stond dat ze dat nummer altijd kon bellen als Sybille 'onbereikbaar' was. Stephanie begreep meteen wat dat betekende.

Sybille hoest even, een raspend geluid om haar keel te schrapen, iets wat helemaal niet past bij haar gewoonlijke, beheerste elegantie. 'En hoe gaat het met je vriendin, die danseres?'

Haar vriendin, de danseres. Inmiddels vraagt Stephanie zich af of Graciela ooit weer zal dansen. 'Ze heeft een paar dagen bij mij gelogeerd toen we net terug waren. Ze mocht zo lang blijven als ze wilde, maar ze heeft besloten naar haar moeder te gaan. Ze moest er niet aan denken om terug te gaan naar het appartement waar ze heeft samengewoond. Met hem.'

'Dat lijkt me heel verstandig.'

'Daar ben ik niet zo zeker van. Ze heeft nooit goed met haar moeder kunnen opschieten en ze is nog heel labiel. Ik denk niet dat ze in staat is om de juiste beslissingen te nemen, maar ze wilde niet luisteren.' Stephanie heeft geprobeerd haar tegen te houden, maar het is duidelijk dat er meer nodig is dan een beetje troost en een goed gesprek om Graciela's problemen op te lossen, en Stephanie wist niet zeker of ze die taak wel op zich wilde nemen.

'Heb je haar nog gesproken?'

'Ze heeft een paar keer gebeld, maar ze wil vooral met rust gelaten worden.'

'En Roberta? Is die bij je?'

Stephanie blijft even stil en antwoordt dan: 'Ze kon geen vrij krijgen. Ze komt over een paar weken haar moeder bezoeken.'

Stephanie en Roberta hebben elkaar leren kennen via Roberta's moeder, Billie. Zij woont in het appartement tegenover dat van Stephanie en is het type oudere vrouw dat je zo vaak in L.A. ziet: veel te veel make-up, zonnebankbruin, beladen met sieraden en volledig opgaand in hun eigen wereldje, een wereld waarin zij de Grote Ster zijn. Billie beweert dat ze in de vijftig is, maar volgens Roberta is ze bijna vijfentachtig. In haar voordeel moet gezegd worden dat ze nog steeds aan yoga doet en – je bent nooit te oud! – uitgaat met een man van een jaar of zeventig, een relatie die ze verklaart met de woorden: 'Ik val altijd op oudere mannen.' Ze steunt Roberta in haar keuzes, zolang Roberta meegaat met het verhaal van Billie dat haar dochters allemaal eind twintig zijn.

Toen Stephanie vanavond helemaal opgedoft de deur uit ging, liep ze op de gang Billie tegen het lijf, die met haar nieuwe vriend uit eten was geweest.

'Mooie jurk,' zei Billie. 'Ga je uit?'

'Ik heb een afspraakje,' zei Stephanie.

'Met iemand die ik ken?'

'Ik denk het niet. Iemand van de film.'

Ze had Roberta niet gevraagd of ze mee wilde, ze had haar niet eens over het feest verteld. Het was niet eerlijk om haar te vragen zoveel geld uit te geven voor een vliegticket en nog meer vrije dagen op te nemen na hun reisje naar New York. Dat is tenminste het argument dat ze verzint. Maar eigenlijk heeft het er meer mee te maken dat Roberta, in het licht van dit nieuwe succes, een beetje een blok aan haar been is. Niet dat ze zich schaamt voor haar of hun relatie, maar ze wil nu geen etiket opgeplakt krijgen. Ze heeft zo lang op dit succes moeten wachten en ze is bang het delicate evenwicht, want zo voelt het, te verstoren. Als haar nieuwe project van de grond is gekomen, als ze een contract heeft bij een goede agent, misschien een paar ideeën heeft verkocht, dan kan ze helemaal eerlijk zijn en dan interesseert het haar niet meer wat anderen van haar denken. Maar nu is het nog niet zover.

Nadat ze een paar minuten hebben gepraat zegt Sybille: 'Als ik iets voor je kan doen, laat het me dan weten. Ik denk dat ik nu beter kan ophangen.'

'Ben je moe?'

'Helemaal niet. Ik hoor je gps praten en ik wil dat je heelhuids bij het feest aankomt. En Stephanie, je verdient het om plezier te hebben, dus doe dat dan ook.'

Stephanie geeft haar autosleutel aan de parkeerhulp. Vanaf de straat hoort ze het feestgedruis en ze ziet dat de grote ramen op de derde verdieping verlicht zijn. Ze loopt naar binnen en heeft zich nog nooit zo eenzaam gevoeld, maar ze is vastbesloten plezier te hebben. Als ze het niet voor zichzelf doet, dan in ieder geval voor Sybille.

Imani had overwogen Daniel mee te nemen naar het feest, al was het maar om Rusty te treiteren. Maar toen ze zich aan het klaarmaken was, keek ze in de spiegel en besloot dat hij pas echt de pest in zou hebben als ze op haar mooist op het feest zou verschijnen, zonder haar baby. De kordate, betrouwbare, humorloze Brynja zal de hele avond van Daniels gezelschap kunnen genieten. Imani gaat naar zijn slaapkamer en tilt hem uit zijn wieg. Ze houdt hem op armlengte van zich af en laat zijn beentjes heen en weer zwaaien. Hij begint te lachen en zijn oude-mannetjesgezicht straalt. Op dit soort momenten lijkt hij zo op Glenn dat het bijna grappig is.

'Na vanavond,' zegt ze, 'zullen jij en ik veel meer tijd met elkaar doorbrengen. Wist je dat?'

Zijn lippen bewegen en ze weet zeker dat hij probeert iets tegen haar te zeggen. Ze drukt hem weer tegen haar borst, knuffelt hem en voelt zich even volmaakt gelukkig. Kon ze alles maar in één keer stilzetten en hier nog een week of een dag of een uurtje van genieten. Dan komt de strenge Brynja binnen en Imani legt hem weer in de wieg.

'Je ziet er fantastisch uit,' zegt Brynja in haar angstaanjagend vlekkeloze Engels.

'Dank je wel,' zegt Imani. 'Het kan ermee door.'

Een beetje bescheidenheid kan geen kwaad, maar Imani weet dat ze er in geen maanden zo goed heeft uitgezien. De dag na de laatste opnames heeft ze Tara Foster, haar privéyoga-instructeur, gebeld om te zeggen dat ze iedere dag een dubbele sessie wil en dat ze flink aangepakt wilde worden. 'Doe maar alsof het een militaire training is,' zei Imani. 'Geen genade. En als ik vragen stel over je andere cliënten, ga daar dan niet op in.' Ze staat versteld van het tempo waarin haar lenigheid en kracht in de afgelopen week zijn teruggekomen. Ze voelt haar lichaam nu al strakker worden en haar armen sterker. Sterk en strak genoeg om vanavond te besluiten een mouwloze jurk te dragen. Niet dat er ook maar enig verband is tussen yoga en ijdelheid.

Ze klopt op de deur van Renay. Haar nichtje doet open, opgetut en wel, en ook zij ziet er fantastisch uit. Ze draagt een soort jarenvijftigcocktailjurk met kersenmotief en een rode riem van lakleer. De riem is zo'n tien centimeter breed en geeft Renay een zandloperfiguur dat Imani niet bij haar had verwacht. En dan dat korte, strakke kapsel waarmee ze vorige week thuiskwam. Ze heeft geen idee hoeveel Katherine daarvoor heeft betaald, maar hoeveel het ook was, het was het waard. Hoe komt het dat ze nooit heeft gezien wat een sierlijke, lange nek Renay heeft en hoe mooi de vorm van haar gezicht is?

Plotseling zit het Imani dwars dat Katherine degene is die dit in haar nichtje naar boven heeft weten te halen en niet zij. In de afgelopen paar weken krijgt ze de indruk dat die twee heel snel een hechte vriendschap aan het opbouwen zijn. Of misschien is het eerder zo dat Katherine een surrogaatmoeder voor Renay is geworden. Renay laat haar naam vaak vallen, maar ze laat weinig los over de gesprekken die ze voeren, en Imani heeft het vermoeden dat ze samen geheimen hebben. Wat voor geheimen zouden dat kunnen zijn? Hoeveel geheimen kan Renay in deze fase van haar leven hebben?

Imani slaat haar armen om Renay en zegt: 'Ik herken je nauwelijks.'

'Is dat goed?'

'Ik bedoel alleen maar dat je er nog mooier uitziet dan gewoonlijk. Komt Katherine vanavond naar het feest?'

'Ik heb haar wel uitgenodigd. Ze zei dat ze ging proberen Conor ook mee te krijgen.'

'Dan komen ze wel,' zegt Imani. 'Conor slaat geen enkele uitnodiging van Katherine af. Laten we gaan. Glenn zit al een halfuur beneden te wachten.'

Katherine heeft gemerkt dat mensen, hoe ver ze het ook schoppen in hun leven, in bepaalde situaties weer terug lijken te keren naar hun middelbareschooltijd. En het feest is zo'n situatie. Vlak nadat Conor en zij aankwamen, werd duidelijk dat de feestgangers zich in twee strikt gescheiden groepen hadden verdeeld: aan de ene kant van de ruimte de acteurs, tot in de puntjes verzorgd, en aan de andere kant, op een kluitje dicht bij de tafels met eten, de veel grotere groep technici. De technici zijn niet bepaald tot in de puntjes verzorgd: de meesten zien er slonzig en seksloos uit, met lang haar dat al in geen weken een kam of water heeft gezien.

'Herken je al iemand?' vraagt Conor.

'Ik hoopte dat Stephanie er inmiddels zou zijn, maar ik zie haar niet. Misschien moeten we maar wat te eten halen.'

'Doe jij dat maar, dan haal ik een biertje.'

Katherine volgt Conor met haar blik en plotseling voelt ze zich verloren. Ze ziet dat jonge stel weer voor zich, rondlopend in haar huis alsof het al van hen is en alsof zij geen recht heeft zich de trotse eigenaar te voelen. Ze is tenslotte maar een huurder en ze weten ongetwijfeld dat Katherine haar boeltje moet pakken zodra zij beginnen met de sloop van dat mooie, volmaakte huis dat haar veilige haven was toen de moeilijkste periode van haar leven geleidelijk overging in de mooiste tijd. En dan de manier waarop die vrouw pronkte met haar enorme buik, alsof ze wilde zeggen dat Katherine haar water moest brengen en haar voorhoofd moest betten omdat het duidelijk was dat Katherine alleenstaand én maar een gewone huurder is, niet geschikt om zelf een huis te bezitten of moeder te worden. En het ergste is dat ze op beide punten waarschijnlijk gelijk heeft. Katherine heeft van haar huisbaas gehoord dat het stel een bod heeft gedaan. Beschamend laag, maar ze zijn aan het onderhandelen.

Rondom de tafels met eten wordt druk gepraat, voornamelijk over voorvallen uit de opnameperiode. Ze krijgt de indruk dat ze er allemaal van overtuigd zijn dat ze die film in hun eentje hebben gemaakt. ('Ik heb me niets aangetrokken van zijn instructies over de belichting. En toch deed hij alsof het zijn verdienste was dat alles er zo mooi uitzag.' 'Door die camerahoek die ik heb gekozen werd die scène in de nachtclub compleet anders.' 'Ik zeg niet dat ik het einde heb geschreven, maar het was wel mijn idee om het te veranderen.') Af en toe kijken ze naar de acteurs en maken ze denigrerende grappen. Blijkbaar beschouwen ze al die opgedirkte mensen aan de overzijde als marionetten. Iedereen met gebleekte tanden en gekleurde contactlenzen zou hun werk kunnen doen. Katherine heeft het gevoel dat ze probeert binnen te dringen in een hechte gemeenschap die maanden bezig is geweest een onderlinge band met elkaar op te bouwen. En ze beseft dat dat ook zo is.

Tot haar opluchting ziet ze Stephanie achter een tussenschot vandaan komen. Ze ziet er wat schaapachtig en vreemd genoeg onzeker uit. Katherine heeft haar zes weken geleden voor het laatst gezien en ze schrikt van haar afgetobde, vermoeide gezicht. Ze baant zich een weg door de menigte en omhelst haar stevig.

'Kijk nou toch,' zegt Katherine, terwijl ze naar de ruimte gebaart. 'Dit is allemaal aan jouw script te danken. Ik ben zo trots op je.'

'Zeg dat maar niet te hard,' antwoordt Stephanie. 'Er zijn hier zeker honderd mensen die vinden dat dit hele feestje alleen aan hen te danken is. Uiteindelijk was het een gezamenlijke prestatie.'

'Maar jij hebt de film geschreven, Stephanie. Dat kan niemand anders zeggen.'

'Toevallig is er toch iemand die dat beweert.' Ze knikt naar twee mannen die samenzweerderig bij elkaar staan.

'Die lange rooie is de regisseur. Hij heeft de schrijver van het oorspronkelijke boek meegenomen.'

'Is dat erg?'

'We hebben ruzie gehad over het script. Hij had een belabberde eerste versie geschreven en Sybille heeft hem uitgekocht, zodat ik het van begin af aan kon overdoen. Ik ben er daarnet achter gekomen dat hij zijn naam op de titelrol wil in plaats van de mijne.'

'Wil de regisseur dat ook?'

'Die stookt het vuurtje op. Hij is er zo een die gewoon niet wil geloven dat een vrouw een fatsoenlijk script kan schrijven. Het grappige is dat hij zelf bijna lijkt te geloven dat die auteur het heeft geschreven.'

'Je ziet er een beetje moe uit,' zegt Katherine.

'Het is een lange maand geweest. Je weet van Graciela, hè?'

Katherine knikt, maar zegt niets. Lee heeft haar verteld wat er in New York is gebeurd, maar het klinkt zo akelig dat ze het er niet over wil hebben. Zeker niet hier, op een feest.

'Lee en ik gaan over een paar dagen naar een yogafestival. Waarom ga je niet mee?'

Stephanie trekt een vies gezicht. 'Wat is een yogafestival in godsnaam?'

'Het is op een mooie locatie in de Sierra Nevada op een hoogte van ongeveer 1500 meter. Je volgt drie of vier lessen per dag bij de beste en beroemdste docenten van het land. En verder kun je er wandelen, zwemmen, naar muziek luisteren. Of gewoon luieren. Bovendien kunnen we dan gezellig met elkaar optrekken. Hoe erg kan het zijn?'

'Ik heb al ruim een maand niet meer aan yoga gedaan,' zegt ze.

'Dan wordt het wel weer eens tijd. Renay en ik proberen Imani ook mee te krijgen. Denk er niet te lang over na, zeg gewoon ja.'

De regisseur en de auteur komen hun kant op. De regisseur is een lange, morsige vent, het type dat denkt dat zijn mannelijkheid afhangt van hoe zelden hij zich wast. Althans, dat is de indruk die Katherine op het eerste gezicht heeft. De schrijver daarentegen is klein en stevig gebouwd, hij duwt zijn borst naar voren en doet denken aan het jongetje dat op het schoolplein probeert de bullebak te zijn. Waarschijnlijk denkt hij dat je niet doorhebt hoe klein hij is als hij maar arrogant en vervelend genoeg is.

De regisseur geeft Stephanie een stomp tegen haar schouder die haar even uit evenwicht brengt. 'Zo, Stephanie,' zegt hij. 'Je was vast verbaasd om onze schrijver hier te zien.'

'Niet echt,' zegt Stephanie. 'Leuk je te zien, Josh. Dat is alweer een tijdje geleden. Hoe gaat het met je nieuwe boek?'

Josh gooit zijn hoofd in zijn nek en laat een luide, van humor verstoken lach horen. 'Ter informatie,' zegt hij met een stem waar de minachting vanaf druipt, 'dat is de enige vraag die je nooit aan een schrijver mag stellen.'

Katherine heeft door haar werk als masseuse een paar schrijvers leren kennen en ze heeft gemerkt dat er altijd iets raars is aan hun houding en gedrag. Van de meeste schrijvers die ze heeft behandeld had ze nog nooit gehoord, maar ze lijken zichzelf te beschouwen als belangrijke persoonlijkheden. Ze heeft de indruk dat ze tevergeefs proberen de glamour die van hun portretfoto's afstraalt te evenaren. Ze zijn vaak lichtgeraakt, waarschijnlijk omdat ze zo hard werken en zo weinig erkenning krijgen. Binnen tien jaar zijn boeken waarschijnlijk toch een curiositeit. Maar ze moet toegeven dat ze sinds Renays suggestie om iedere ochtend tien minuten te lezen al twee romans heeft uitgelezen. En de tien minuten zijn uitgebreid tot een halfuur.

De broekspijpen van deze kerel zijn een paar centimeter te lang en de manchetten van zijn overhemd zijn gerafeld. Toch sprak hij het woord 'schrijver' uit alsof het om iets heiligs ging.

'Niet vragen naar het nieuwe boek,' zegt Stephanie. 'Ik zal het onthouden.'

Katherine weet dat ze haar mond moet houden, maar doordat ze in een slechte bui is en het liefst flink zou willen uitvallen tegen het stel dat misschien haar huis gaat kopen, tegen True, de liegende makelaar, en tegen de verpleegkundige van de kliniek die bevestigde wat ze niet wilde geloven, kan ze zich niet inhouden.

'Ter informatie,' zegt ze. 'Stephanie ís een schrijver. Maar ik neem aan dat je dat weet, want zij heeft het hele script geschreven.'

De twee mannen kijken Katherine verveeld aan, alsof ze veertig minuten tegen hen aan heeft gepraat in een onbegrijpelijke taal.

'Zeg, Stephanie,' zegt de regisseur, 'moet je ons niet voorstellen aan je vriendin?'

Zijn spottende toon geeft een extra lading aan het woord 'vriendin' en er verschijnt een kille blik in Stephanies ogen. Katherine begrijpt meteen dat het de afgelopen twee maanden één lange machtsstrijd is geweest tussen deze twee. Het siert Stephanie dat ze niet toehapt. Ze draait zich om naar Katherine en glimlacht. 'Ik geloof dat je gelijk hebt over dat festival,' zegt ze. 'Het zou leuk zijn om voor de verandering eens aardige mensen om me heen te hebben. Wanneer is het?'

Imani is in gesprek met Millie, die het naïeve jonge ding speelt in de film. Als kind speelde Millie drie seizoenen in een komedie en met deze film probeert ze de stap naar volwassen rollen te maken. Ze vertoont een ongerijmde combinatie van karaktertrekken, wat bij veel voormalige kindsterretjes voorkomt. Ze heeft een hoog piepstemmetje en lispelt een beetje, alsof ze weet dat ze in de hoofden van miljoenen mensen altijd een mollig, al te schattig achtjarig kind zal zijn; maar ondertussen benadrukt haar jurk de borsten die ze heeft laten vergroten om de wereld erop te wijzen dat ze een voluptueuze negentienjarige vrouw is. Zij en de jonge mannelijke hoofdrolspeler hadden een verhouding tijdens de opnameperiode; geheel volgens de traditie maakten ze het één dag voor het einde van de productie uit. Millie kijkt steeds naar hem met een waakzame blik, alleen maar om ervoor te zorgen dat Imani weet hoe de vork in de steel zit.

'James kijkt toch niet naar ons, hè?' vraagt ze.

'Dat kan ik hiervandaan niet zien.'

'God, hij gedraagt zich als een kind.' Ongetwijfeld waar, maar komend van Millie met haar kinderstemmetje is het moeilijk serieus te nemen.

'Hij is nog jong,' zegt Imani.

'Hij is eenentwíntig!' lispelt Millie.

Imani weet dat zij nu eigenlijk een vraag moet stellen over hun 'relatie' zodat Millie kan onderstrepen dat hij weliswaar aantrekkelijk genoeg was om haar aan de haak te slaan, maar dat zíj aantrekkelijk genoeg was om hem te lozen. Maar daar heeft Imani weinig zin in. Sinds Millie haar een paar minuten geleden in een hoek drong, heeft ze Imani overladen met het soort complimenten dat haar het gevoel geeft dat ze een dinosaurus is. 'Ik heb zóveel van je geleerd.' 'Jij was mijn idool toen ik klein was.' 'Het was vast allemaal zó anders toen jij in dit vak begon.'

'Ik moet maar eens op zoek naar mijn man,' zegt Imani. 'Ik zou niet willen dat hij er met iemand anders vandoor gaat.'

'Ik heb hem net even gesproken. Hij is niet het soort man dat ik me bij jou had voorgesteld.'

'Omdat hij blank is, bedoel je?'

Millie deinst achteruit alsof Imani haar heeft aangevallen. 'Is hij blank? Daar heb ik niet op gelet. Of misschien zie ik jou niet als een zwarte vrouw.'

'Doe me een plezier,' zegt Imani. 'Vertel dat niet aan mijn zus Gloria als je haar tegenkomt.'

'Is je zus hier?'

'God, ik hoop van niet.'

Imani weet dat ze te ver is gegaan. Die arme Millie doet haar best. Het is nergens voor nodig om haar slechte humeur op haar te botvieren. 'Sorry,' zegt Imani. 'Mijn zus en ik hebben ruzie. Wat heb je prachtige schoenen aan.'

Helaas laat Millie zich niet zo gemakkelijk paaien. Ze slaat de rest van wat er in haar glas zit achterover en zegt met een verrassend volwassen stem: 'Wat ik eigenlijk wilde zeggen is dat je de geruchten die je misschien zult horen niet moet geloven. Mijn agent is degene die probeert mij boven aan de titelrol te krijgen, niet ik.'

Op dit moment kan het Imani weinig schelen. Als Millies carrière een nieuwe impuls krijgt door de tien minuten dat ze op het scherm te zien is, wenst Imani haar veel succes. Ze ziet Stephanie, Katherine en Renay samen van het eten proeven en ze zwaait naar hen. Glenn is opgeslokt door de menigte. Wat heerlijk om te weten dat hij er nooit vandoor zou gaan – behalve misschien als het ziekenhuis belt.

'Ik ga even met mijn vrienden praten,' zegt Imani. 'En Millie, jouw scènes waren geweldig, goed gedaan. Dat moet je goed beseffen en je moet ervan genieten, wat er verder ook met deze film gebeurt. Geniet overal van en verwacht niets.'

Als Imani zich bij het groepje voegt zegt Renay: 'Was dat dat meisje van die televisieserie?'

'Inderdaad. En wat zijn jullie aan het bekokstoven?'

'We zijn plannetjes aan het maken,' zegt Stephanie.

'Dat zag ik. Waar gaat het over?'

'Lee heeft wat steun nodig op het yogafestival,' zegt Katherine. 'Alan en zijn nieuwe vriendin zijn er ook. Zij is een oude rivale van Lee, van heel lang geleden.'

'Jezus,' zegt Imani. 'Wat is Alan toch een miezerig mannetje. Arme Lee.'

'Ik heb vooral medelijden met die nieuwe vriendin,' zegt Katherine. 'Lee is tenminste van hem af. Behalve die keren dat hij zich weer laat zien.'

'Kyra Monroe is een grootheid in de yogawereld,' zegt Stephanie. 'Een nieuw soort beroemdheden.'

'En Lee dan?' zegt Imani. 'Ze heeft mijn ontspoorde leven op de rails gekregen. Voor mij is zij de echte ster!'

'Des temeer reden mee te gaan,' zegt Stephanie. 'Plus zes uur yoga per dag. Wat is er nou leuker dan dat?'

'Zes uur rust,' zegt Imani.

Renay kijkt naar Katherine en zegt met haar kalme stem: 'O, daar had ik helemaal niet aan gedacht. Kun jij wel zo intensief oefenen?'

Er volgt een ongemakkelijk moment waarop de muziek lijkt stil te vallen en alle gesprekken in de ruimte lijken te verstommen. Het duurt maar een paar seconden en dan keren de pompende bas en het geroezemoes terug. Imani heeft nu een sterk vermoeden over in ieder geval een van de geheimen tussen Katherine en Renay. Renay beseft wat ze heeft gedaan en kijkt beschaamd naar haar voeten. Als Imani Katherine over haar schouder naar Glenn en Conor ziet kijken, die bij de enorme ramen staan, begrijpt ze dat die arme Conor niets weet van deze ontwikkeling. Wat waarschijnlijk betekent dat Katherine nog niet weet of ze de baby wel of niet houdt.

Eigenlijk wil Imani niet naar een yogafestival in de bergen. Ze heeft een hekel aan de bergen. Al dat graniet om haar heen maakt haar onrustig en geeft haar een opgesloten gevoel. En ze is ook niet dol op grote hoogten. Hoe blij ze ook is dat ze zich fitter voelt na een week met Tara, ze weet niet of ze wel klaar is voor een yogamarathon. Maar ze is er ook niet klaar voor om nee te zeggen. Ze zou omringd zijn door haar vriendinnen en ze zou Lee ermee helpen. Als ze naar Renay kijkt en het enthousiasme in haar ogen ziet, aarzelt ze.

'Ik zou Daniel mee moeten nemen,' zegt ze.

Renay springt op haar af en gooit haar armen om haar nek, en Imani weet dat de beslissing al gevallen is.

'Lee, lieverd,' zegt haar moeder. 'Ik moet even met je praten en ik wil niet dat je boos wordt over wat ik ga zeggen.'

'Tja, mam, zo'n opening klinkt niet erg bemoedigend.'

'Zie je wat ik bedoel? Jij vat altijd alles verkeerd op en ik ben nog niet eens begonnen.'

Haar moeder zit op de rand van Lee's bed en slaat haar gade terwijl ze aan het pakken is voor het Flow and Glow Festival. Ze zit met haar benen over elkaar en heeft een glas wijn in de hand. Het is haar tweede glas sinds het avondeten en ze begint een beetje wazig en huilerig te worden, waarbij ze sentimentaliteit afwisselt met dubbelzinnige stekelige opmerkingen. Het enige wat Lee zeker weet (oké, bijna zeker) is dat haar moeder minder wijn zal drinken zodra zij weg is. Ze is misschien niet de stabielste persoon ter wereld, maar als het om de jongens gaat, is ze heel betrouwbaar. Hopelijk.

De wijn en de zorgen over de rechtszaak beginnen hun sporen na te laten op Ellens gezicht. Ze was een mooie vrouw en dat is ze nog steeds, met helderblauwe ogen en haar dat vroeger blond was en nu een mooie zilvertint heeft. Maar ze heeft te vaak in de zon gezeten en haar huid is zo verweerd en gerimpeld als van een golfer of een Kennedy-vrouw.

Lee rolt haar yogakleding strak op zodat ze zo veel mogelijk in haar koffer kwijt kan. Het hotel dat de organisatoren hebben geregeld schijnt te beschikken over een wasmachine, maar ze neemt liever te veel mee dan dat ze bezwete kleren moet dragen.

'Toe maar, mam,' zegt ze. 'Ik wil graag horen wat je te zeggen hebt.'

'Ik weet dat dat niet waar is, maar ik zeg het toch.' Slokje... nog een slokje. 'Ik vind dat je een man moet zoeken.'

'Oké, genoteerd. En verder?'

'Nee, wacht even, Lee. Je bent een jonge, gezonde vrouw en het is niet goed voor je om alleen te zijn. Daar is onderzoek naar gedaan. Zeker als je geen huisdier hebt. Kinderen tellen blijkbaar niet. Dit is de beste tijd van je leven.'

'Het gaat prima, mam. Echt waar.'

'Niet waar. En je bent niet meer zo jong als je denkt, lieverd. Je kansen drogen op.'

Haar moeder had altijd al een bijzondere manier om zich uit te drukken. Helaas niet de vriendelijkste manier.

'Goed, mam, ik doe alles wat je zegt. Zodra ik terug ben ga ik op zoek naar een man. Ik hoop dat mijn kansen niet al in de komende vijf dagen opdrogen.'

'Dat sarcasme is nergens voor nodig. Ik wist al dat Alan een nietsnut was voordat je met hem trouwde, dus ik heb recht van spreken. Had ik maar het lef gehad om het je in die tijd te zeggen.'

Lee hoort de emotie in haar moeders stem. Het laatste wat ze nu wil is dat ze het komende uur haar moeder moet troosten.

'Ik zou toch niet hebben geluisterd, mam. Wat er ook gebeurde, ik was verliefd. We kunnen niet terug in de tijd.'

'Dat weet ik wel. We moeten naar de toekomst kijken. Maar waar het mij om gaat is dat je me moet geloven als ik je vertel dat die architect geïnteresseerd in je is.'

'Dat weet ik, mam,' zegt ze. 'En hij is heel aardig, maar ik voel niets voor hem.'

'Dat komt doordat je hem geen kans geeft. Je denkt toch niet dat ik van je stiefvader hield toen ik met hem trouwde? Ik kreeg de rillingen als Bob me aanraakte, zelfs als zijn hand per ongeluk langs de mijne streek in een restaurant of in de drankwinkel. Maar na verloop van tijd vond ik hem minder afstotelijk. Dus het is allemaal goed gekomen.'

'Ik ben blij dat je gelukkig bent, mam.'

'O Lee, dat is toch geen string die je daar inpakt? Die vind ik zo afschuwelijk. Bob wilde dat ik er een zou dragen, maar hij zat zo ongemakkelijk.'

Er zijn dingen die Lee liever niet van haar moeder wil weten. Ze kan niets verzinnen om het gesprek op een ander onderwerp te brengen, dus zegt ze: 'Als je het echt wilt weten, mam, er is wel iemand in wie ik geïnteresseerd ben.'

'O Lee, ik wist het wel. Wat spannend. Maar beloof me, belóóf me dat het niet weer een yogaleraar is.'

'Eigenlijk is hij dat wel.'

'Was die ene niet genoeg?'

'Alan is een muzikant. Hij was geen yogaleraar.'

'Nou, wat hij ook was, hij was er niet goed in. En ik weet zeker dat deze nieuwe geen vast inkomen heeft, zoals de architect. En ik zou willen dat je wat minder koffiedronk, lieverd. Ik snap niet dat je nog geen maagzweer hebt. Ik zie je nooit zonder koffiemok in je hand.'

Als Lee het zou wagen om de wijnconsumptie van haar moeder ter sprake te brengen, zou dat het begin zijn van een urenlange ruzie. Daarom zegt ze: 'Ik ga deze week stoppen, op de eerste dag van het festival.'

'Zie je, ik wist wel dat je jezelf niet in de hand hebt. Lee, lieverd, ik wilde dat je al die afschuwelijke stretch-pakjes niet zo in balletjes zou oprollen. Het is al erg genoeg dat je ze draagt, maar nu ziet die koffer er ook nog verschrikkelijk deprimerend uit. Ik zou me rot schamen bij de bagagecontrole op het vliegveld.'

'Het is wel zo praktisch,' zegt Lee. 'Ik ben het grootste deel van de tijd aan het lesgeven of oefenen, dus ik heb schone kleren nodig.'

'En nog iets, Lee. Je werkt te hard. Je moet iemand aannemen om je te helpen met al die lessen.'

'Ik doe mijn best, mam. Het is moeilijker om goede mensen te vinden dan ik dacht.'

'Ik weet het. Daarom wil ik dit zeggen – en je moet niet meteen ontploffen.' Haar moeder drinkt haar glas leeg en zet het, na een paar mislukte pogingen, op Lee's nachtkastje. 'Ik vind dat je Lawrence moet vragen om les bij je te komen geven.'

'Kom op, mam. Door Lawrence en zijn seksfeestjes ben je tienduizenden dollars aan proceskosten kwijt.'

'Dat soort uitspraken pik ik niet, Lee, zeker niet van jou. Het waren yogalessen! Die naaktsessies zijn nu heel erg in trek.'

'Ik weet het. Maar ze gingen door tot na middernacht.'

Haar moeder komt wankelend van het bed en slaat haar armen om Lee. 'Ik ben niet gekomen om ruzie met je te maken, lieverd. Ik ben gekomen om je te helpen. Ik wil alleen maar het beste voor je. Ik wil je niet onder druk zetten. Het zou mij ook goed uitkomen als hij in een andere staat zit, maar daar hoef je helemaal geen rekening mee te houden. Ik ben gewoon zo trots op je, en op al je succes.'

Haar moeder wordt sentimenteel, ongetwijfeld het gevolg van de alcohol, maar toch werkt het bij Lee. 'Veel plezier met de jongens,' zegt Lee. 'Ze zijn gek op je en ze zijn dolblij dat je hier bent. En bel me als je iets nodig hebt.'

Ellen recht haar rug en droogt haar tranen. 'Je moet je nu alleen maar op jezelf concentreren. Voor één keer, alleen op jezelf, Lee. Ik weet hoe belangrijk dit festival voor je is, dus je moet alle andere dingen van je afzetten en voor één keer alleen denken aan wat jij nodig hebt. Dat zal je helpen. Het draait allemaal om jou, lieve schat.' Ze kijkt in Lee's koffer en haalt er een witte mousseline blouse uit die Lee vorige week heeft gekocht. 'O Lee, zou dit niet heel leuk staan bij de rok die ik gisteren droeg? Misschien moet je hem hier laten. Je wilt toch niet dat hij vies wordt in de bergen?'

Deel vier

Conor brengt Lee en Katherine met zijn pick-uptruck naar het vliegveld. Katherine heeft zich op een van de klapstoeltjes geperst en Lee zit in de passagiersstoel.

'Je had mij daar moeten laten zitten,' zegt ze tegen Katherine. 'Je zit niet erg gemakkelijk, zo te zien.'

'Jullie zijn allebei van kauwgum,' zegt Conor. 'Dit is een goede oefening voor het festival. En ik had jullie best naar Reno willen brengen. Dan had ik een paar dagen in de casino's kunnen rondhangen terwijl jullie aan het zweten waren.'

'Vergeet het maar, meneer Roodhaar,' zegt Katherine. 'Ik laat jou niet in je eentje door Reno dwalen. Ze noemen het niet voor niets het ordinaire jonge zusje van Las Vegas.'

Lee weet dat dat een grap is. Conor is waarschijnlijk de betrouwbaarste man die Lee ooit heeft ontmoet. Soms vraagt ze zich af of Katherine misschien liever had dat hij iets minder betrouwbaar was. Vergeleken met haar andere mannen is Conor niet bepaald een uitdaging. Vanmorgen vroeg heeft ze al haar papiertjes met aantekeningen verzameld – voor zover ze ze kon vinden – met het plan om ze in het vliegtuig door te nemen. Pas nu realiseert ze zich dat het dan te laat is om er nog iets aan te doen als ze iets is vergeten. In zekere zin geeft het rust om te weten dat ze nu geen problemen meer kan oplossen. Het enige wat ze kan doen is op het vliegtuig stappen en vertrekken. Haar aantekeningen voor de lessen zijn bijna klaar en ze gaat ervan uit dat ze in het hotel nog wel een paar uur heeft om de puntjes op de i te zetten. Na alle aarzelingen en twijfels begint ze nu opgewonden te raken. Duizenden yogi's bij elkaar, de beste leraren van het land, muziek. Ze begrijpt eigenlijk niet meer zo goed waarom ze überhaupt twijfelde. Met een beetje geluk heeft ze tijd om zelf een paar lessen te volgen. Misschien niet die van Kyra, maar er zijn minstens tien leraren naar wie ze al jaren benieuwd is.

Ze is klaar voor het Flow-gedeelte, klaar om te vloeien. Wat de Glow, het gloeien, betreft, weet ze het nog niet zo zeker. Dat hangt van David af.

Graciela zit in het achtertuintje van haar moeders huis in Duarte te wachten tot haar moeder naar buiten komt, zodat ze haar naar het winkelcentrum kan brengen. Ze zit te roken. Het is hier te warm in de zon en de droge wind, maar ze schaamt zich ervoor dat ze deze slechte gewoonte weer heeft opgepakt en als ze op de veranda rookt, moet ze het commentaar van haar moeder over zich heen laten komen.

Ze heeft niet te klagen over haar moeder. De grootste verrassing is dat ze zo aardig is sinds Graciela weer bij haar is ingetrokken. Toen Stephanie haar in Duarte afzette, rende haar moeder haar op de stoep tegemoet en sloeg haar armen om haar heen. '*Mi bébé, mi bébé*,' mompelde ze onophoudelijk, terwijl ze met haar knokige vingers Graciela's haar streelde.

Graciela heeft haar moeder niet in detail verteld wat haar in New York is overkomen. Ze kan er met niemand over praten. Het doet nog te veel pijn. Ze kan de herinnering alleen in losse flarden verdragen. Aan haar moeder heeft ze verteld dat Daryl haar kwam opzoeken en dat er een ongeluk is gebeurd dat hem het leven kostte. Het feit dat haar moeder geen enkele blijk geeft van nieuwsgierigheid en niet heeft doorgevraagd, wijst erop dat ze wist dat er meer aan de hand was, maar dat Graciela daar niet over kan praten. Ook na het bezoek aan de kapper met Stephanie is haar haar nog een rode vlag, een teken dat er iets gewelddadigs en angstaanjagends is gebeurd. De blauwe plekken op haar gezicht en nek vervagen inmiddels, maar toen ze aankwam in Duarte waren ze nog goed zichtbaar. Haar haar groeit wel weer aan, haar gezicht zal genezen, maar ze weet dat ze deze gebeurtenis altijd met zich mee zal dragen, dat haar leven in die kleine hotelkamer voorgoed is veranderd.

In de eerste week hier heeft Graciela niet veel meer gedaan dan opgekruld in bed liggen, trillend en bang voor het licht. Ze slaapt nog steeds onvoorstelbaar veel, meer dan ze fysiek voor mogelijk had gehouden, maar ze weet dat ze op een keerpunt is gekomen. Iedere dag ontwaakt er iets nieuws in haar, nieuwe gevoelens die ontkiemen als tere plantjes. Er komen ook herinneringen naar boven. Herinneringen aan de verschrikkingen, natuurlijk, maar steeds vaker ook aan prettige momenten.

Ze kan die herinneringen niet bewust oproepen, ze verschijnen vanzelf, als associatie bij een geur of een gevoel. Laatst sneed ze zich terwijl ze haar moeder aan het helpen was met het snijden van groenten voor een stoofpot. Ze zoog op haar vinger en de smaak van haar bloed bracht duistere beelden op haar netvlies, zo scherp en levensecht dat ze in de woonkamer moest gaan liggen tot haar ademhaling weer normaal was. Haar moeder was binnengekomen, had zachtjes de luxaflex gesloten en de deur dichtgedaan, alsof ze het begreep.

Vannacht heeft ze over Jacob gedroomd. Ze lagen naast elkaar in hangmatten terwijl een warm briesje hun lichamen streelde en toen ze wakker werd, verlangde ze zo hevig naar hem dat het bijna pijn deed. De droom had natuurlijk te maken met de zwevende yogales die ze samen hadden gedaan. Die middag. Die laatste middag, die een eeuwigheid geleden lijkt.

In het begin was ze zo verdoofd dat ze niet eens aan Jacob dacht, maar toen ze vanochtend wakker werd, met die droom nog zo vers in haar geheugen, herinnerde ze zich dat ze hem die middag zou bellen. De middag dat Daryl voor haar neus stond. Zou hij enig idee hebben wat er is gebeurd? Heeft hij geprobeerd met haar in contact te komen? Heeft hij het hotel gebeld? Er waren geen berichten voor haar achtergelaten. Haar telefoon heeft ze die middag dat Daryl haar naar het hotel sleurde in een afvalbak weten te gooien. Ze wist dat hij hem zou hebben aangezet en al haar berichten zou hebben gecontroleerd. Ze had haar enige kans op redding bij het vuil gegooid en ze weet nog steeds niet waarom ze dat deed, waarom ze er zo van overtuigd was dat ze straf verdiende.

Er wordt op de achterdeur geklopt en als Graciela naar het huis kijkt ziet ze dat haar moeder probeert de deur te ontgrendelen. Ze drukt haar sigaret uit in de aarde en loopt naar de deur om hem open te doen.

'Ben je klaar, mam?'

Haar moeder kijkt nors. 'Ik zat op jou te wachten,' zegt ze. 'Ik heb niet de hele dag de tijd.'

'Dan gaan we,' zegt Graciela en ze pakt haar moeder bij de arm om haar naar de auto te brengen.

'Je ruikt naar sigaretten,' zegt haar moeder. 'Waarom doe je jezelf dat toch aan? Wat er ook aan de hand is, het is het niet waard.'

Als ze bijna bij het Mount Pleasant Vista-winkelcentrum zijn – een minder toepasselijke naam hadden ze niet kunnen kiezen – zegt Graciela: 'Ik wil iets moois voor je kopen, mam. Laten we naar die boetiek in het centrum gaan waar je zo graag komt.'

'Die is dicht,' zegt ze. 'Geef mij Target maar.' Dan legt ze haar hand teder op Graciela's arm. 'Hou jij je geld maar, bébé. Je hebt er hard voor gewerkt. Ik heb geen mooie jurken meer nodig. Koop er maar een voor jezelf.'

Ze helpt haar moeder een winkelwagentje te halen bij Target en dan loopt ze naar binnen, met grote tegenzin vanwege de reusachtige afmetingen van het winkelcentrum en de wetenschap dat haar moeder waarschijnlijk minstens een uur kwijt zal zijn met het kopen van dingen die ze niet nodig heeft en nooit zal gebruiken. Ze loopt langs de filialen vol sportschoenen en lelijke rokken en cadeaus die zijn gemaakt om weg te gooien. Als ze het logo van haar telefoonmaatschappij ziet, staat ze abrupt stil en voelt ze iets zo krachtig aan haar trekken dat ze er geen weerstand aan kan bieden.

De winkel is helemaal leeg maar Graciela vindt de steriele zakelijkheid op de een of andere manier troostend. Ze ziet een vaag beeld van de hangmat uit haar droom en voelt de warmte van Jacobs lichaam tegen haar huid. Ze loopt naar de balie en een meisje met een rond gezicht kijkt op van een stukgelezen pocket: *Gone with the Wind*. De aanblik van dat ouderwetse boek tussen al die moderne apparaten brengt voor het eerst in lange tijd een glimlach op Graciela's gezicht.

'Kan ik je ergens mee helpen?' vraagt het meisje.

'Ik ben mijn telefoon kwijt,' zegt Graciela. 'Al heel lang. Ik vroeg me af... als ik een nieuwe koop, kan ik dan nog steeds mijn oude berichten afluisteren, als die er zijn?'

Het meisje kijkt Graciela verward aan, alsof ze de vraag niet begrijpt.

'Ik bedoel de berichten die zijn ingesproken toen ik hem al kwijt was.'

'Ja, dat begrijp ik. Natuurlijk kun je je oude berichten afluisteren,' zegt ze. 'Dit gebeurt zo vaak.'

'Ja, dat had ik zelf ook wel kunnen bedenken,' zegt Graciela. 'Kun jij me dan helpen een nieuwe telefoon te kiezen?'

Het meisje legt een pen in het boek en slaat het dicht. Ze komt met een diepe zucht van haar stoel en zegt: 'Daar ben ik voor.'

Imani hoort maar de helft van het telefoongesprek dat Renay met haar moeder voert, maar dat is genoeg om precies te weten wat Gloria zegt.

'Het is maar voor een paar dagen, mam. Het is geen religie; het is een sport. Ik weet dat ik daar niet van hield, maar misschien ga ik het nu leuk vinden. Het is niet alleen voor blanken, mam. Ik kan niet meteen iemand noemen, maar kijk maar naar India. Nee, Imani zegt dat lang niet iederéén mager is. En wat maakt dat trouwens uit? Omdat het een stuk beter klinkt dan Harriet, daarom. Bovendien noemt iedereen haar zo. En raad eens wie er meegaat? Becky Antrim. Natúúrlijk die Becky Antrim. Ze is een vriendin van Imani en ze is heel aardig. Oké, wacht even.'

Renay kijkt Imani verontschuldigend aan en geeft haar haar mobiel. 'Ze wil met jou praten.'

Imani weet dat ze hoe dan ook naar het festival gaat en dat ze Renay hoe dan ook meeneemt. Het enige wat ze in dit gesprek moet doen is haar zus ervan doordringen dat alles goed zal gaan. Het gaat hier niet om winnen of verliezen.

'Ik weet dat je dit doorzet, wat ik ook zeg,' zegt Gloria, op een veel kalmere toon dan Imani had verwacht. 'Waar of niet?'

'Het is een geweldige kans voor Renay. Ze is nog nooit in de bergen geweest.'

'O, en ik wel dan?'

'Ik begrijp niet goed wat dat ermee te maken heeft.'

Gloria zucht. 'Je hebt gelijk. Het heeft er niets mee te maken. Is Renay bij je?'

'Ja.'

'Kun je even naar een andere kamer gaan waar ze je niet kan horen?'

Imani loopt naar buiten en gaat bij het zwembad zitten. Het is een warme middag en er staat een droge wind die haar het gevoel geeft dat ze weer in Texas is. Ze probeert niet aan Texas te denken, maar er zijn dagen, als het zulk weer is en de lucht droog en stoffig is, dat ze het huis waar ze is opgegroeid verschrikkelijk mist. Niet dat ze ooit terug zal gaan of dat ze daar nou zo gelukkig was, maar soms verlangt ze naar die vertrouwde wereld – waarschijnlijk is dat niets anders dan een verlangen naar haar moeder.

'Ik ben buiten,' zegt Imani. 'Wat is er?'

Gloria haalt diep adem en zegt zachtjes: 'Weet je nog dat ik je vertelde dat Renay wat problemen had op school? Nou, dat is niet de hele waarheid.'

'Dat dacht ik wel. Ze heeft zo'n tien boeken gelezen sinds ze hier is, dus dat van die leerproblemen leek niet erg geloofwaardig.'

'Ik heb nooit gezegd dat ze niet slim was, Harriet. En geloof het of niet, ik kan ook lezen en schrijven.'

'Maar wat was er dan aan de hand?'

'De hele waarheid is dat we hebben ontdekt dat ze seks had met haar vriendje.'

Wat een anticlimax! Imani is niet van plan Gloria te vertellen dat ze op haar vijftiende haar maagdelijkheid verloor en dat ze wel weet wat de valkuilen zijn op dit vlak, maar dat het nou ook weer niet wereldschokkend is. 'Ik weet dat het niet ideaal is,' zegt Imani. 'Maar je gaat me toch niet vertellen dat dat de reden is dat je haar naar L.A. hebt gestuurd?'

'We hebben haar naar L.A. gestuurd omdat ze geen voorbehoedsmiddelen gebruikte.'

'Ik begrijp niet...'

'Ze is zwanger geraakt, Harriet.'

Imani kijkt naar binnen, waar Renay heen en weer loopt met haar nieuwe rolkoffer, bijna alsof het een speeltje is. Meer dan ooit ziet ze eruit als een klein meisje. 'Ze is nog een kind.'

'Inderdaad, ze is een kind. En haar vriendje ook.'

Imani kijkt nog een keer naar binnen en denkt aan de brede lakleren riem om Renays smalle taille. 'Maar nu is ze niet meer zwanger?'

Gloria begint te huilen. Als Gloria huilt maakt ze hetzelfde zachte, hijgende geluid als hun moeder vroeger deed en het doet Imani denken aan het afschuwelijke jaar waarin hun moeder overleed aan kanker. Het was de enige keer dat Gloria en zij zich sterk met elkaar verbonden voelden en Imani was zo dom om te denken dat dit een doorbraak was in hun relatie en dat deze hechte band zou blijven bestaan.

'Nee,' zegt Gloria. 'Nu niet meer. We hebben er met z'n allen over gepraat, we hebben er ruzie over gehad, we hebben advies ingewonnen. Uiteindelijk heeft de familie van haar vriendje ervoor gezorgd dat hij uit haar buurt bleef.' Ze hijgt nu wat luider. 'Het was haar beslissing.'

'Waarom heb je me dit niet eerder verteld?' vraagt Imani.

'Ik kon het niet,' zegt Gloria. 'Na wat jou was overkomen. Je miskraam is nog niet eens twee jaar geleden.'

'Maar waarom heb je haar dan weggestuurd? En dan ook nog om voor Daniel te zorgen?'

'Ik weet het niet. Ik had tijd nodig om over alles na te denken. Ik was bang dat ik kwetsende dingen tegen haar zou zeggen. Als ik naar haar keek, zag ik iemand die ik niet kende. Het idee dat ze zoiets kon doen. Hoe kon ze, Harriet?'

Binnen heeft Renay de koffer losgelaten en nu speelt ze met Daniel. Imani is blij dat Renay er voor haar niet anders uitziet dan een paar minuten geleden. Ze weet niet of Gloria het heeft over het feit dat haar dochter seks heeft gehad of dat ze ervoor heeft gekozen om de zwangerschap af te breken. Waarschijnlijk een soort mix van die twee.

'Ze is pas vijftien,' zegt Imani. 'We doen allemaal ons best, Gloria. Al gaande kiezen we ons pad en daarbij maken we fouten. Maar we doen ons best.'

'Je bent toch niet boos op me?' zegt Gloria. 'Dat ik haar naar jou heb gestuurd? Je hebt geen idee hoe dankbaar ik ben dat je haar onder je hoede hebt genomen, Harriet. Ik ben alleen zo bang dat je me maar een zielenpoot vindt. Je hebt geen idee hoe het is. Iedereen vraagt altijd naar jou, iedereen zegt hoe prachtig je bent. En ik weet dat ze gelijk hebben. Ik ben trots op je, maar soms ben ik het zo zat. Daarom zeg ik soms dat soort dingen.'

'Misschien is het een troost dat ik het ook wel eens zat ben,' zegt Imani.

'Tja, dat is dan jammer voor je. Misschien heb je er af en toe genoeg van, maar jij krijgt tenminste wel al die aandacht. Ik krijg niets. Pas je goed op haar bij dat yoga-gedoe?'

'Natuurlijk, dat weet je toch.'

'Ja, dat weet ik. Maar beloof me één ding, oké?'

'Zeg het maar.'

'Regel een handtekening van Becky Antrim voor me. Op een van haar foto's, als het kan. Daar krijg je een fortuin voor op eBay.'

Graciela zit op een bankje voor het winkelcentrum, kijkt aandachtig naar haar nieuwe telefoon en steekt een sigaret op. Nadat ze was gestopt zwoer ze dat ze nooit meer zou beginnen, ook al roken vrijwel alle mensen met wie ze het afgelopen jaar is opgetrokken. Het wordt bijna verwacht van dansers en ze was er altijd trots op om de uitzondering te zijn. Wat zou Lee zeggen als ze haar zag roken? Niets, waarschijnlijk, maar op de een of andere manier zou ze Graciela laten weten dat ze voor haar klaarstond als ze wilde stoppen. Ze rookt nog maar een paar weken, maar ze merkt nu al dat ze sneller en vaker buiten adem is. Gek genoeg geniet ze een beetje van de pijn die ze in haar borst voelt als ze te diep inhaleert. Die pijn is gemakkelijker te verdragen dan die andere pijn die niets met haar longen te maken heeft.

Ze kijkt op haar horloge. Met een beetje geluk is haar moeder over ongeveer twintig minuten klaar bij Target. Ze draait de telefoon om en om in haar hand. Ze weet dat alles zal veranderen als ze de berichten afluistert, maar ze weet niet precies hoe. Het meisje in de winkel heeft de telefoon aangezet. Ze voelt hem zwaar in haar hand liggen en verwacht half dat hij gaat rinkelen.

Uit haar ooghoek ziet ze dat bij het andere uiteinde van het bankje een tienermeisje naar haar staat te kijken. Ze kijkt op en het meisje gaat behoedzaam zitten, zo ver mogelijk bij haar vandaan. Het is een grappig, bleek kind met benen die zo mager zijn dat Graciela nauwelijks kan geloven dat ze haar kunnen dragen. Haar haar zit in een knotje op haar hoofd. Kan het zijn dat ze, net als Lyle (die naam roept een afschuwelijk beeld op van een hotelkamerdeur die opengaat), Graciela herkent van haar optredens met Beyoncé? Ze werpt voortdurend steelse blikken op Graciela en uiteindelijk zegt ze: 'Mag ik misschien een sigaretje van je bietsen?'

Niet precies wat Graciela had verwacht.

'Ben je niet wat te jong om te roken?'

Het meisje fronst haar wenkbrauwen. Ze heeft veel te veel oogschaduw op. Zonder die make-up zou ze mooi zijn. 'Ik probeer af te vallen,' zegt ze.

'O meid,' zegt Graciela. 'Niet doen. Je bent al zo mager en je maakt alleen maar je lichaam kapot. Over twintig jaar doen je gewrichten pijn en rijst je hartslag de pan uit. Ik heb het zien gebeuren. Het is het niet waard. Je bent zo mooi!'

'Moet jij zeggen. Jij zit ook te roken.'

'Dat is tijdelijk en ik probeer te stoppen.'

Het meisje laat haar hoofd zakken en kijkt vanuit haar ooghoeken naar Graciela. 'Heb je kanker?'

'Wat is dat nou voor vraag? Nee, ik heb geen kanker.'

'Sorry, maar... je haar.'

Graciela strijkt met haar hand over de stoppels op haar hoofd. 'Ik heb een ongeluk gehad,' zegt ze. 'Het groeit wel weer aan. Weet je, waarschijnlijk voel je je een stuk beter als je iets eet in plaats van te roken.'

Het meisje neemt haar van top tot teen op. Ze heeft die rare, priemende blik die meisjes met anorexia soms hebben, alsof ze proberen in te schatten in hoeverre je een bedreiging bent voor hun gevaarlijke, zo gekoesterde ziekte.

'Ik ben danseres,' zegt het meisje. 'Ik moet dun blijven. Ze mogen op school niet tegen ons zeggen dat we moeten afvallen, maar de dunste meisjes krijgen altijd de beste rollen. Zo gaat het nou eenmaal. Je hebt geen idee.'

'Ballet?' vraagt Graciela. Nu begrijpt ze het knotje beter.

Het meisje knikt.

'Inderdaad. Ik heb geen idee.'

'Ik haat mijn school. Ik haat de directeur. Alle andere meisjes zijn trutten. En ik vind roken vies.'

'Misschien moet je iets anders gaan doen naast het dansen.'

'Dat kan niet,' zegt het meisje. 'Ik dans veel te graag. Ik voel me heerlijk als ik dans. Het is gewoon een deel van me.' Het meisje schuift wat dichter naar Graciela toe. 'En? Mag ik een sigaret of niet?'

Opeens krijgt Graciela een ingeving.

'Weet je wat?' zegt ze. 'Ik geef jou een sigaret als jij iets voor mij wilt doen. Ik heb mijn voicemail al heel lang niet afgeluisterd en ik wil weten of er berichten zijn, maar ik kan er nu eigenlijk niet naar luisteren.'

'Door dat ongeluk?' vraagt het meisje.

'Zoiets, ja. Ik wil graag dat jij voor mij luistert, me vertelt van wie ze zijn en wat de strekking is, en ze dan wist. Wat vind je van dat voorstel?'

'Klinkt goed.'

Graciela geeft haar de telefoon, opgelucht dat ze het ding niet zelf meer hoeft vast te houden. Ze zegt wat haar wachtwoord is en geeft het meisje een sigaret. Terwijl ze hem voor haar aansteekt zegt het meisje: 'Je bent populair. Vijftien nieuwe berichten. Moet ik de datum en tijd zeggen?'

Graciela's keel zit zo dicht dat ze geen antwoord kan geven. Ze schudt haar hoofd.

'De eerste is van Jacob. Hij zit in het restaurant en wil weten of alles in orde is. De tweede is ook van hem. Waar je blijft. Hij begint ongerust te worden.'

Graciela kijkt nauwlettend toe terwijl de rode nagels van het meisje elk beluisterde bericht verwijderen. Haar laatste kansen om Jacobs stem te horen verdwijnen een voor een.

'Nu zegt hij dat hij naar huis gaat. Dat je hem op z'n minst had kunnen bellen om te vertellen dat je van gedachten bent veranderd. Hij klinkt boos. Is het je vriend?'

'Nee, niet mijn vriend. Niet echt.'

Graciela heeft het onbehaaglijke gevoel dat dit vreemde meisje alles begrijpt, misschien wel beter dan zijzelf. Tijdens het luisteren blijft ze Graciela aankijken.

'Deze is van iemand die Stephanie heet. Ze zegt dat ze je al een tijdje probeert te bereiken...'

'Laat maar,' zegt Graciela. Het meisje kijkt haar met grote ogen aan alsof ze zich zorgen om haar maakt. Waarschijnlijk zijn er een heleboel berichten van Stephanie. 'De berichtjes van Stephanie kun je verwijderen. Die hoef je niet af te luisteren.'

'Oké. Wauw. Ze heeft wel heel vaak ingesproken. Dat zijn er geloof ik zeven achter elkaar. En dit is er weer een van Jacob. Hij is in Saint...'

'Saint Louis.'

'Hij zegt dat hij het niet begrijpt. Hij zegt... hij zegt dat hij van je houdt en vraagt zich af waarom je hem dit aandoet. Hij zegt dat hij dacht dat je anders was. Weet je zeker dat ik alle berichten moet afluisteren?'

'Als je het niet erg vindt. Ik wil het graag weten.'

'Waarom heb je hem niet gebeld?' vraagt het meisje.

'Vertel me maar gewoon wat er nog meer op staat.'

'Nog een paar van Stephanie.' Het meisje legt haar hand op Graciela's knie. Het lijkt alsof ze op het punt staat in tranen uit te barsten. 'Het is Jacob weer. Hij zegt dat hij je niet meer zal bellen.' Nu huilt het meisje echt, zo hard dat ze de sigaret op de grond laat vallen. 'Hij zegt... hij zegt dat je egoïstisch bent en dat hij je nooit meer wil zien. Hij zegt dat je zo niet met mensen omgaat. Hij vertrouwde je...' Het meisje zet de telefoon uit en gooit hem naar Graciela. 'Waarom heb je hem niet gebeld? Waarom deed je zo gemeen? Hij hield van je.'

'Dat weet ik. En ik hield ook van hem. Maar ik kon hem niet bellen.' Doordat het meisje zo hard huilt kan Graciela zelf niets voelen. Ze legt haar arm om de smalle, benige schouders van het meisje. 'Het geeft niet,' zegt ze. 'Niet huilen. Soms heeft het gewoon niet zo moeten zijn. Niet alles wat perfect lijkt, is dat ook. Soms moet je dingen loslaten.'

'Maar je kunt hem nu toch bellen?'

'Nee, dat kan niet. Er is te veel gebeurd. Ik kan het niet meer terugdraaien.'

Het meisje recht haar rug en schuift iets bij Graciela vandaan. 'Wat was dat voor ongeluk?' vraagt ze botweg, alsof Graciela haar het verhaal verschuldigd is. En misschien is dat ook wel zo.

'Ik was ook een danseres,' zegt Graciela. 'Of misschien ben ik dat nog steeds. Maar geen ballet. Ik zal het je vertellen als ik een ijsje voor je mag kopen.'

'Ik eet geen ijs,' zegt het meisje en dan vermant ze zich en veegt haar gezicht af, waarbij ze haar oogschaduw uitsmeert. '*Frozen* yoghurt vind ik wel lekker.'

'Afgesproken,' zegt Graciela.

Katherine doet de luxaflex in haar slaapkamer open en zet verbaasd een stap naar achteren. Voor haar ontvouwt zich een weids uitzicht: bergtoppen die grijs en paars afsteken tegen het oogverblindende blauw van de hemel en, daaronder, een strook dennengroen. Lee en zij zijn de vorige avond laat aangekomen en het enige wat ze konden zien was een donkere horizon en de hemel die violet kleurde.

Katherine kan zich niet herinneren dat ze ooit eerder op zo'n mooie plek is geweest. Haar twijfels over het festival, haar verdriet over het huis, haar gemengde gevoelens over de zwangerschap smelten allemaal weg bij deze aanblik. Ze doet het raam open en snuift de koude, schone lucht op. Ergens in de verte hoort ze heel zacht tromgeroffel en een accordeon die een bitterzoet Frans walsje speelt. Het lijkt wel een droom.

'Ik wil hier nooit meer weg,' zegt ze hardop.

Ze trekt een lang T-shirt aan, een van de shirts die Conor haar vlak voor vertrek gaf, en loopt naar het keukentje en de woonkamer van hun suite. De inrichting is rustiek en houdt het midden tussen luxe en de oubolligheid van een skihut, maar of het haar smaak is of niet, het is duidelijk dat Lee door de organisatoren van het festival flink in de watten wordt gelegd.

Ze klopt zachtjes op de deur van Lee's slaapkamer. Er komt geen antwoord, dus ze doet de deur open en gaat op het bed zitten. 'Wakker worden, juffrouw Lee. Het is een prachtige dag in het paradijs.'

Lee trekt een kussen over haar gezicht en kreunt. 'Hoofdpijn,' zegt ze.

Katherine masseert haar voet onder de dekens. 'Misschien door de hoogte,' zegt ze. 'We zitten op ongeveer achttienhonderd meter.'

'Ik denk dat het komt doordat ik sinds twaalf uur gistermiddag geen koffie heb gehad. Ik ben aan het afkicken.'

'Denk je dat dit daarvoor de beste omgeving is?' Katherine denkt meer aan Alan en Kyra dan aan de bergen.

'Ik hoop het wel.'

'Aspirine?'

'Ik denk niet dat die hoofdpijn lang aanhoudt. Het gaat vast wel over als ik opsta. Bovendien herinnert de pijn me eraan waarom ik geen koffie moet drinken.' Ze haalt het kussen van haar gezicht. 'Over vijf minuten ben ik klaar. Ik moet naar een lerarenbijeenkomst.'

'Ik ga ergens wat te drinken halen,' zegt Katherine. 'Ik zie je zo.'

Het festival is neergestreken in een groot skigebied en hun hotel staat aan de voet van de berg. Ooit zijn hier de Olympische Winterspelen gehouden en vanaf de zijkant van het hotel leidt een paadje naar een soort alpendorpje met een overvloed aan winkels en restaurants. De hele omgeving heeft die bijna buitenaardse sfeer die Katherine kent van de paar skioorden waar ze is geweest, alsof een stukje van het surrealistische Disney World op een gletsjer naar deze majestueuze bergen is gesleept. Het is na achten en er lopen nog niet veel mensen rond, alleen een paar lange vrouwen met wijde broeken en dikke truien, met de zelfverzekerde houding die ze ook vaak in de studio ziet. Dat krijg je vanzelf als je je lichaam goed kent en er zelfs van houdt. Het zijn ongetwijfeld leraren, want het festival begint pas morgen.

Ze loopt een klein cafeetje binnen waarvoor een schoolbord staat met de tekst ASANA-ONTBIJT. Dat blijkt een dure variant van de Egg McMuffin te zijn – met avocado in plaats van bacon en een prijskaartje van 8,99. Ze bestelt een jus d'orange voor zichzelf en voor Lee iets wat de Groene Spoeler heet: sla, wortels, spinazie, boerenkool, komkommer en gember. Een hele moestuin. Lee kan wel wat hulp gebruiken bij het ontgiften, zeker als ze ieder moment haar lieve ex tegen het lijf kan lopen.

Katherine gaat buiten aan een tafeltje zitten dat half in de schaduw van de gebouwen staat en neemt kleine slokjes van haar sinaasappelsap. Het was een wonderlijk tafereel op het vliegveld van Reno: een wanordelijke groep haastige gokkers stond met een sigaret in de hand over de speelautomaten in de hal gebogen en daartussendoor liepen yogi's uit alle hoeken van het land, gekleed in leggings en lange vesten, met yogamatten over de schouders. Ze zag er een aantal op blote voeten – aanstellerig maar toch ook schattig. God, wat hou ik hiervan, dacht ze. Ze had zin om hun voorbeeld te volgen, maar ze houdt niet van zwemmerseczeem.

Lee en zij hebben een auto gehuurd en Katherine ging achter het stuur zitten. Ze waren gewaarschuwd voor de kronkelende bergweg die vooral 's nachts gevaarlijk kan zijn.

'Conor heeft me rijles gegeven,' zei ze tegen Lee. 'Ik vind het geen probleem om te rijden.'

Op de moeilijke stukken deed ze alsof Conor naast haar zat om haar aan te moedigen en haar ervan te overtuigen dat het goed zou gaan. Zodra ze in bed was gestapt, pakte ze haar telefoon om hem te vertellen dat ze zwanger is, maar iedere keer dat ze zijn nummer intoetste stopte ze halverwege. Maar nu wil ze graag zijn stem even horen.

'Vergeet het maar, het bereik is ontzettend slecht in dit deel van het dorp.'

Ze draait zich om en glimlacht naar de man aan het tafeltje naast haar. 'Goed dat ik het weet,' zegt ze. 'Ik zat toch al te twijfelen of ik moest bellen.'

'Probleem opgelost,' zegt hij. Hij knipoogt en steekt zijn hand uit. 'Ik ben Jake. Ben je hier voor het festival?'

'Iedereen toch?'

Dat blijkt grappig te zijn. 'Nee, hoor. Sommigen van ons wérken hier, dame. Laat ik het zo zeggen,' hij wijst naar de cabine, die als een luchtballon langs de bergwand omhoogglijdt, 'als jij ergens blijft steken in dat ding, ben ik een van degenen die op hun kop krijgen.'

'In dat geval hoop ik maar dat je heel goed bent in je werk.'

'Ik ben ongelooflijk goed.'

Jake is een man met een verweerde huid en een flanellen overhemd, onmiskenbaar een skifanaat die een manier heeft gevonden om zijn leven op de berghellingen te kunnen doorbrengen. Hij is een stuk fitter dan de types waar Katherine voor viel voordat ze haar leven omgooide en Conor ontmoette, maar zijn woeste, lichtelijk arrogante blik heeft iets vertrouwds. Ze vraagt zich af wat het toch is dat ze nog steeds zo aantrekkelijk vindt aan dit soort mannen. Ze zijn onbetrouwbaar, zelfingenomen en onverantwoordelijk. Bovendien zijn ze meestal zo met zichzelf bezig dat ze teleurstellen in bed. Misschien is het de illusie dat je ze kunt veranderen of ze op zijn minst onder de duim kunt krijgen en ze een lesje kunt leren.

Door hem beseft ze maar weer eens hoe blij ze is met Conor. Aantrekkelijk? Ja, dat moet ze toegeven. Maar niet verleidelijk.

'Ik ben nog nooit in zo'n ding geweest,' zegt Katherine. 'Ik ben geen skiër.'

'Dit weekend zul je wel moeten. De helft van de lessen wordt op de top gegeven.'

Jake heeft zich getooid met cowboy-accessoires, waaronder laarzen en een strakke, vale spijkerbroek. Ze durft te wedden dat hij uit een keurige Californische buitenwijk komt, of misschien uit zo'n rijke jachthavenstad in Maine.

'Dat zal vast een mooi uitzicht opleveren,' zegt Katherine.

'Op basis van wat ik tot nu toe heb gezien,' zegt hij met een knipoog, 'weet ik wel zeker dat het uitzicht prachtig zal zijn dit weekend.'

Ze moet lachen om deze opmerking, zo doorzichtig en afgezaagd dat het iets charmants heeft. En dan, doordat de berglucht haar een beetje roekeloos en lichtzinnig maakt, slaat ze met haar hand op zijn dijbeen en zegt: 'En dat is voor mij het teken om te vertrekken, Jake. Ik moet deze naar een vriendin brengen. Ze heeft hoofdpijn. Misschien zie ik je nog.'

'Daar zorg ik wel voor.'

Lee staat helemaal achter in de tent en kijkt uit over het grasveld en de bergen. Op het podium staan een stuk of tien yogaleraren, en de meeste zijn zo beroemd dat er een rilling van opwinding door Lee gaat, net zoals er een rilling door haar heen ging toen Imani voor het eerst Edendale binnenkwam met Becky Antrim in haar kielzog. En trouwens ook de eerste keer dat Imani alleen naar Edendale kwam. Er waait een stevige, frisse wind door de tent, die het doek laat rimpelen en klapperen. Door het kabaal en het feit dat de geluidsinstallatie, waaraan wel wat gesleuteld zou mogen worden, steeds hapert, kost het Lee moeite de welkomsttoespraken te volgen. Maar de strekking begrijpt ze wel.

'Jullie zijn er allemaal en wij zijn net zo blij om... als we hopen dat jullie... hier in deze glorieuze...'

Er staan ongeveer honderd mensen onder de overkapping en voor zover ze kan zien, zijn het vooral leraren. Ze ziet een paar bekende gezichten uit studio's in L.A. die ze heeft bezocht, en een paar van wie ze vrij zeker weet dat ze ze heeft gezien in *Yoga Journal*. Maar of het nu leraren of vrijwilligers zijn, het is duidelijk dat ze allemaal intensief aan yoga doen: nergens zijn gebogen schouders te zien.

'... jullie je lessen willen geven, wij staan klaar met... en alle... Maar de leerlingen vinden het prettig als je meer natuurmetaforen gebruikt dan normaal. Zo help je de geest van de...'

De spreker, de beruchte Krishna O'Reilly, als Lee het goed heeft gehoord, stopt met praten en rent naar de jongen die aan de knoppen zit. Met een rood aangelopen gezicht geeft hij de arme knul ervan langs en dan klinken de woorden 'schoppen we je eruit' luid en duidelijk door de boxen.

'Dat probleem hebben we blijkbaar opgelost,' zegt hij en het publiek applaudisseert.

De jonge vrouw naast haar zegt: 'Ik heb me net opgegeven voor een van je lessen. Morgenochtend.'

'Dank je wel,' zegt Lee. 'Ben je zelf lerares?'

'Nog niet. Ik denk erover om me aan te melden voor een docentenopleiding, maar ik heb nog geen keuze gemaakt. Ik ben hier als vrijwilliger.'

'Kom je uit L.A.?'

'Chicago. Een vriendin van me zei dat ik mijn sprankeling terug moest krijgen en het leek me een goed idee om te beginnen met een heleboel yoga in de bergen en nachtenlang dansen. Ik zou eerst naar het Burning Man-festival in Nevada gaan, om me onder te dompelen in de hippiesfeer, maar ik heb een heel droge huid, dus ik zag op tegen een verblijf in de woestijn.'

'Ik hoop dat de les je bevalt.'

'Dat weet ik wel zeker. Ik heb geprobeerd me voor ongeveer zes andere lessen in te schrijven, maar die waren allemaal vol, dus was allang blij dat ik ergens terechtkon. En maak je geen zorgen, ik heb geen hoge verwachtingen.'

Ze zegt dit op zo'n oprechte toon, zonder enige kwaadaardigheid, dat Lee begint te lachten, ook al wordt haar hoofdpijn daar erger van. 'Heel verstandig. En wie weet, misschien overtref ik je verwachtingen wel.'

De vrouw, die waarschijnlijk begin twintig is en een roze gezicht heeft met een kort jongensachtig kapsel, opent een groene boodschappentas en haalt er een map met papieren uit. 'Als ik je eerder had ontmoet, had ik me meteen voor jouw les opgegeven. Je hebt een heel prettige energie. Hier zijn de inschrijvingslijsten. We moeten iedereen bij binnenkomst afvinken.' Ze bladert door de papieren, waarvan de meeste vol staan met namen in piepkleine lettertjes, tot ze de naam van Lee vindt. 'Voor je eerste les heb je tot nu toe drieëndertig aanmeldingen.' Ze knikt naar de grote sterren op het podium. 'Zij hebben er honderden, maar weet je, Baron Baptiste is zo vaak op tv geweest, dus dat was te verwachten. Van een paar van de vrijwilligers die hier vaker zijn geweest heb ik gehoord dat het heel slecht voor je carrière is als de tent leeg blijft bij je lessen. Het gaat rond als een lopend vuurtje en dan sta je te boek als impopulair. Drieëndertig is niet zo heel slecht. Als de mond-tot-mondreclame goed is, komen er wel meer.'

Het is nooit bij Lee – of bij Lainey, blijkbaar – opgekomen dat lesgeven op het festival ook averechts zou kunnen werken.

Krishna O'Reilly stelt de grote publiekstrekkers voor en bij iedere naam barst er een luid applaus los. Lee heeft een beetje leedvermaak als het geluid net op tijd wegvalt voor de introductie van

Kyra, maar dan springt Kyra zo geestdriftig uit haar stoel dat Lee zich laat meesleuren en hard begint te klappen. Kyra is mooier dan Lee zich haar herinnert. Ze draagt een witte yogabroek die eruitziet alsof hij op haar lichaam is gestikt, en een hemdje met lange mouwen en een diepe, ronde hals, in een tint die zo dicht in de buurt komt van haar huidskleur dat het lijkt alsof ze topless is. Misschien zijn die blonde highlights iets te veel van het goede, maar als ze haar haar over haar schouder zwiept, is het effect tamelijk spectaculair.

Hoe haalt ze het in haar hoofd om iets met Alan te beginnen?

'Ik ben dol op Kyra,' zegt het meisje met de papieren. 'Ze heeft zo'n mooi aura. Helemaal nu ze priesteres is geworden. Ik heb gehoord dat ze een relatie heeft met een onwijs knappe man. Een heel goede muzikant. Hij speelt met een band in haar lessen. Heb jij ook livemuziek?'

'Helaas niet. Tenzij zich iets aandient.'

'Je moet iets proberen te regelen. Op de laatste dag geef je les in de grote tent. Misschien trekt dat meer mensen. Je hebt... zevenendertig aanmeldingen voor die les.'

'Hoeveel mensen kunnen erin?'

'Driehonderd. Vierhonderd als ze ook mensen buiten neerzetten.'

Lee's hoofdpijn wordt weer heviger. 'Vierhonderd mensen?' En zij heeft maar zevenendertig inschrijvingen?

Als de bijeenkomst is afgelopen, loopt Lee snel naar achteren om een sms'je naar Lainey te sturen: **Wat doe je me aan? Ik hoop maar dat je plannetje niet verkeerd uitpakt.** Als ze opkijkt ziet ze dat Kyra naar haar toe komt. De wind blaast haar haar in haar gezicht.

'O mijn god, Lee,' zegt ze. Ze geeft Lee een stevige, naar geraniums geurende omhelzing. 'Ik vond het zo leuk om te horen dat je kwam. Ik dacht dat je niet van dit soort evenementen hield, dat je alles liever kleinschalig hield.'

Misschien is het de geur van de geraniumolie of misschien komt het doordat de gevreesde ontmoeting nu eindelijk daar is, maar Lee voelt iets van de spanning wegebben. Uiteindelijk is Kyra gewoon een van de vele leraren, en als ze niet goed was, zou ze hier niet zijn.

'Ik zit vol verrassingen,' zegt Lee.

Kyra lacht. Het is die hoge, melodieuze lach die iemand gebruikt als hij weet dat hij in de gaten wordt gehouden en luchthartig wil overkomen. 'Ik wil er alleen maar zeker van zijn dat je je niet ongemakkelijk voelt, Lee. Daar is geen enkele reden voor. Ik weet dat we heel erg van elkaar verschillen, maar we hebben waarschijnlijk meer met elkaar gemeen dan je denkt. Alan heeft me een keer je huis laten zien en ik vond dat je het heel smaakvol had ingericht. Echt waar, ik had niet verwacht dat ik het zo mooi zou vinden. Dat bankje in je studeerkamer, zo schattig!'

'Eerlijk gezegd is dit misschien niet het beste moment om het hierover te hebben. Ik ben gestopt met koffiedrinken en heb nogal hoofdpijn.'

'Aha, dat verklaart het,' zegt Kyra. 'Toen ik je zag, was ik bang dat je niet in orde was. Ik wil alleen maar zeggen, als je ooit problemen met het huis hebt, laat het me dan weten. Ik zou het heel graag kopen. Dan zouden de kinderen er kunnen blijven en hoeven ze niet mee te maken dat er een onbekende komt wonen. Dat kan traumatisch zijn.'

'Dat is aardig van je,' zegt Lee.

Kyra wordt door een fan meegetroond en Lee loopt het felle licht in. Hoewel de zon op haar huid brandt, is de lucht nog koel en er hangt een zoete dennengeur. Ze kijkt op naar de berg en ziet de cabine naar het steilste deel van de helling klimmen. Vanuit deze hoek lijkt het alsof hij tegen de rotswand te pletter zal slaan. Maar hij stijgt op en verdwijnt over de top van de berg.

De smalle wandelstraatjes van het dorp beginnen vol te stromen met mensen en er hangt een sfeer van gespannen verwachting. In kleine tentjes worden stalletjes ingericht met verkoopwaar. Sponsors. Dit alles is niet wat ze voor zich zag toen ze met haar opleiding bezig was op Long Island, maar als dit de toekomst is, zal ze zich moeten aanpassen.

Ze voelt een tikje op haar schouder, maar voordat ze zich kan omdraaien worden er twee handen voor haar ogen geslagen. 'Raad eens?' hoort ze.

Ze hoeft niet te raden. Sinds het moment dat ze hier aankwam heeft ze gewacht op de stem van dt.

Het was Becky's idee om met een huurbusje naar het Flow and Glow Festival te rijden in plaats van te vliegen en Stephanie heeft de volle zeven uur achter het stuur gezeten. Becky rijdt snel en onrustig en begint als ze geanimeerd aan het praten is met haar handen te gebaren, Imani is onzeker en rijdt vaak gevaarlijk lang-zaam, en Renay heeft geen rijbewijs. Stephanie voelt zich een bui-tenstaander als chauffeur, alsof ze een ingehuurde kracht is, maar ze geniet ook van het feit dat zij de leiding heeft en van het land-schap dat voorbijglijdt. Volgens haar gps is het huis dat ze hebben gehuurd nog twintig minuten rijden en ze zitten al zo lang op el-kaar gepropt dat iedereen zo vlak voor aankomst een beetje lache-rig wordt.

'Als het huis verschrikkelijk blijkt te zijn, is het niet mijn schuld,' zegt Becky. 'Een van de vrienden van Chelsea die hier in de winter vaak komt heeft het me aanbevolen. Op de foto's zag het er mooi uit, maar je weet nooit.'

'We zijn toch het grootste deel van de tijd op het festival,' zegt Imani. 'Als we alleen maar in het huis zouden blijven hangen, had-den we net zo goed een logeerpartijtje bij jou kunnen houden, Becky.'

'Ik heb het artikel over je huis gelezen in *Architectural Digest*,' zegt Stephanie, en meteen daarna realiseert ze zich dat ze daar-door klinkt als een fan in plaats van een vriendin.

'Ik weet zeker dat jullie de lessen waarvoor ik ons heb opgege-ven geweldig zullen vinden,' zegt Becky. 'Ik heb aan heel wat touw-tjes moeten trekken om nog op het laatste moment toegelaten te worden. In vier dagen tijd komen bijna alle grote namen uit het wereldje voorbij.'

Imani en Renay zitten op de achterbank met Daniel in zijn autostoeltje tussen hen in. Stephanie heeft Imani betrapt op een liefdevolle blik richting haar nichtje, alsof er in de afgelopen twee weken, na afloop van de opnameperiode, een grote ommekeer heeft plaatsgevonden. Zelfs Renay ziet er mooier en ontspannener uit.

Becky zit voorin. Ze heeft het raam opengedraaid en haar beroemde haar wappert in de wind. Becky is niet alleen oogverblindend mooi, ze ruikt ook lekker, alsof ze zich heeft ingesmeerd met citroenen en pioenrozen. Tijdens hun laatste plas-en-tankpauze wenkte ze Stephanie naar de zijkant van het tankstation, waar ze haar vroeg of ze samen met haar een jointje wilde roken.

'Ik moet rijden,' zei Stephanie.

'Ik begrijp het,' antwoordde Becky, terwijl ze diep inhaleerde. 'Maar als je moe wordt, zeg je het maar. Ik vind het heerlijk om te rijden als ik high ben. Ik raak helemaal van de wereld en doe alsof ik een vliegtuig bestuur. Zeker als we in de bergen zijn.'

'Ik laat het je wel weten.'

'En luister,' zei Becky. 'Ik heb gehoord dat er gedoe is over de credits voor de film, maar daar hoef je je geen zorgen over te maken. Als het nodig is, tellen ze het aantal woorden en zo te horen sta je sterk. Ik ken een heleboel mensen die je hiermee kunnen helpen. Die regisseur gedraagt zich als een verwend kind dat zijn zin niet krijgt.'

'Hij gedraagt zich al van begin af aan als een verwend kind,' zei Stephanie. 'Ik weet niet wat hij tegen me heeft.'

Becky nam nog een flinke haal van haar joint, zo krachtig dat hij met vloei en al leek te veranderen in een gloeiend kooltje.

'Een van de voordelen van yoga is dat mijn longcapaciteit veel groter is geworden. Waar hadden we het over?'

'Rusty Branson, de regisseur.'

'O ja. Ik heb begrepen dat hij een vrouwenhater en een homofoob is. Een homoseksuele vriend van mij, die in zijn eerste film speelde – ontzettend overschat, overigens, naar mijn bescheiden mening – zei dat Rusty op een glibberige manier met hem aan het flirten was. Dus, wie weet...'

Stephanie haalde onverschillig haar schouders op. Wat ze wilde vragen was waarom Becky een verband legde tussen haar en Rusty's homofobie.

De weg kronkelt zich nu omhoog en na een lange bocht zien ze het uitgestrekte meer voor zich, met zijn surrealistische, staalblauwe en groene fonkelingen, omringd door bergen. Geen van hen is ooit eerder in de Sierra Nevada geweest en ze oeh'en en ah'en alsof ze naar vuurwerk kijken. Zelfs Becky, die zo'n beetje alles heeft gezien, is onder de indruk. Dan volgt een nieuwe bocht en verdwijnt het meer uit het zicht.

'Dat was nog eens een goede teaser,' zegt Becky.

'Het is het op één na diepste meer van het land,' zegt Stephanie. 'En een van de grootste. Het water is zo helder, dat je meer dan honderd meter diep kunt kijken.'

'Je hebt je huiswerk goed gedaan,' zegt Imani.

'Ik ben dol op landkaarten en weetjes,' antwoordt Stephanie. 'Ik zal mijn mond maar houden, want als ik eenmaal bezig ben...'

Een paar minuten later draaien ze een steile oprijlaan op en rijden ze door de schaduw van geurige dennenbomen. De lange oprijlaan brengt hen naar de oever van het meer en vervolgens naar het huis. Zodra Stephanie het busje stil heeft gezet, springt Becky eruit. 'Sorry,' zegt ze. 'Het is kleiner dan ik dacht.'

Renay is al de steiger op gerend en staat nu naar het water te joelen.

'Ik denk dat dat betekent dat ze het mooi vindt,' zegt Imani.

Ben je al eens eerder op het Flow and Glow Festival geweest?' vraagt Lee aan David.

Daar moet hij om lachen. 'Nee!' zegt hij zo fel dat het bijna lijkt alsof ze hem ergens van heeft beschuldigd. 'Dit is nou niet bepaald een omgeving waar ik me thuis voel, Lee. Ik ga mijn eigen weg en hier is alles wel heel erg gericht op het grote publiek.'

Moet ze daaruit opmaken dat hij echt alleen is gekomen om haar te zien?

Ze slenteren over het festivalterrein, en nu steeds meer verkopers hun stalletjes aan het opbouwen zijn en de straatjes door het nep-alpendorpje steeds drukker worden, krijgt het echt de sfeer van een groot evenement. Op de hoek staan straatmuzikanten te spelen en een groep meisjes op blote voeten en in lange rokken danst vrolijk op hun muziek. De vrijwilligster met wie ze op de bijeenkomst aan de praat raakte heeft zich weliswaar alleen maar voor haar les opgegeven omdat ze geen keus had, ze heeft haar wel herkend en Lee kan niet ontkennen dat ze het een spannende gedachte vindt dat er misschien wel meer zijn die haar herkennen.

In de verte staat een enorme witte tent, die scherp afsteekt tegen de bruine bergen, en er zo massief uitziet dat hij meer weg heeft van een fabriekssloods. 'Ik heb gehoord dat er ongeveer driehonderd mensen in die tent kunnen,' zegt David. 'Ik zou niet weten hoe ik met zo'n grote groep moet omgaan. Het heeft meer weg van een optreden dan van lesgeven.'

Drie mensen gekleed in renaissancekostuum lopen hen voorbij en laten een spoor van belgerinkel en hasjwalmen achter. Een van hen heeft een hoepel met linten in de hand die ze hoog boven haar hoofd laat ronddraaien. Nee, niet een omgeving waar David, of zij, zich thuis voelt.

'Ik kwam er net achter dat ik in die tent les moet geven,' zegt ze. 'Ik ben er niet blij mee. Het lijkt wel een stadion.'

'Dan hebben ze blijkbaar vertrouwen in je,' zegt David. 'Geniet er maar van. Doe alsof je Kyra Monroe bent.'

'Heb jij wel eens een les van haar gevolgd?' vraagt Lee.

'Niet echt mijn stijl. Iets te flitsend naar mijn smaak.'

'Ze heeft een relatie met mijn ex-man,' zegt ze. Was dat bedoeld om zijn medelijden te wekken of om te voorkomen dat David van gedachten verandert en zich alsnog bij de groupies van priesteres Kyra voegt?

'Dan gaat het bergafwaarts met je ex,' zegt hij.

'Ik heb haar net gesproken. Ze is aardiger dan ik me haar herinner, ook al zei ze dat ik er belabberd uitzie.'

Alweer moet David lachen. 'Je wilt maar niet begrijpen dat je een intimiderende verschijning bent. Je straalt aan alle kanten waardigheid uit.' Hij zet een stap dichterbij en omhelst haar, maar heel kort en op een vriendschappelijke manier. 'Het is alsof je iemand in de spiegel zijn eigen onechtheid laat zien. Waarschijnlijk denkt Kyra Monroe dat je haar doorziet en dat vindt ze verschrikkelijk.'

'Zie je mij zo? Denk je dat ik je beoordeel?' vraagt ze.

'Natuurlijk niet. Dan zou ik hier niet zijn.'

Verwarring vindt ze het allerergste gevoel dat er bestaat, en dat is precies wat David bij haar oproept. Hij is aardig tegen haar en vleit haar, maar ze weet niet goed wat hij daarmee bedoelt. Hij heeft een aantrekkelijke, jongensachtige manier van doen, maar daardoor lijkt het ook alsof hij met haar speelt.

'Waarom ben je eigenlijk hier, David?'

Hij haakt zijn arm in de hare en zegt: 'Dat heb ik je al verteld. Ik ben hier voor jouw les. Als je wilt kunnen we even naar die tent lopen, zodat je weet waar je aan toe bent.'

Lee begint te geloven dat David haar nooit een ondubbelzinnig antwoord zal geven en dat het misschien maar het beste is om geen vragen meer te stellen.

Over een pad door een grasveld met wilde bloemen lopen ze naar de tent. Doordat de tent aan alle kanten open is, blaast de wind die van de berg komt er dwars doorheen. Het formaat is van dichtbij nog afschrikwekkender en het dak is minstens vijftien meter hoog. Ze weet niet welke gedachte ze enger vindt, dat ze voor een groepje van zevenendertig mensen zal staan die in deze enorme ruimte volledig zullen verdwijnen, of dat ze voor vierhonderd man zal staan.

Op het podium is iemand bezig met een soundcheck en op de achtergrond hoort ze de klanken van een harmonium en gitaren die worden gestemd. 'Het ligt niet aan mij,' zegt iemand in de microfoon. 'Zijn g is te laag en ik ga pas repeteren als dat verholpen is.'

Een van de dingen die ze altijd pijnlijk vond als ze aanwezig was bij een repetitie van Alan en zijn band, was dat hij altijd anderen de schuld gaf als het niet zuiver was. Sommige dingen veranderen blijkbaar niet. Hij staat aan de zijkant van het podium en draagt een wit kostuum waarin hij eruitziet als een kruising tussen een goeroe en een verpleger op de eerste hulp.

'Laten we nog één soundcheck doen,' zegt een andere stem.

'Nee, sorry,' zegt Alan. 'Kyra, kom hier.'

Vanachter het podium komt Kyra tevoorschijn en Lee ziet dat zij en Alan bij elkaar passende kleding aanhebben. 'Als Alan zegt dat hij zuiver is, dan is dat zo, jongens. Los het maar op.'

David trekt Lee tegen zich aan en zegt zachtjes: 'Leuk stel.'

Net op dat moment ziet Kyra hen staan en begint ze enthousiast te zwaaien. Ze loopt naar een van de microfoons en zegt: 'Wat vind je van deze tent, Lee? Mooi, hè?'

'Prachtig,' roept Lee. 'Ik weet niet zeker of ik zoveel ruimte nodig zal hebben maar we zullen zien.'

Alan groet halfhartig vanaf het podium en gaat dan af, ongetwijfeld om in het geheim zijn te lage g te stemmen.

'Het wordt vast fantastisch,' zegt Kyra in de microfoon. 'Ze wilden je een kleinere ruimte geven voor je laatste les, maar ik heb erop aangedrongen dat ze je deze tent zouden geven. Mijn les volgt direct op de jouwe, dus Alan en ik zijn van plan om erbij te zijn. En als het te druk is kijken we vanaf de zijkant mee.'

Ze beschut haar ogen met haar hand. 'Alan heeft me niet verteld dat je een vriend had. Kom even hier, zodat ik kennis kan maken. Hij ziet er leuk uit. Dat is toch niet David Todd?'

'Sorry,' zegt Lee zachtjes.

'Er zijn wel ergere dingen over me gezegd,' antwoordt David. 'Laten we maar even naar haar toe gaan, dan kan ik mijn kleinkinderen in ieder geval vertellen dat ik haar heb ontmoet.'

Katherines eerste les de volgende ochtend is een Sunrise Flow boven op de berg. Ze staat voor vijven op zodat ze het voorgeschreven aantal minuten kan lezen in het boek dat Renay haar vorige week heeft gegeven. Aangezien dit een soort vakantie is zou ze even vrijaf kunnen nemen, maar ze is gehecht geraakt aan het ritueel. Ze heeft ontdekt dat lezen vergelijkbaar is met yoga: je treedt een andere wereld binnen met zijn eigen personages en problemen en uitdagingen, en neemt afstand van de dagelijkse beslommeringen. Als je terugkomt heb je nieuwe informatie – flintertjes, zijn het maar – die je denken begint te veranderen, ook al had je niet door dat je die informatie oppikte.

Renay kiest de boeken heel slim uit. Ze zijn niet te moeilijk en gaan over problemen en ervaringen die Katherine herkent – afkicken van een verslaving, de valkuilen van het hebben van een eigen huis; een van de boeken ging zelfs over een masseur. Maar Katherine weet niet of het boek waar ze nu mee bezig is haar wel zo aanspreekt. Het gaat over een jonge vrouw die twee dagen nadat haar man haar heeft verlaten voor een andere vrouw, een hond vindt die door iemand bij de supermarkt is achtergelaten. De vrouw is zo'n tragische figuur die zichzelf steeds naar beneden haalt en die arme hond is zo getraumatiseerd dat Katherine iedere keer dat het over hem gaat ineenkrimpt van ellende.

Als ze opstaat heeft ze het draaierige gevoel in haar maag dat ze de afgelopen paar weken al eerder had. Ochtendmisselijkheid, vermoedt ze, maar lang niet zo erg als ze van andere vrouwen hoort. De verleiding is groot om op internet te onderzoeken wat het zou kunnen betekenen, als het al iets betekent, maar tot nu toe heeft ze er niet aan toegegeven. Ze wil dit niet reëler en emotioneler maken dan nodig is. Ze heeft zo lang drugs en alcohol gebruikt, in die duistere, afschuwelijke periode van haar leven, dat ze zich nauwelijks kan voorstellen dat haar lichaam een gezonde baby zou kunnen voortbrengen. 'Dat soort dingen kunnen ze allemaal onderzoeken,' zei Lee. Maar in veel gevallen kan dat pas als het al te laat is, en tegen die tijd heeft ze iemand anders belast met haar eigen verkeerde keuzes. Alleen al die concrete gedachte aan 'iemand anders' geeft haar een onbehaaglijk gevoel.

Ze pakt haar mat, haar waterfles en een tas met een paar t-shirts, handdoeken en het boek. Vandaag mag ze de hele dag yoga doen, een vooruitzicht waarvan ze meteen opknapt. Bijna zes uur lang hoeft ze alleen maar te denken aan balans en ademhaling.

De hemel begint lichter te worden in het oosten, maar het is nog steeds ijskoud buiten. In de smalle straatjes krioelt het van de opgewekte, slaperige mensen gekleed in een vreemde combinatie van weinig verhullende yogapakjes, wanten en grote bontmutsen die eruitzien als berenkoppen.

Het is tijd voor het circus en zij houdt wel van een goede act op het hoge koord. Bij het basisstation van de kabelbaan gaat ze in de rij staan wachten tot ze aan boord kan. Ze kijkt vluchtig om zich heen om zich ervan te verzekeren dat haar gretige vriend van gisteren er niet is. Jake. Het laatste wat ze nu in haar leven kan gebruiken is een cowboy-skifanaat genaamd Jake.

Als iedereen is ingestapt, is de cabine zo vol dat ze schouder aan schouder staan en de matjes tegen elkaar botsen. Een dunne jongen met puistjes verkondigt dat hij Robert heet en 'onze bestuurder' is. Dat is geen geruststellende mededeling. Maar de cabine komt geruisloos en vlot in beweging, en Katherine kijkt ademloos naar het landschap terwijl de grond onder hen wegzakt. Binnen enkele seconden zijn de huisjes van het dorpje piepklein geworden en zweeft de cabine in de ijle, frisse lucht.

Om haar heen wordt gesproken over wie gisteravond welke beroemde leraar heeft gezien.

'Ik zweer dat Baron Baptiste gisteren aan het tafeltje naast het mijne zat en volgens mij at hij een hamburger.'

'Ik hoorde van iemand dat Shiva Rhea vlak voor zonsopkomst op haar balkon stond te dansen.'

'Denk je dat Duncan Wong oogschaduw opheeft? Ik stond gisteren vlak bij hem. Hij is zo sexy.'

Katherine staat bij het achterraam en kijkt naar het meer dat plotseling zichtbaar is geworden in de verte, als een flonkerende smaragd. Conor zou dit prachtig vinden, zegt ze in zichzelf.

'Hé, mensen,' hoort ze, 'kan het even stil zijn?'

Die stem herkent ze meteen: Alan. Die afschuwelijke, nasale klank en die wanhopige pogingen daar wat mannelijkheid in te leggen, zou ze overal herkennen. Ze draait zich om en daar staat hij, voorin, meedogenloos knap, met zijn arm om Kyra. Ze dragen allebei witte katoenen kleding en Kyra heeft een voileachtige sjaal over haar haar. Wat zal ze morgen aanhebben, een nonnenhabijt?

'We zijn met zo'n zestig, zeventig man,' zegt hij. 'Als we nou eens met z'n allen inademen en een collectief "om" laten horen?'

Het is verbazend waar mensen toe bereid zijn als ze opgesloten zitten in een kleine ruimte en iemand de leidersrol op zich neemt. Binnen een paar seconden is de cabine gevuld met de stemmen van zeventig mensen die unisono aan het 'om-en' zijn. Katherine voelt de trilling diep vanbinnen en omdat ze zich niet volledig buitengesloten wil voelen doet ze mee.

Als ze klaar zijn wordt er hier en daar nerveus gegiecheld en dan zegt Alan: 'Dank jullie wel, yogi's en yogini's. Dat had ik even nodig.'

Maar natuurlijk, het draait allemaal om hém.

'En mag ik een applaus voor mijn mooie vriendin, priesteres Kyra Monroe? Als er iemand is die zich nog niet voor haar lessen heeft opgegeven, ik heb het schema hier. Alleen zijn ze allemaal al vol, mensen, dus veel geluk met het bemachtigen van een plaatsje.'

Kyra is een hooghartige, mooie vrouw die je met een aura van welwillendheid aankijkt, alsof het een gunst is dat je haar schoonheid mag aanschouwen. Ze staat naast Alan met een wazige blik in haar ogen en Katherine vraagt zich af hoe het mogelijk is dat bijna niemand door haar façade heen prikt. Priesteres? Waarom niet meteen godin?

Bij het uitstappen deelt Alan flyers uit en als hij Katherine ziet, fronst hij zijn wenkbrauwen en schudt zijn hoofd: 'Lee en jij doen nog steeds alles samen, zie ik. Hoewel ik gisteren zag dat ze je heeft laten vallen voor die rat, David Todd. Vervelend voor je, Kat.'

Dus David Todd is hier wel. Raar dat Lee dat niet tegen haar heeft gezegd.

'Mooie "om", Alan. Dat was de eerste keer dat ik je zuiver hoorde zingen.'

Op de bergtop liggen een zwembad en een schaatsbaan, wat de hele koude wereld hierboven een sfeer van buitensporige decadentie geeft. Haar les vindt plaats op een plankier met uitzicht op het meer en de witte stipjes van de gebouwen beneden. De lerares komt uit San Francisco, Katherine heeft nog nooit van haar gehoord, maar Lee heeft haar aangeprezen als een degelijke, serieuze yogini. Er liggen maar ongeveer twintig mensen op hun matjes op het plankier en het maakt een wat treurige indruk. Ze ziet honderden mensen een tent achter het zwembad binnengaan voor een les van Taylor Kendall, een beroemde leraar die vooral bekend is vanwege zijn seksuele metaforen en wonderbaarlijke borstspieren.

Katherines lerares kijkt naar haar groep en glimlacht.

'Een klein groepje,' zegt ze, 'maar wel een select groepje.'

Katherine is een beetje duizelig van de hoogte. De top is bijna drieduizend meter hoog. Ze voelt haar hartslag versnellen als ze bezig zijn met de zonnegroet, maar tegelijkertijd krijgt ze meer zekerheid. Niet zozeer over haar eigen leven, maar wel over het feit dat ze niet zal toelaten dat Alan en Kyra Lee in de val lokken. Ze kan geen twee miljoen ophoesten om haar eigen huis te kopen maar ze kan er wel voor zorgen dat de les van Lee vol zit zodat zij in dat van haar kan blijven wonen.

Onderweg naar het festival in het busje zag Stephanie de rivier die langs de weg liep, een brede strook snelstromend water met mensen in kajaks die dobberden op de golven. Toen ze nog eens goed keek besefte ze dat de oevers van de rivier bezaaid waren met mensen in badpak die op de rotsen yogahoudingen deden, met diep gebogen ruggen en uitgestrekte ledematen.

'Het kan niet ver meer zijn,' zei ze. 'Moet je kijken.'

'Zullen we even stoppen om te kijken?' vroeg Renay.

'Laten we opschieten,' zei Becky. 'Ik wil niets missen.'

Nu slenteren ze door de straatjes van het alpendorpje en hebben ze nog een halfuur voordat hun eerste les begint. De drukte in de steegjes doet Stephanie denken aan een reis die ze als kind met haar familie naar Marokko maakte. Ze doolde met haar broer en ouders dagenlang door de medina's van Marrakech en Fez, waar ze dekens, djellaba's, leren pantoffels met gekrulde tenen, lange capes en andere spullen kochten waarvan ze zich later, meteen na het uitpakken, realiseerden dat ze ze nooit zouden gebruiken.

Maar wat ze hier ziet doet niet onder voor Marrakech. De verkopers zijn minstens even agressief en hun koopwaar is zo mogelijk nog nuttelozer. En onweerstaanbaarder. En, al met al, niet zo heel anders dan wat ze zich van Marokko herinnert: lange capes, zonderlinge, slappe hoeden, leren riemen vol spijkers en gespen en ijzerwerk, en een eindeloze hoeveelheid rokken en jurken van repen jersey en chiffon met een schots en scheve onderkant.

Er zijn een heleboel accessoires en parafernalia die kunnen worden ingedeeld in de subcategorie 'sprookjesprinses': zilveren capes, vleugels met pailletjes en nepbont, verenboa's en allerlei soorten toverstokken, halo's, kronen en met nep-edelstenen bezette hoepels. Een groep jonge vrouwen danst in deze prinsessen-outfits door het dorp. Ze huppelen, blazen bellen, zwaaien met hun toverstokken en roepen spreuken naar elkaar. Op de een of andere manier zal Stephanie dit in haar volgende script verwerken. Als ze tenminste de discipline kan opbrengen om zich daar weer eens aan te zetten.

'Mooie dames,' roept een van de verkopers, 'kijk eens naar deze jurken.'

Grappig dat je weet dat ze alleen maar bezig zijn je iets aan te smeren en dat je toch geen weerstand kunt bieden. Imani kijkt op haar horloge en dan lopen ze het kraampje van Matra-Mia in.

'Deze kleding is echt fantastisch,' zegt de verkoopster. 'Alles is ontworpen door een vrouw uit de hippiegemeenschap Bolinas en elk kledingstuk is uniek. De ontwerpen zijn ingenieus: afhankelijk van hoe je ze aantrekt, kun je er nonchalant, formeel of uitdagend uitzien. Je zult ook een heleboel mensen yoga zien doen in deze kleding.'

Becky houdt een jurk voor haar volmaakte lichaam. Stephanie weet niet of ze de jurk sexy vindt of dat hij er eigenlijk uitziet alsof de kat zijn nagels erin heeft gezet.

'Stevie Nicks is niet dood,' zegt Becky.

Ze draagt een zonnebril en een bandana die ze op een ingewikkelde manier om haar hoofd heeft gebonden om haar beroemde haar te verbergen. Toen ze het terrein op reden, haalde ze een lippenstift tevoorschijn en bracht ze die aan op een subtiele maar effectieve manier, waardoor haar mond en tot op zekere hoogte haar hele gezicht er anders uitzagen. Hoewel ze niet onherkenbaar is, gaat ze op in de grote groep prachtige vrouwen die hier rondlopen.

Maar als ze haar mond opendoet, kijkt de verkoopster haar argwanend aan.

'Op de een of andere manier zie ik me hier niet in lopen,' zegt ze.

'Ach, kom op,' zegt Stephanie. 'Jij kunt alles aan.'

De verkoopster staat nu aan de andere kant van het kraampje en is diep in gesprek met een meisje dat eruitziet als haar blonde tweelingzus.

'En je moet niet meteen kijken, maar ik geloof dat ze je ondanks je masker van lippenstift hebben herkend.'

'Eigenlijk wilde ik hem toch niet,' zegt Becky. 'Renay en Imani, laten we gaan.'

Tegen de tijd dat ze de jurk hebben teruggehangen heeft zich voor het stalletje een groepje mensen verzameld, die hun best doen er nonchalant uit te zien, voor zover je er nonchalant uit kunt zien terwijl je je iPhone in de aanslag houdt om een foto te maken. Becky slaat haar arm om Stephanie op een half vriend-schappelijke, half wellustige manier.

'Stuur me een kopietje van die foto,' zegt ze.

'Je kunt hem zelf bekijken op TMZ,' roept iemand.

'Dit is de beste manier om publiciteit te genereren voor je film,' zegt Becky. 'Als je eenmaal weet hoe het werkt, is het zo gemakkelijk om de pers te manipuleren. En zo leuk!'

Ze zijn op weg naar een les in een van de hotels. De leraar heet Lenny Hogan en het is algemeen bekend dat hij door yoga een heel scala aan drugs- en alcoholproblemen heeft overwonnen. Hij is niet jong meer en hoewel hij heel goed is, zou je hem niet aanzien voor een atleet, met zijn grijze haar en zijn logge, middelbare lichaam. Stephanie hoort al jaren mensen over hem praten en ze vindt zijn verhaal inspirerend, gezien haar eigen worsteling met alcohol.

De ruimte, met het hoge plafond en de glaswand die uitzicht biedt op de bergen, is bomvol en het is er warm. Becky en zij zoeken een plekje voorin, dicht bij een open deur waar wat frisse lucht naar binnen waait, en Imani en Renay installeren zich achterin.

Becky spreidt haar mat uit, knikt naar de deur, knipoogt en verdwijnt. Typisch Becky om een joint te roken voor een les die wordt gegeven door een afgekickte verslaafde. Lenny is met een paar assistenten de geluidsinstallatie aan het testen. Af en toe komt er een flard luide classic-rock uit de boxen. Gaan ze echt yoga doen op Jefferson Starship? Aan de andere kant van de zaal ziet ze Katherine staan en ze wenkt haar.

'Ik wist niet dat je je ook voor deze les had opgegeven,' zegt Stephanie.

'Je dacht toch niet dat ik met mijn verleden deze man wilde missen?' zegt Katherine. 'Ik wil je na de les even spreken. We moeten iets verzinnen om Lee te helpen.'

Als Becky terugkomt, nog aanbiddelijker dan anders met een idiote grijns op haar gezicht, klinkt uit de boxen Crosby, Stills, Nash and Young en zit Katherine weer op haar mat.

Lenny is bezig met zijn inleidende praatje.

'Dit is de muziek waar ik in mijn jeugd naar luisterde, terwijl ik gebogen zat over een hasjpijp, coke aan het snuiven was of erger. En als ik later deze muziek weer hoorde, ging ik in gedachten terug naar die tijd en verkrampte ik. Willen jullie weten waarom we vandaag yoga doen op rock-'n-roll? Dat doen we om die muziek weer op te eisen en te veranderen in een soundtrack die het leven eert in plaats van een herinnering aan onze pogingen om ons ervoor af te sluiten. Zijn jullie er klaar voor?'

Stephanie heeft nooit van rock-'n-roll gehouden. Die harde elektrische gitaren en stuwende bassen werkten haar altijd op de zenuwen. Maar als kind hoorde ze deze muziek wel vaak omdat haar vader er gek op was. Haar militaire vader met zijn gemillimeterde haar, die in alle opzichten zo rechtgeaard was, luisterde altijd naar de hardste en heftigste rockmuziek die hij kon vinden. Dus als ze de eerste akkoorden van Purple Haze hoort, terwijl ze voor het eerst in ongeveer vier maanden een kraaihouding probeert, wordt ze overmand door een verlangen naar haar jeugd. Ze valt met een beschamende bonk op haar billen. Waarom kost het haar toch zoveel moeite om over de dingen te praten, zowel de goede als de slechte? Misschien heeft Roberta gelijk dat ze te gesloten is? Ze zet haar knieën weer in haar oksels om zich omhoog te drukken. Dit keer valt ze voorover en belandt ze bijna op haar neus. Ondertussen ziet ze dat Becky boven de grond lijkt te zweven. Dat wil zij ook, dat gevoel van gewichtloze vrijheid.

Terwijl ze bezig is met een nieuwe poging komt Lenny naar haar toe. Hij legt zijn handen op haar schouders en bukt zich zodat hij zachtjes tegen haar kan praten.

'Je moet iets minder je best doen,' zegt hij. 'Ontspan, geniet van de muziek en laat het gebeuren. Als je ontdekt dat het slot binnen in de kooi zit, kost het geen moeite meer.'

Hij knijpt in haar schouders, masseert haar even met zijn duimen en gaat dan verder. De muziek sterft weg en plotseling zingt Joni Mitchell 'California', een nummer van Stephanies favoriete album.

Het slot zit binnen in de kooi? Wat bedoelt hij daar in godsnaam mee? Ze begint weer aan een moeizame poging, maar op het moment dat ze zich met veel krachtsinspanning omhoog wil duwen, begrijpt ze het. Misschien zit de gewichtloze vrijheid die ze zoekt niet in de houding zelf, maar vindt ze het als ze zichzelf bevrijdt van de drang om die houding voor elkaar te krijgen. Als haar verwoede pogingen de kooi zijn, dan kan ze die kooi zelf openen. Hoeveel kritiek Rusty Branson ook op haar heeft, het is niets vergeleken met de kritiek die ze op zichzelf heeft.

Joni zingt de volmaakte begeleiding: 'Will you take me as I am?' Neem je me zoals ik ben?

En dan, misschien wel voor het eerst in haar leven, voelt ze een ontzagwekkende kracht opkomen en besluit ze dat ze deze houding vandaag helemaal niet gaat proberen. Ze maakt die metaforische rotkooi open.

Ze gaat in de kindhouding liggen en haar geest begint te zweven terwijl haar lichaam wegzinkt in de grond.

Imani was van plan om tussen de lessen door even te kijken hoe het met Daniel ging. Ze had niet zoveel vertrouwen in de kinderopvang waar ze hem heeft achtergelaten. Iets te veel overenthousiaste meisjes in rare kostuums, en ze was er ook niet zo zeker van dat de babyhangmatten die tussen de bomen hingen wel veilig waren. Maar ze wil niet overkomen als een neurotische moeder, dus slikt ze haar ongerustheid in en gaat ze met de anderen mee naar de provisorische cafetaria om een plan te bedenken voor Lee.

'Ze is een geweldige lerares,' zegt Becky. 'Ze zal goede mond-tot-mondreclame krijgen en haar groepen zullen steeds groter worden.'

'Dat is waar,' zegt Katherine. 'Maar ze zullen niet snel genoeg groeien om zondag een gigantische tent te kunnen vullen.'

Becky denkt erover na terwijl ze zich door haar lunch heen werkt, 'lasagne' van het rawfood-kraampje. Het gerecht heeft, voor zover Imani kan zien, weinig te maken met lasagne, maar meer met dunne plakjes pompoen.

'Heeft iemand een idee?' vraagt Imani. Ze pakt een van de schijfjes boerenkool van Becky's bord die zich proberen voor te doen als chips. Verrassend lekker. Even in de frituur en het zou nog lekkerder zijn.

'Alan stond vanmorgen flyers uit te delen voor Kyra's les,' zegt Katherine. 'We zouden er in het centrum een paar kunnen laten printen.'

'Ik weet niet of dat wel zo efficiënt is,' zegt Stephanie. 'Als iemand mij een flyer geeft, betekent dat niet meteen dat ik naar die les wil.'

Imani kijkt op haar horloge. Ze heeft vijftien minuten tot de volgende les. Ze had die rock-'n-rollmuziek niet verwacht op een yogafestival, maar ze heeft er wel energie van gekregen en ze wil meer.

De volgende die iets zegt, is Renay – nogal verrassend want ze had die ochtend haar mond nauwelijks opengedaan. 'Wat mij over de streep zou trekken, is als ik wist dat Imani Lang en Becky Antrim er ook zouden zijn. Het helpt als beroemdheden achter iemand staan.'

'Heeft iemand een megafoon bij zich?' vraagt Imani. 'Ik heb altijd al eens willen schreeuwen als een viswijf.'

'Ik heb een Twitter-account,' zegt Becky. 'Dat zou een begin kunnen zijn.'

'Hoeveel volgers?' vraagt Renay.

'Ik ben heel slecht met getallen. Behalve als het om mijn salaris gaat. Ik denk rond de twee miljoen.'

'Dat lijkt me een aardig begin,' zegt Katherine. 'Maar geen woord hierover tegen Lee.'

'O ja,' zegt Becky. 'Die doet aan, ehh... hoe heet het ook alweer? Integriteit?'

Sinds ze de berichten op haar voicemail heeft gehoord, gaat Graciela weer het huis uit. Het zijn geen indrukwekkende uitstapjes, maar ze gaat iedere dag naar een winkel of een park. Gisteren heeft ze een stukje gejogd. Niet erg succesvol, maar ze voelde zich na afloop beter dan daarvoor. Het was een begin. Ze had gedacht dat ze zich door Jacob in de steek gelaten zou voelen, maar vreemd genoeg gaven de berichten haar een gevoel van bevrijding. Ze hoeft niet meer op hem te wachten of over hem na te denken. Het is voorbij.

Toen ze vandaag in haar auto stapte, had ze geen idee waar ze naartoe ging en het was dan ook min of meer een verrassing toen ze merkte dat ze naar het centrum van L.A. was gereden en de auto had stilgezet tegenover het gebouw waar ze twee jaar had gewoond. Met hem. Met Daryl. Ze is daar al zo lang niet meer geweest dat ze zich nauwelijks meer kan voorstellen dat dit ooit haar huis was. Ze kijkt naar de ramen op de bovenste verdieping. De luxaflex zijn dicht, die belachelijk dure, houten luxaflex die ze had gekocht zodra ze wist dat ze door de auditie voor Beyoncés video was gekomen.

Ze parkeert de auto en loopt over het hete wegdek, zich nauwelijks bewust van de mensen die langs haar strijken. In de hal ontwaakt ze uit haar roes door de bekende geur van houtlak en het schoonmaakmiddel dat de conciërge voor de tegelvloer gebruikt. Toen ze buiten stond ging haar hart als een razende tekeer, maar nu ze de grote, metalen trap midden in de hal op loopt, is ze verbazingwekkend kalm. Daryl moet in grote haast zijn vertrokken. Zijn kleren liggen vast overal door de kamer verspreid, handdoeken op de grond in de badkamer, overal vieze borden en glazen, en rottend eten in de koelkast. Het zal eruitzien alsof hij maar even weg is. Al die maanden dat zij onderweg was, heeft hij hier in zijn eentje gezeten. Het zal naar zijn kleren en zijn zeep ruiken. Daar moet ze op voorbereid zijn. Misschien zou het beter zijn als er iemand bij haar was, maar ze is nu hier en ze moet dit doen.

Het is warm in de gang boven en ook hier ruikt het naar

schoonmaakmiddel. Ze draait haar sleutel om in het slot en als in een droom loopt ze naar binnen. De luxaflex staan zo dat er zonlicht naar binnen stroomt dat fel wordt weerkaatst door de geboende vloer. Even wordt ze verblind. Ze loopt naar het raam en draait de luxaflex helemaal dicht, zodat het donker wordt in de grote, open ruimte. Als haar ogen gewend zijn en ze zich omdraait, ziet ze dat het appartement smetteloos schoon is, net zo keurig opgeruimd als al die hotelkamers waar ze al die maanden heeft verbleven. Of als Jacobs appartement – maar daar wil ze niet aan denken. Het is toch onmogelijk dat Daryl alles heeft schoongemaakt voordat hij vertrok? Voor zover ze weet had hij geen idee hoe de stofzuiger werkte.

Ze loopt naar het bed. Het is opgemaakt met strakgetrokken, frisgewassen lakens. De kussens zijn opgeklopt en liggen tegen het hoofdeinde. Ze gaat op het randje zitten en drukt haar vingers tegen haar oogleden. Misschien is het echt een droom. Het hele appartement ruikt naar boenwas en een soort muntachtige luchtverfrisser.

Ze doet de onderste lade van de kast open, waar de kleren van Daryl in lagen. Hij is leeg. In de hangkast hangen haar kleren keurig aan de haakjes en haar schoenen staan naast elkaar op de bodem. Verder is ook deze kast leeg.

In de badkamer trekt ze het medicijnkastje open. Ze ziet alleen haar spullen. Het witte porselein van de wastafel, het bad en de wc glimt.

In de keuken glanzen het aanrecht en de stalen kastjes haar tegemoet. Geen vuile borden. Uit de kraan komt zo nu en dan een druppel die hard in de gootsteen spat.

Of misschien heeft ze haar hele relatie met Daryl gedroomd. Misschien was het allemaal een nachtmerrie.

Ze gaat naar de koelkast, in de wetenschap dat ook die schoon en leeg zal zijn. Op de deur zit een magneet in de vorm van een madeliefje met daaronder een envelop waarop in een onbekend handschrift haar naam is geschreven. Ze pakt de envelop en gaat terug naar de woonkamer.

Lieve Graciela,

*Dank je wel dat je de as van Daryl naar ons hebt laten sturen.
Dat betekent veel voor ons en we zullen hem bijzetten bij zijn
grootouders en zijn broer Berto. Ik wil je mijn
verontschuldigingen aanbieden voor alles wat Daryl je heeft
aangedaan. Je vriendin Stephanie heeft ons een brief geschreven
waarin ze alles heeft verteld. Hij was geen slechte jongen maar als
baby was hij al moeilijk. Zo was hij nou eenmaal. Hij hield van je
maar hij kende geen rust. Dat is jouw schuld niet. Niets van dit
alles is jouw schuld. Je mag jezelf nooit iets kwalijk nemen. We
weten hoe moeilijk het voor je zou zijn om aan alles te worden
herinnerd, dus hebben we hier voor je opgeruimd. Laat het me
weten als je iets van Daryl wilt hebben dat je herinnert aan de
mooie momenten die jullie hebben beleefd, dan stuur ik het naar
je toe. Maar als je nooit iets laat horen, heb ik er alle begrip voor,
en ik zal altijd van je houden.*

Het briefje is ondertekend door Daryls moeder.

Graciela vouwt het op en stopt het voorzichtig terug in de envelop. Ze opent de luxaflex om het zonlicht naar binnen te laten
stromen. Daar staan al haar meubels, precies zoals ze ze heeft achtergelaten. Ze raakt haar haar aan. Binnenkort zal ze zich hier
weer thuis voelen, dat weet ze zeker. Maar nu wil ze mensen om
zich heen die niets van haar vragen of meer van haar verwachten
dan ze kan geven. Ze loopt naar buiten, doet de deur achter zich
op slot en rijdt rechtstreeks naar Edendale Yoga.

'Bij mijn eerste les had ik vijfendertig mensen,' zegt Lee. 'Bij de
tweede bijna vijftig.'

'Ze beginnen door te krijgen dat je een ontzettend goede docente bent,' zegt David. 'Daarvoor ben je toch ook hier? Om meer
fans te krijgen.'

'Soms wilde ik dat ik meer op jou leek,' zegt ze. 'Geen studio, geen hoge rekeningen. Jij kunt gewoon doen wat je graag doet, op je eigen voorwaarden.'

'Dat is een keuze die ik heb gemaakt,' zegt hij. 'We kiezen allemaal ons eigen leven, Lee.'

Het was in de loop van de middag snikheet geworden en na haar laatste les was David naar haar toe gekomen om te vragen of ze een wandeling wilde maken langs de rivier. Het idee om even te ontsnappen aan al die mensen, de felle zon, de muziek en de commercie, sprak haar erg aan. In ieder geval probeert ze zichzelf ervan te overtuigen dat dat de reden is waarom ze zo blij is met dit aanbod. Nu lopen ze over een schaduwrijk pad met de rivier aan hun rechterhand. De geluiden van het festival worden overstemd door het voorbijstromende water.

'Helaas hebben de keuzes die ik op dit moment maak gevolgen voor een stuk of tien mensen, onder wie mijn kinderen,' zegt ze. En dan heeft ze een geweldige ingeving. 'Waarom kom je morgen niet samen met mij lesgeven? Het zou zo gezellig zijn. We kunnen vanavond een lesplan opstellen. Wat zeg je ervan?'

Hij begint te lachen. Hij heeft een diepe lach die haar om de een of andere reden verbaast. Ondanks zijn opgewektheid ten overstaan van zijn leerlingen komt hij over als iemand die niet gemakkelijk of vaak lacht. 'Ik weet niet zo zeker of ik het wel een goed idee vind. Ik heb niets met die festivalsfeer, bovendien is het jouw optreden.'

Het woord 'optreden' steekt haar, maar ze laat het gaan. Ze is te uitgeput.

Hij slaat zijn arm om haar middel en trekt haar naar zich toe. 'Als je wilt kunnen we gaan zwemmen. Het water is ijskoud, maar dat is heerlijk als het zo warm is. In ieder geval veel lekkerder dan toen ik vanochtend ging zwemmen en het buiten ongeveer nul graden was.'

Ze weet niet of het door de warmte komt of door de beslotenheid van dit lommerrijke pad, het geluid van de rivier naast hen of de flarden van de muziek in de verte, maar Lee laat zich tegen

Davids lichaam aan zakken. Ze wil geloven dat zijn voorstel om te gaan wandelen meer was dan een vriendschappelijk gebaar van zijn kant, maar ze weet inmiddels dat David moeilijk te doorgronden is en ze probeert alles over zich heen te laten komen zonder er iets achter te zoeken.

'Zeg eens eerlijk, vind je dat ik mijn ziel heb verkocht aan de commercie door hieraan mee te doen?' vraagt ze.

Hij staat stil en draait zich naar haar om. Ze kijken elkaar in de ogen, hun gezichten maar een paar centimeter bij elkaar vandaan. Hij legt zijn hand tegen haar achterhoofd en trekt haar zachtjes naar zich toe. Oké, denkt ze, ik zoek er niets achter. Als hij haar kust, doet hij dat met een intensiteit en hartstocht die haar, net als zijn lach, verrast. Even weet ze niet hoe ze zijn kus moet interpreteren en dan stopt ze met piekeren en kust ze hem terug.

'Dit wilde ik al zo lang doen,' zegt ze.

Hij drukt haar nog steviger tegen zich aan, bijna alsof hij haar probeert fijn te drukken. Uiteindelijk kijkt hij haar weer in de ogen en zegt: 'Sinds de eerste keer dat ik je zag heb ik me moeten inhouden om het níét te doen.'

Ze houden pas op als ze voetstappen horen op het pad en dan maken ze zich van elkaar los als kinderen die zijn betrapt bij iets wat niet mag.

David neemt haar bij de hand en leidt haar weg van het pad, dieper het bos in, tot ze bij een open plek komen waar op enige afstand van elkaar een paar tenten staan. Hij vertelt dat hij de laatste beschikbare plaats heeft bemachtigd en troont haar mee naar een lage, asymmetrische tent die iets verderop in het bos staat. Lee heeft maar een paar keer gekampeerd, en die keren verbaasde ze zich over het contrast tussen de ongerepte natuur en de tenten van felgekleurde, synthetische stof, de rook van de kampvuren en het afval van de etenswaren. Maar nu maakt het haar niet uit hoe de omgeving eruitziet. Ze wil zo graag zijn huid tegen de hare voelen dat ze, nog voordat ze de tent in zijn gekropen, aan hem begint te plukken en probeert zijn t-shirt uit te trekken. In de tent is het snikheet en benauwd, maar de zonnestralen die door de bomen neerdalen, belichten het groene nylon zo dat het er allemaal mooi uitziet. Davids lichte haar valt langs zijn gezicht, dat een beetje bezweet is door de hitte, en als hij zijn t-shirt uittrekt, kust Lee hem op zijn schouder en in zijn nek en laat ze haar handen langs de gladde spieren van zijn torso glijden.

'Je hebt een volmaakt lichaam,' zegt ze zachtjes.

Ze probeert zijn bril af te zetten, maar hij houdt haar tegen. 'Ik wil niets missen.'

De afgelopen dagen heeft ze zoveel yoga gedaan dat haar lichaam strak maar ook ontspannen voelt. Maar ze heeft zo lang met niemand anders gevreeën dan Alan, dat het onwennig voelt, en ze begint bijna te blozen bij de gedachte dat ze zich voor zijn ogen moet uitkleden.

'Ik zal je helpen,' zegt hij.

En dan trekt hij teder maar begerig haar kleren uit tot ze naakt tegenover elkaar zitten, terwijl de rivier buiten voortstroomt en de temperatuur in de tent stijgt.

'Sorry dat het hier zo warm is,' fluistert hij in haar oor.

'Het is volmaakt.'

'Je zweet,' fluistert hij en hij buigt voorover om op de straaltjes zweet tussen haar borsten te blazen terwijl zijn handen cirkels draaien over haar dijbenen. Ze slaat haar benen om zijn middel zodat ze op zijn schoot zit en begint zijn gezicht te kussen. Ze siddert als ze hem tegen haar buik voelt wrijven.

'Laten we naar de rivier gaan om wat af te koelen,' fluistert hij.

'Nee, alsjeblieft,' zegt ze. 'Niet weggaan. Blijf hier. Blijf zo zitten. Alsjeblieft. Blijf.'

Voor eeuwig, bedoelt ze. Maar dat zegt ze niet want zelfs als het maar heel even is, als het maar één uur is op deze middag, dan is het genoeg.

Katherine zou best aan dit klimaat kunnen wennen. High Desert wordt het genoemd. Droge lucht en in de zomer week in, week uit onafgebroken zonneschijn. De dagen zijn warm en het zonlicht intens, maar zodra de zon begint te zakken wordt het fris, op een zeer aangename, milde manier.

Ze heeft vandaag drie lessen gevolgd, wat betekent dat ze er zo'n zes uur yoga op heeft zitten, en nu, om acht uur, voelt ze zich verrukkelijk lenig en uitgerekt. Jammer dat ze zo'n tien jaar geleden niet wist dat dit de beste manier was om in een lichamelijke roes te komen. Het kost iets meer inspanning dan de methode die zij gebruikte, maar het geeft zoveel meer voldoening. Na haar laatste les besloot ze op het terras op de top te gaan zitten, om te genieten van het schitterende uitzicht op het berglandschap en het meer. Het is moeilijk voor te stellen dat over een paar maanden alles wat ze nu ziet bedekt zal zijn met – of eigenlijk bedolven onder – sneeuw. Maar zo is het wel.

Onder haar zwemmen mensen in het verwarmde zwembad en een of andere idioot in een klein, geel zwembroekje doet een soort yoga-choreografie, voor het geval niemand ziet hoe volmaakt slank en gespierd zijn lichaam is als hij gewoon staat of langs het zwembad flaneert. Natuurlijk is hij hier voor de yoga, maar voor iemand als hij is bewondering een belangrijk onderdeel van yoga. Ieder zijn meug.

Uit haar observaties van vandaag heeft ze geleerd dat er drie soorten mannen zijn op dit festival.

Je hebt de jonge hippie-surftypes met dreadlocks en bandana's. Die dragen allemaal een katoenen kuitbroek en geen t-shirt, en hun matjes zien eruit alsof ze in geen jaren zijn schoongemaakt. In de lessen heeft ze gezien dat deze jongens heel erg goed zijn, maar dat ze yoga benaderen met de fanatieke, bijna masochistische roekeloosheid die je bij surfers ook ziet. Hoe groter de kans dat ze een blessure oplopen bij een onmogelijke rugbuiging of een ingewikkelde armbalans, hoe beter. Ze zweven, ze vliegen, ze stijgen op. Jammer genoeg gebruiken ze geen deodorant.

Dan heb je de mannen als Conor, aardige kerels die niet zoveel met yoga ophebben, maar die zijn meegekomen omdat ze hun vriendin tevreden willen houden. Meestal zijn ze heel opgewekt en heel onhandig. Ze maken zich vrolijk om hun eigen missers en hebben veel zelfspot. Hun favoriete yogaoutfit is een wijde short en een versleten T-shirt. Het zijn joviale, gezellige jongens die, als ze goed hun best blijven doen, misschien ooit een vooroverbuiging voor elkaar krijgen.

En dan heb je de types als Geel Minibroekje en, tja, Alan: knap, superfit, goed verzorgd, narcistisch en arrogant. Zij doen hun oefeningen met een intensiteit die Katherine een beetje eng vindt, bijna alsof een perfecte handstand een morele plicht is. Strenge, gebeeldhouwde gezichten en priemende ogen. Mooie zongebruinde huid. Het wonderlijkste aan hen is dat ze zo weinig lol lijken te hebben als ze yoga doen. Of wanneer dan ook, eigenlijk. Zelf vinden ze wat ze doen nooit goed genoeg, maar met hun blik laten ze je weten dat jíj maar beter diep onder de indruk kunt zijn.

Ze neemt een slokje van haar vruchtensap en haalt haar boek tevoorschijn. Tussen de lessen door heeft ze nog een paar hoofdstukken gelezen en zo langzamerhand gaat ze meer om de heldin geven. Er zit weinig verhaal in het boek, het gaat alleen maar over het dagelijkse leventje van de hoofdpersoon, en dat leven is niet bijster interessant. Maar Katherine kan het boek niet wegleggen, vooral niet omdat ze bang begint te worden dat de vrouw de hond naar het asiel zal brengen. Niet dat ze zo aan het beest gehecht is, maar ze heeft gewoon het idee dat het een grote vergissing zou zijn.

De ober, een grote, vlezige man met een verveeld gezicht, brengt haar een martini in een beslagen glas.

'Sorry,' zegt Katherine, 'maar dat heb ik niet besteld.'

Hij wijst naar de ingang van het restaurant waar Jake tegen de deurpost geleund staat, met zijn armen over elkaar. Hij zwaait even en komt naar haar toe.

'Aardig van je,' zegt Katherine terwijl ze het glas naar hem heft. 'Helaas drink ik niet.'

'Dat was ik vergeten,' zegt hij. 'Gezondheidsfreak.'

'Dat zou je zo kunnen zeggen. Of je zou kunnen zeggen voormalige drugsverslaafde.'

'Oké, je bent lekker recht voor z'n raap.'

'Dat bespaart me een hoop tijd. Sorry van je drankje.'

Hij haalt zijn schouders op. 'De barman is een vriend van me. Laten we zeggen dat ik een flinke korting heb gekregen.'

'Aha,' zegt Katherine. 'Recht voor z'n raap. Dat bevalt me wel.'

Wat is het toch aan dit soort zinloos gebabbel met mannen die ze niet heel leuk vindt en niet helemaal vertrouwt dat ze het afgelopen jaar zo heeft gemist? De aandacht? Het machtsspelletje over en weer?

'Heb je het tot nu toe naar je zin?' vraagt hij.

'Ik heb nog geen spieren verrekt en ik geloof dat ik nog niet verbrand ben. Dus dat is mooi. Dit is mijn tweede ritje met de kabelbaan zonder dat er een ramp is gebeurd. Dank je wel daarvoor.'

'Ik dacht wel dat je daar blij mee zou zijn.' Hij zet zijn zonnebril met spiegelglas af, waardoor een paar heldere, amberkleurige ogen zichtbaar worden. Zelfs met zijn verweerde huid en zijn lichtelijk verlopen uiterlijk is hij een knappe man. Ze ziet zijn appartement voor zich: rondslingerende kleren en skispullen, een smoezelige keuken met weinig eten. Het huis van een man die zich buiten prettiger voelt dan binnen.

Hij schuift het glas martini heen en weer over de tafel, bijna alsof hij overweegt het leeg te drinken. 'Ik nodig je uit voor een privéritje met de kabelbaan. Vlak na zonsondergang, als hij officieel gesloten is, is het uitzicht het mooist.'

Katherine volgt het glas dat over het gladde tafelblad schuift met haar blik. Allemaal leuk en aardig, maar nu is het genoeg geweest. 'Ik denk dat mijn vriend in L.A. dat niet goedvindt.'

'O? Wat een mazzelaar. Is het serieus?'

'We gaan binnenkort samenwonen.'

Hij glimlacht en heft zijn glas als in een toost. 'Gefeliciteerd. Grote stap.'

'Het zat er al een tijd aan te komen.'

'Ik ben blij dat je het me hebt verteld,' zegt hij, terwijl hij de helft van de martini in één teug naar binnen slaat. 'Ik begon al bang te worden dat je vrijgezel was. Nu weet ik dat ik meer kans maak.'

Zoiets kun je alleen zeggen als je zelf weet dat het onzin is, en te zien aan Jakes grijns, is dat bij hem het geval. 'Sorry, cowboy. Ik ben een hele tijd geleden gestopt met verkeerde keuzes maken.'

'Dat zullen we nog wel eens zien. Ik moet nog een paar dingen doen. De kabelbaan gaat over twintig minuten dicht. Ik zie je over drie kwartier daar.'

Stephanie zit in haar slaapkamer aan de computer. Zij heeft een van de weinige kamers die aan de voorkant van het huis liggen in plaats van aan het meer. Ze weet niet precies waarom ze deze heeft gekozen, want er waren nog een paar lege kamers aan de andere kant, maar waarschijnlijk heeft het ermee te maken dat ze zich een beetje een buitenstaander voelt in dit groepje, dat ze geen recht heeft op een mooi uitzicht. Als ze dat ooit aan Imani of Becky zou vertellen, zouden ze haar waarschijnlijk met haar hele hebben en houden naar de andere kant van de gang slepen. Het was eenvoudiger om te zeggen dat ze de kleur van de muren in deze kamer mooi vond (een lichte, koele kleur blauw) en dat ze het knus vond om in het eenpersoonsbed onder de balken te slapen.

Becky is begonnen met haar Twitter-campagne voor Lee en Stephanie heeft op haar computer een flyer ontworpen, die ze kunnen verspreiden zodra ze hem morgen hebben laten printen. Door de open ramen aan de andere kant hoort ze Becky die op de steiger Renay aan het leren is hoe ze moet zingen. De vraag die zich opdringt is: wie leert het aan Becky? Ze zingt 'Moon River', maar met een geheel eigen tekst.

'Moon River, wider than your smile', zingt ze, in plaats van 'wider than a mile'.

Ach, ze heeft wel de juiste sfeer te pakken: de maan komt op en weerkaatst waarschijnlijk goudkleurig op het water.

Het afgelopen halfuur heeft Stephanie geprobeerd een e-mail aan Roberta te sturen. Om het uit te leggen. Billie had haar dochter verteld dat ze Stephanie helemaal opgetut weg had zien gaan en toen Roberta haar ernaar vroeg, moest Stephanie bekennen dat ze naar het feest van de filmcrew was geweest. 'Ik ging ervan uit dat je er niet helemaal voor uit San Francisco wilde komen,' had Stephanie gezegd.

'Je ging ervan uit, maar je kon het niet wéten, want je hebt het me niet gevraagd.'

En dat was de laatste keer dat ze elkaar hebben gesproken.

Stephanie mist haar. Roberta zou de eerste zijn om reclame te maken voor de les van Lee. Ze zou flyers hebben uitgedeeld en, zo nodig, een paar mensen met lichte dwang de tent in hebben geduwd. Becky had haar ongetwijfeld geweldig gevonden en had waarschijnlijk met haar geflirt, want, zoals ze gisteravond zei: 'De mannelijkste mannen die ik ken zijn potten.' En in deze omgeving, na een dag yoga, verlangt Stephanie ook fysiek naar haar. Maar iedere keer dat ze begint te schrijven, raakt ze verstrikt in haar woorden.

Ik ben eraan toe om het anders aan te pakken.

Er is de afgelopen weken veel gebeurd.

Als ik had geweten dat je wilde komen, zou ik het hebben gevraagd.

Strikt genomen is geen van deze beweringen waar. Het enige wat ze zeker weet is dat ze haar mist. Dus misschien moet ze dat maar schrijven en afwachten hoe het verdergaat.

Ze opent haar e-mail. Er zijn dertig nieuwe berichten. Ze neemt de lijst snel door, maar opent er maar één, die van Bob Trent, de agent van ICM.

'Ik wil je niet onder druk zetten, maar ik heb je opgehemeld bij de producers en er zijn er drie die je volgende script willen inzien. Ik zeg het maar even. Geen enkele druk.'

Of dat waar is of niet – en wat is er waar in de wereld van Hollywood-agenten en -producenten? –, hij heeft haar nog steeds in het vizier.

Ze begint aan de e-mail naar Roberta, maar de opwinding over het bericht van Trent vreet aan haar. Haar volgende script. Ergens op deze laptop staan de bladzijden waaraan ze maanden geleden is begonnen, voordat de opnames begonnen.

'Oh, dream chaser, you old faker...' zingt Becky in plaats van 'Oh, dream maker, you heartbreaker'.

Misschien zou het leuk zijn om zo te beginnen, met haar ongelukkige hoofdpersoon die de tekst van een lied verbastert. Of misschien is dit de invalshoek die ze nodig heeft om het karakter van haar personage vorm te geven – iemand die denkt dat ze heel goed kan zingen, maar die geen enkele tekst kan onthouden.

Ze sluit haar e-mail, opent een nieuw Word-document en begint te typen. Deze kleine opwelling van inspiratie moet ze gebruiken. Roberta mailt ze later wel. Of ze belt haar als ze weer in L.A. is.

Anders dan de meeste mensen met verslavingsproblemen die ze kent, heeft Katherine nooit iemand anders de schuld gegeven. Ja, ze heeft een verschrikkelijke jeugd gehad en ja, ze heeft veel pech gehad. Maar ze wist wat ze deed toen ze drugs gebruikte, en ze wist ook wat de gevolgen zouden zijn. Het is voor haar een erekwestie om te kunnen zeggen: 'Ik was in de war en van de rest heb ik zelf een warboel gemaakt.'

Als ze op de afgesproken tijd bij de kabelbaan staat, weet ze wat ze zich op de hals haalt. Ze weet dat ze hier spijt van zal krijgen en ze weet dat Conor gekwetst zal zijn als hij erachter komt, en dat dat misschien wel het einde betekent van hun relatie. Maar ze kan er geen weerstand aan bieden. Ze heeft zich al te lang als een volwassene gedragen.

Jake leunt met een zelfingenomen, maar niet onvriendelijke blik op de reling.

'Ik begon me al af te vragen of je zou komen opdagen,' zegt hij.

'Teleurgesteld?'

'Integendeel. Jij ook niet, hoop ik? In jezelf, bedoel ik.'

'O, een beetje wel,' zegt ze. 'Maar ik denk dat ik net zo teleurgesteld in mezelf zou zijn als ik niet was gekomen.'

Vreemd genoeg is de cabine leeg minder aantrekkelijk dan vol. De metalen vloer maakt veel kabaal en de slijtplekken zijn duidelijker te zien. Ze gaat op het bankje bij de achterwand zitten en, heel langzaam, beginnen ze aan de klim. De fonkelende lichtjes beneden creëren een magische sfeer en op het donkere meer in de verte zijn hier en daar vlekken geel maanlicht te zien.

'Hoe kom je eigenlijk aan zo'n baan?' vraagt Katherine.

'Het is een zware training,' zegt Jake, terwijl hij naast haar gaat zitten. 'Je moet het grootste deel van je jeugd veel te veel tijd in de bergen doorbrengen en dan je olympische droom in duigen zien vallen door een ernstige rugblessure. Het helpt als je iemand bent die niet gemakkelijk opgeeft. Je blijft te lang rondhangen en voordat je het weet ben je het mannetje van de kabelbaan, wat overigens meer voldoening geeft en interessanter is dan het lijkt. Dat geldt voor de meeste dingen in het leven als je ze maar met overgave doet.'

'Dat zal ik in gedachten houden. Zal ik je eens iets ontzettend stoms vertellen? Op de een of andere manier dacht ik dat we aan de andere kant van de berg weer zouden afdalen en op magische wijze in het niets zouden verdwijnen. Ik besef nu pas dat ook het mannetje van de kabelbaan dit ding alleen maar langs zijn vaste route kan leiden.'

Hij moet lachen. 'Daar heb je helemaal gelijk in.' Hij loopt naar het bedieningspaneel en zegt: 'Maar vergeet niet dat ik wel op de pauzeknop kan drukken.' De cabine komt tot stilstand en begint heen en weer te zwaaien. Katherines maag draait zich een beetje om, net als eerder die dag. Ze schat dat ze ongeveer halverwege de berg zijn en ergens boven een afgrond hangen waar de bergwand zich loodrecht naar beneden lijkt te storten. Even is ze in paniek, maar dan doet Jake de lamp uit en tekenen zich de lichtjes van het dorp en het festivalterrein scherp af tegen de duisternis. In de stilte hoort ze de wind en de zware, stampende basklanken uit de concertzaal die tegen de rotsen weergalmen.

'Dat roze daar heel in de verte is Reno,' zegt Jake. 'Ook wel liefkozend het ordinaire zusje van Las Vegas genoemd.'

'Dat heb ik eerder gehoord,' zegt Katherine.

Jake gaat weer naast haar zitten. Hij legt zijn arm om haar heen en trekt haar naar zich toe. 'In de winter is het ruiger en indrukwekkender. Kouder maar mooier. Je zult een keer terug moeten komen.'

Katherine maakt zich los en gaat op de bank liggen met haar hoofd op haar opgerolde trui. 'Dit werkt het best als we niet doen alsof het ook maar iets met romantiek te maken heeft,' zegt ze.

'Hoe gaat het met de jongens?' vraagt Lee aan haar moeder.

'Je vraagt het alsof je ervan uitgaat dat ik ze aan hun lot overlaat.'

'Natuurlijk niet. Ik wil alleen maar weten hoe het met ze gaat.'

'O Lee, lieverd. Denk je soms dat ik gisteravond vergeten ben eten voor ze te koken en ze laat verhongeren? Je mag wel iets meer vertrouwen in me hebben.'

'Dat was niet eens bij me opgekomen, mam.'

'Ik weet dat dat niet waar is, lieverd. Maar toevallig ben ik meteen aan het werk gegaan toen ze me eraan herinnerden dat we nog niet gegeten hadden, en vóór negenen zaten we aan tafel.'

Het belangrijkste is dat de kinderen hebben gegeten. Lee weet dat haar moeder steeds meer van zich af gaat bijten naarmate ze meer kritiek krijgt, en dan wordt alles alleen maar ingewikkelder en kost het nog meer tijd. Haar tweede dag loopt ten einde en ze is nog helemaal vol van haar lessen. Bij de laatste les van die dag was de tent zo vol dat sommige leerlingen een plekje in de zon moesten zoeken. Ze heeft met David afgesproken om over een uur bij zijn tentje wat te eten, hoewel ze hoopt dat ze de maaltijd helemaal overslaan.

'Kan ik ze even spreken, mam?'

'Met andere woorden, je wilt controleren of ik de waarheid spreek?'

'Ik wil ze even gedag zeggen, dat is alles. Ik mis ze. Wat is dat voor geluid?'

'Sorry, lieverd. Ik ben bezig de tafel af te ruimen van de maaltijd gisteravond en die pizzadozen zijn lastig op te vouwen. Iemand zou Domino's moeten vertellen dat ze hun zaakjes beter moeten regelen.'

Het is maar één maaltijd, zegt Lee tegen zichzelf. Eén Domino-pizza kan geen kwaad.

'Trouwens, de jongens zijn er niet,' zegt haar moeder.

Lee kijkt op haar horloge. Ze probeert de minst opruiende manier te vinden om haar moeder te vragen waar ze zijn. 'Ze gaan op zaterdag graag naar hun vriendjes...' zegt ze hoopvol.

'Nee, geen vriendjes. Een paar uur geleden kwam die Lainey die in je studio werkt onverwacht langs met Graham. Het schijnt dat zij steeds de kinderen belt om te vragen hoe het gaat, wat betekent dat ze mij in de gaten houdt. Ik kan haar nooit helemaal volgen, Lee. Ik denk dat ze blowt. Ze liet me de een of andere petitie tekenen. Ik heb Bobs naam opgeschreven. Als er iemand gearresteerd moet worden, dan liever hij dan ik.'

'Weet je waar ze naartoe zijn?'

'Graham bood aan iets leuks met ze te gaan doen. De kinderen zeiden dat ze naar een kindertreintje wilden. Godzijdank vroegen ze niet of ik mee wilde.'

'Dat treintje vinden ze geweldig,' zegt Lee treurig. 'Vroeger althans. Weet je hoe laat ze terugkomen?'

'Ze komen eerst hierheen en dan gaan we met z'n allen naar Graham. Hij gaat voor ons koken. Dat heb ik hem heus niet gevraagd. Ik zei alleen dat áls hij ons zou uitnodigen, ik geen nee zou zeggen. Ik ben ontzettend benieuwd naar zijn huis. Ik zal je er alles over vertellen.'

Gezien de situatie heeft ze liever niet dat Graham met de jongens optrekt. Aan de andere kant is het een enorme opluchting om te weten dat er een verantwoordelijke volwassene in de buurt is. De opening van de studio is vlak nadat ze terug is in L.A. Als dat achter de rug is, heeft Graham minder redenen om haar op te zoeken; hopelijk is David dan in beeld en worden ze allemaal vrienden. Graham is een redelijke man. Hij zal het niet persoonlijk opvatten.

'Ik ben blij dat jullie vanavond uitgaan, mam. Je verdient een verzetje.'

'O Lee, als je het zo zegt, klinkt het alsof je denkt dat ik een kater heb en zo snel mogelijk een tukje ga doen.'

'Ik ben je heel dankbaar dat je naar L.A. wilde komen. Je hebt me echt uit de brand geholpen.'

'Je hebt me nog niet eens over het festival verteld, lieverd. Is het leuk? Ben je een grote ster? Ze zijn vast dol op je. Ik wil álles weten.'

'Nou, ik...'

'Sorry, dat ik je onderbreek, Lee, maar ik moet snel Lawrence bellen. Ik ben zo ongerust. Hij heeft deze week een huis gehuurd op Cape Cod en het regent daar al twee dagen. Die arme schat heeft ook altijd pech.'

'Ik zal je niet ophouden. Liefs aan de jongens. En hou Graham een beetje op afstand, mam.' Ze begint uit te leggen waarom ze voorzichtig moet zijn, maar heeft al snel door dat haar moeder heeft opgehangen.

De afgelopen dagen is Graciela iedere ochtend naar Edendale Yoga gereden om zo veel mogelijk lessen te volgen. Ze stond ervan versteld hoe snel ze er weer in kwam en hoe snel ze zich er weer thuis voelde. De mensen die ze hier ontmoet en die naast haar op hun mat staan, kennen haar alleen van wat ze tijdens de les doet. Als ze valt glimlachen ze begrijpend – dat hebben ze zelf ook meegemaakt. Als ze een bepaalde houding heel sierlijk uitvoert, knikken ze goedkeurend of praten ze na de les met haar over haar techniek. Niemand vraagt naar haar haar. Niemand kijkt haar mede-lijdend aan. Dat is niet waarvoor ze hier zijn.

Maar misschien nog belangrijker dan het contact met andere mensen is wat er vanbinnen gebeurt tijdens de les. Ze is zo geconcentreerd bezig met de plaatsing van haar voeten of het evenwicht in haar armen of hoe ver ze kan draaien, dat ze nergens anders aan kan denken. En als ze wel ergens anders aan denkt, haalt ze diep adem en laat ze haar gedachten wegvloeien. Ze geloofde nooit erg in die praatjes over gifstoffen die uit je lichaam worden gewrongen en gedraaid en gezweet, maar ze heeft het gevoel dat ze stukje bij beetje de hoopjes angst en verdriet die zich in haar lichaam hebben genesteld kwijtraakt. Misschien is het allemaal waar. Of misschien is het wel zo gemakkelijk en verstandig om te geloven dat het waar is en af te wachten wat er gebeurt.

Ze heeft vooral les genomen bij Chloe. Chloe is zo'n dynamische vrouw die in een andere generatie aerobics zou hebben gegeven. Ze geeft instructies met een ademloze, opgewonden stem, alsof ze echt heel erg blij is om hier te zijn. En Graciela gelooft dat dat ook zo is. Anders dan Lee en andere avontuurlijke instructeurs van wie Graciela het afgelopen jaar les heeft gehad, houdt Chloe bijna altijd precies dezelfde volgorde aan in de les, met precies dezelfde instructies en aanwijzingen. In het begin ergerde Graciela zich daaraan – kreeg Chloe zelf niet een beetje genoeg van de herhaling? Maar toen ze zich eraan kon overgeven, bleek dat ze sneller en met minder moeite een meditatieve toestand bereikte. Ze wist altijd wat er zou volgen, dus er waren geen zenuwen, geen onverwachte dingen waarop ze voorbereid moest zijn. Alleen maar bewegen en ademen.

De les is nu voorbij en ze liggen allemaal op hun rug met een handdoek over hun ogen. In plaats van instructies te geven om de ontspanning te verdiepen, houdt Chloe haar mond, en voor het eerst in een paar dagen komt de gedachte aan Daryl in Graciela's hoofd op. Niet met de woede, de angst en het schuldgevoel die daar tot voor kort aan waren gekoppeld, maar, tot haar verbazing met tederheid en warmte. Ze denkt terug aan de dag waarop hij bij haar introk, toen hij aankwam met één grote tas met kleren en een paar dozen persoonlijke spullen. Geen meubels, geen apparaten, geen eten. Hij leek wel een klein jongetje dat van huis was weggelopen en bij haar aanklopte. En gedurende hun hele relatie gedroeg hij zich als een eenzame weggelopen jongen. *Hij was geen slechte jongen maar als baby was hij al moeilijk.*

'Je bent nog net zo sterk als voorheen,' zegt Chloe na de les tegen haar. 'In sommige opzichten ben je zelfs nog beter geworden.'

'Ik weet het niet,' zegt Graciela. 'Ik zet alleen maar de ene voet voor de andere.'

Chloe lacht en zegt: 'Zo doen we dat hier. Maar jij zet die voet wel op een heel mooie manier neer.'

Graciela weet dat Chloe naar alle waarschijnlijkheid heeft gehoord wat haar in New York is overkomen en dat ze, net als alle anderen die het weten, zo aardig mogelijk probeert te zijn.

Ze staan bij de receptiebalie van de studio en plotseling pakt Chloe met haar lange, krullende haar Graciela bij de hand en troont ze haar mee door de gang. 'Ik wil je iets laten zien. Lee wil dat niemand het ziet voor de dag van de opening, maar ik weet dat ze het in jouw geval niet erg zou vinden.'

Waarschijnlijk is dit hoe mensen met je omgaan als ze weten dat je kanker hebt, denkt Graciela. Je wordt meegenomen achter het gordijn om de tovenaar te ontmoeten die al je wensen vervult.

Chloe ontgrendelt twee enorme openslaande deuren en loopt voor Graciela uit de nieuwe studioruimte in. Het is een zonnige middag en de studio is gevuld met licht en de geur van nieuw hout en stuc.

'Het is prachtig,' zegt Graciela.

'Het wordt een prachtige ruimte om les in te krijgen én te geven,' zegt Chloe.

Ze gaat in het zonlicht op de vloer zitten en trekt Graciela naast zich. Ze kijken door een hoog raam dat uitzicht biedt op de binnenplaats, waar bloeiende struiken en enorme potten geraniums staan.

'Je haar begint weer te groeien,' zegt Chloe.

'Het gekke is dat ik aan dat korte kapsel begin te wennen. Ik wist niet dat mijn zelfbeeld zo sterk verbonden was met dat lange haar. Ik voel me nu veel vrijer.'

Na een paar minuten zegt Chloe: 'Wat ga je nu doen?'

'Hoe bedoel je?'

'Met je leven. Ga je door met dansen?'

'Om eerlijk te zijn heb ik nog niet zo ver vooruitgedacht. Stap voor stap, weet je nog?'

'Je zou les moeten gaan geven,' zegt Chloe.

'Er zijn honderd miljoen dansleraren in L.A. Bovendien weet ik niet of ik er al aan toe ben om weer te gaan dansen.'

'Ik bedoel híér. Lee zal toch docentenopleidingen moeten gaan aanbieden. Ze verzet zich ertegen, maar het is bijna onmogelijk om je hoofd boven water te houden als je geen opleiding aanbiedt. Voor sommige studio's is dat dertig tot veertig procent van de inkomsten.'

'Volgens mij heeft L.A. ook niet nog meer yogaleraren nodig.'

'L.A. misschien niet, maar Lee wel. Zie het maar als een gunst aan haar.'

Graciela kijkt om zich heen naar de ruimte die gloeit in het middaglicht. Ze weet dat Chloe dit zegt om aardig te zijn – daar heb je het terminale-ziektesyndroom weer. Graciela is haar hele leven lang al verlegen. Als kind werd haar altijd verteld dat ze stil moest zijn zodat de volwassenen met elkaar konden praten, en als het niet de volwassenen waren, dan wel haar broers. Dat is een van de redenen dat ze is gaan dansen – een manier om zich te uiten zonder woorden. Bij het idee dat ze voor een groep leerlingen staat die allemaal wachten tot zij iets zegt, begint haar hart meteen panisch te bonken.

'Ik beloof je dat ik erover na zal denken,' zegt ze. 'Wanneer komt Lee terug?'

'Overmorgen.'

'Heeft ze het naar haar zin?'

'Volgens Lainey is het nogal ingewikkeld.' Chloe springt overeind. 'In mijn volgende leven,' zegt ze terwijl ze om haar as draait, 'wil ik een danseres zijn. Konden we onze levens maar ruilen.'

Graciela barst in lachen uit. 'Sorry, Chloe, maar dat zou ik niemand toewensen.'

'Ik heb een geweldig idee,' zegt Chloe. 'Mijn vriend heeft kaartjes voor de Dodgers morgen. We hebben er een over en ik weet zeker dat hij het leuk zou vinden als je meeging. Ze spelen tegen New York. Dat wordt een heel spannende wedstrijd.'

Graciela wil nee zeggen, maar beseft opeens dat ze nog nooit naar een honkbalwedstrijd is geweest. Toch is dat niet de echte reden dat ze zegt: 'Heel graag, als je zeker weet dat je vriend er geen bezwaar tegen heeft.'

Katherine wordt wakker als de zon opkomt, wikkelt een deken om zich heen en loopt naar het uiteinde van de steiger. De ochtendlucht is zo koud dat ze haar adem kan zien. Ze weet dat het rond het middaguur zweterig warm zal zijn. Dit is waarschijnlijk het enige moment van de dag waarop ze zich kan terugtrekken om in alle rust haar boek uit te lezen.

Gisteravond is ze met Renay naar het concert op het festivalterrein gegaan en toen ze Renay met de auto terugbracht, haalden ze haar over om te blijven slapen. Veel overtuigingskracht was daar niet voor nodig. De muziek dreunde nog door het dorp toen ze vertrokken en na een paar uur dansen op die diepe basklanken en die vervreemdend mooie elektronische muziek, omringd door mensen met vleugels en capes en glitters, was ze toe aan stilte. Ze zou het nooit toegeven, maar ze zag er ook tegen op om in de suite die ze met Lee deelde 's ochtends David Todd tegen te komen, als hij uit haar slaapkamer kwam. Zodra Alan uit beeld was heeft ze Lee aangespoord om op zoek te gaan naar een nieuwe man, dus in theorie zou ze blij moeten zijn met David. Hij is aardig, hij is knap, zijn interesses sluiten aan bij die van Lee, maar ze heeft altijd haar bedenkingen over einzelgängers als David, die meestal onder de onafhankelijkheid waarmee ze zo te koop lopen een verlammende onzekerheid verbergen.

De stretcher aan het einde van de steiger is een prima plek om het boek uit te lezen. Zo kan ze, als de heldin de hond niet blijkt te houden het boek in het water smijten.

Het ziet er weinig hoopgevend uit. Het laatste hoofdstuk begint ermee dat ze het arme mormel op de passagiersstoel zet, waar hij het liefst zit, met zijn poten op het dashboard. Ed, de hond, weegt ongeveer tien kilo en is een allegaartje van ruwharige rassen. Uit de beschrijving komt het beeld naar voren van een soort striphond met oren die niet bij zijn lijf passen en een sprieterige vacht. Katherine heeft weliswaar niet zoveel boeken gelezen, maar wel genoeg om te vermoeden dat dit verhaal goed afloopt. Maar hoe? Ze bladert vooruit en ziet dat ze nog maar drie bladzijden te gaan heeft.

Op de een-na-laatste pagina begint ze de heldin te smeken: 'Verknal het nou niet, alsjeblieft, verknal het niet.' Ze wacht op een allesbepalende wending, misschien zelfs een ongeluk. In de laatste alinea draagt de vrouw Ed over aan de oppasser van het asiel. Hij lijnt de hond aan en loopt met hem weg. Ze redt hem niet. Ze probeert het niet eens.

Ed redt zichzelf. De vrouw volgt hem met haar blik terwijl hij wordt weggevoerd, maar hij kijkt niet achterom, hij jankt niet, hij aarzelt niet. En op dat moment realiseert ze zich dat ze de hond misschien niet verdient, maar dat ze hem veel meer nodig heeft dan hij haar.

'Wacht,' zegt ze. En dan is het boek uit.

Ze voelt de voetstappen van iemand die de steiger op loopt en probeert snel haar gezicht droog te vegen. Het is Renay, op blote voeten en gehuld in een sprei. Ze gaat naast Katherine zitten en legt haar hoofd op haar schouder.

'Wat is het vroeg,' zegt ze, met een stem die schor is van de slaap. 'Ik heb heerlijk gedanst gisteravond. Het is zo gezellig met jou.'

Katherine is bang dat ze weer begint te huilen als ze haar mond opendoet. Dus wacht ze even en zegt dan: 'Waarom heb je me dit boek gegeven?'

'Ik dacht dat je het mooi zou vinden.'

'Dat is niet de enige reden, of wel soms? Je vindt dat ik mijn baby moet houden.'

Renay zegt niets maar begraaft haar gezicht dieper in Katherines hals.

'Ik weet dat het voor jou heel moeilijk was,' zegt Katherine, 'maar mijn beslissing verandert daar niets aan, Renay. Het spijt me.'

'Dat weet ik, ik ben niet gek.'

'Dat zei ik ook niet.'

'Maar daar gaat het ook helemaal niet om. Het gaat erom dat je een goede moeder zou zijn.'

'Ik kan nauwelijks voor mezelf zorgen,' zegt Katherine. 'Ik snap niet waarom jij denkt dat ik voor een baby kan zorgen.'

'Omdat je goed voor mij hebt gezorgd.'

De zon komt achter de bergen vandaan en de ijzige kou van de nacht is op slag verdwenen. Katherine hoort het gekletter van borden in het huis achter hen. Iedereen wordt wakker.

'En nog iets, ik denk dat jij die baby ook wilt krijgen. Je vindt alleen dat je er geen recht op hebt vanwege de dingen die je in het verleden hebt uitgespookt. Maar je bent veranderd.'

Twee nachten geleden, toen de cabine boven de afgrond slingerde, begon ze ook te denken dat ze misschien wel was veranderd.

Nadat ze vijf minuten hadden gevreeën op het oncomfortabele bankje, had Katherine tegen Jake gezegd dat ze de plannen misschien maar moesten wijzigen. Hij reageerde als een gentleman; haar bedenkingen kwamen voor hem niet als een complete verrassing. Hij had zich al lang geleden verzoend met teleurstellingen en ook nu vatte hij het niet persoonlijk op.

'Voelt het niet goed?' vroeg hij.

'Dat valt wel mee,' zei ze. 'Ik maak me alleen zorgen over wat ik zal voelen als de zon opkomt.'

'Tja, ik weet alles van spijt achteraf. Er zijn leukere dingen.' En met die woorden reikte hij haar haar trui aan.

'Weet je wat ik altijd zo leuk vind aan foute mannen?' zei Katherine. 'Het blijken zo vaak juist heel goede mannen te zijn. Trek je overhemd uit.'

'Dit is geloof ik wat ze tegenstrijdige signalen noemen,' zei hij.

'Ik ben beroeps,' zei ze. 'Ik heb vaak met mensen gewerkt die aan hun rug zijn geopereerd. En geloof me, je zult je veel beter voelen dan als we plan A hadden uitgevoerd.'

En terwijl de wind aantrok en de cabine harder begon te slingeren, masseerde ze dertig minuten lang zijn rug. Toen ze terug waren bij de voet van de berg, hadden ze samen een verleden, alleen niet het verleden dat ze hadden verwacht.

Becky roept vanuit het huis dat de koffie klaarstaat. 'Wacht maar af,' zegt Renay. 'Je zult zien dat ik gelijk heb.'

Onderweg naar het Dodger Stadium halen Chloe en Brian Graciela op bij haar appartement. Graciela heeft de afgelopen twee nachten hier geslapen. De eerste nacht deed ze bijna geen oog dicht, maar de tweede nacht heeft ze tot haar verrassing heerlijk geslapen. Het gaat allemaal de goede kant op. Als Graciela zich op de achterbank heeft geïnstalleerd, draait Chloe zich om en geeft ze een hoofdknikje richting Brian met een blik die betekent: vind je mijn kerel niet ongelooflijk knap?

Chloe heeft Brian in haar studietijd leren kennen en volgens eigen zeggen had ze nooit door 'hoe sexy hij was!' De ommekeer kwam een paar maanden geleden toen ze via Facebook weer contact kregen. Brian is zo'n beetje de tegenpool van lenige, energieke Chloe. Hij heeft een peervormig figuur en lijkt al aan de kalende hand, hoewel hij waarschijnlijk nog niet eens vijfentwintig is. De plukkerige haargroei op zijn gezicht is de oorzaak van of dient als camouflage voor de zware acne langs zijn kaaklijn, en hij draagt een Dodgers-shirt dat eruitziet alsof het in geen maanden is gewassen. Misschien is het een talisman. Het vreemde (of misschien mooie) is dat Chloe zo verliefd op hem is dat ze hem prachtig vindt.

Nadat Brian heeft verteld hoeveel bier hij de avond ervoor heeft gedronken, vraagt hij aan Graciela of ze uit de koelbox achterin een blikje bier wil pakken. Als hij zich omdraait om het van haar aan te nemen, kijkt hij naar haar haar en zegt: 'Wat is dat voor raar kapsel?'

'Wat heb ik nou gezegd?' sist Chloe hem toe met op elkaar geklemde kaken en dan draait ze zich naar Graciela om en haalt verontschuldigend haar schouders op.

Als ze naar het stadion rijden krijgt Graciela vlinders in haar buik, maar zodra ze opkijkt en het bouwwerk voor zich ziet opdoemen, beseft ze dat de kans dat ze Jacob hier tegen het lijf loopt miniem is.

Brian parkeert de auto en moppert omdat ze zo ver moeten lopen. 'Hij heeft likdoorns,' fluistert Chloe als ze over de kilometers asfalt naar het stadion lopen.

'Echt waar?' zegt Graciela.

'Ik weet het, het is vreemd voor iemand van zijn leeftijd. Vooral omdat hij zo weinig beweegt.' Ze kijken naar Brian die met hangende schouders voor hen uit loopt. 'Vind je hem niet schattig?' zegt ze, terwijl ze tegen Graciela aan hangt. 'Wat een geluk dat ik hem heb gevonden, hè?'

'Ik denk dat jullie allebei van geluk mogen spreken.'

Ze kan zich voorstellen dat Brians vrienden hem constant plagen met het feit dat hij heeft gescoord bij Chloe en hem er steeds weer aan herinneren dat hij haar niet verdient. Hij heeft vast een heel goed karakter, denkt Graciela, maar wat ze bedoelt is dat hij toch een beter karakter moet hebben dan wat hij tot nu toe heeft laten zien. Of misschien is hij een ongelooflijk goede minnaar, maar daar wil ze haar fantasie liever niet op loslaten.

'Ik weet zeker dat je iemand anders tegenkomt,' zegt Chloe. 'Op het juiste moment.'

Ik ben al iemand tegengekomen, denkt Graciela. Maar niet op het juiste moment.

Het stadion is vanbinnen mooier dan Graciela had verwacht. Het oogverblindende groen van het in keurige, volmaakt rechte lijnen gemaaide grasveld roept een nostalgisch gevoel bij haar op dat ze niet begrijpt. De stoeltjes zijn gerangschikt in rijen van verschillende kleuren, waardoor het stadion eruitziet als een kleurrijk schilderij.

'Ik heb fantastische plaatsen voor jullie geregeld,' zegt Brian. 'Vlak bij het eerste honk. Geel.'

'Je bent geweldig!' zegt Chloe. Jammer dat Chloe al had verteld dat Brian de kaartjes van zijn baas heeft gekregen omdat hij werknemer van de maand was bij het fastfoodrestaurant waar hij werkt.

Als ze op haar stoel zit, kijkt Graciela naar de rij hoge palmbomen achter het buitenveld en de bruine heuvels in de verte. Het stadion vult zich met krioelende lichamen en geluiden en krijgt steeds meer weg van een Romeins amfitheater. Er verzamelt zich een menigte ter grootte van de bevolking van een gemiddelde stad om het spektakel bij te wonen. Is Jacob zenuwachtig voor dit soort evenementen? Waarschijnlijk niet. Hij heeft een fabelachtig concentratievermogen dat hem in staat stelt zich volledig voor zijn omgeving af te sluiten.

Het publiek begint oorverdovend te brullen als het team het veld op komt rennen. En als Jacob wordt aangekondigd, klinkt er meer gejoel en geschreeuw dan voor de meeste andere spelers, een aanwijzing dat hij het belangrijkst is voor zijn team, en dus niet geliefd bij de Dodgers-fans.

Chloe stoot haar aan. Ze is ook een fan en fluistert een roddel die ze over Jacob Landers heeft gehoord in Graciela's oor. Ze moest eens weten.

Wat Graciela verbaast is dat ze Jacob vergeet en helemaal opgaat in het spel, in de schoonheid en de onverwachte poëzie ervan, de zon op het gras, de golf van opwinding die ze voelt als de menigte uit zijn dak gaat en één geheel lijkt te worden. Ze denkt terug aan de momenten toen ze als kind de televisie in de andere kamer hoorde, waar haar vader naar de wedstrijd zat te kijken.

Maar als Jacob aan slag is, verandert de sfeer. Plotseling vult zijn gezicht de enorme schermen die door het hele stadion hangen. Hij is inderdaad zeer geconcentreerd en als hij recht de camera in kijkt, lijkt het bijna alsof hij haar aankijkt. Ze voelt de spanning om haar heen toenemen. Het publiek hoopt dat de held van New York een blunder maakt. Na de eerste misslag klinkt er luid gelach en applaus, en Graciela merkt dat ze de rand van haar stoel omklemt. Een paar seconden later haalt hij weer uit en slaat hij de bal zo ver en zo hoog dat de buitenvelder er niet bij kan. De camera volgt hem en Graciela ziet op de enorme schermen dat hij het eerste en het tweede honk passeert. Dan verschijnt zijn gezicht weer groot op het scherm en ze ziet de opwinding en vreugde in zijn ogen, en op dat moment weet ze zeker dat hij niet aan haar denkt, dat hij verder is gegaan met zijn leven, dat hij de woede die in zijn berichten klonk achter zich heeft gelaten, samen met de liefde. Ze is gewoon een fan in een stadion met meer dan vijftigduizend mensen en hij is een ster.

Een paar minuten later, als Jacob bij een tweehonkslag van een van zijn teamgenoten de thuisplaat bereikt, springt Graciela van haar stoel.

'Jezus,' zegt Brian. 'Je weet niet eens waarvoor je juicht. Hij hoort bij de tegenpartij.'

'Dat weet ik,' zegt Graciela. 'Maar hij heeft zo'n mooie glimlach.'

Lee zit in haar hotelkamer haar aantekeningen na te lezen en brengt een paar laatste wijzigingen aan in de volgorde van de houdingen. Haar laatste les, de belangrijkste, begint over twee uur. Het maakt niet uit hoeveel mensen er komen, ze is vastbesloten ervan te genieten. Ze wil van de les een soort reis maken die begint met vuur, zweet en beweging en eindigt met een meditatie die op de een of andere manier de indrukken van de afgelopen dagen op het festival samenvat.

Eerder op de dag heeft ze Stephanie gesproken en haar gevraagd om een paar grappen te schrijven die ze erin zou kunnen verwerken. Wie zegt dat yoga alleen zinvol kan zijn als er niet bij wordt gelachen? David gebruikt veel humor in zijn lessen en hij is een van de beste leraren die ze ooit heeft gehad. Het belangrijkste is hoe je het brengt. Ze is zich nog aan het afvragen of ze de grap over de duiven wel of niet aandurft als ze een berichtje van David krijgt: 'Kom je naar mijn tent? Ik wacht op je.'

Ze kijkt op haar horloge. Het kost twintig minuten om ernaartoe te lopen en twintig om terug te lopen naar de yogatent. Zelfs als ze drie kwartier bij hem blijft, heeft ze nog tijd over. En al duurt het bezoekje maar tien minuten, het zal haar meer ontspanning geven en beter voorbereiden op de les dan als ze hier blijft zitten. Ze propt alles wat ze nodig heeft in een rugtas, pakt haar mat en gaat de deur uit.

Het festival loopt ten einde, maar het enthousiasme van de mensen in het alpendorpje wordt alleen maar groter, gevoed door vier dagen muziek en zon en beweging. Als ze door de menigte loopt ziet ze dat een paar mensen haar nakijken. Misschien leerlingen die een les bij haar hebben gevolgd of haar op de affiches hebben gezien. Ze denkt terug aan de dag dat ze hier aankwam, toen ze bijna nergens toe in staat was door haar ontwenningshoofdpijn en ze herinnert zich hoe eenzaam ze zich voelde toen ze achter in de tent naar het welkomstwoord luisterde. Nu heeft ze het gevoel dat ze hier helemaal thuishoort, dat ze het recht heeft om hier te zijn, wat er vanmiddag ook gebeurt.

Het kost haar de grootste moeite om zich een weg te banen tussen al die mensen door, die zich naar hun lessen haasten of muziek aan het maken zijn op de hoeken van de nauwe straatjes, en het duurt een eeuwigheid voor ze de koele schaduw van het pad langs de rivier bereikt. Als ze daar is begint ze te rennen. Pas als ze bijna bij het kampeerterrein is, bedenkt ze dat David ook naar het hotel had kunnen komen; dat had haar kostbare tijd bespaard en hij moet toch al naar het dorp komen voor de les.

Ze loopt naar zijn plekje tussen de bomen, maar zijn tent is afgebroken en al zijn spullen zijn samengepakt in kleine bundeltjes die netjes op de grond zijn opgestapeld. Het is niet haar stijl om zo weinig bagage mee te nemen als ze op reis is, maar daar kan ze aan wennen. Voor hem zou ze waarschijnlijk aan alles kunnen wennen. Hij zit op de oever van de rivier en zodra hij haar in het oog krijgt, springt hij op en omhelst haar.

'Wat duurde dat lang,' zegt hij. 'Ik begon ongerust te worden.'

'Het is zo druk in het dorp dat ik nauwelijks vooruitkwam. We moeten ruim op tijd terug, anders ben ik bang dat ik te laat kom.'

'Verheug je je op de les?'

'Ik zie er niet meer zo tegen op als eerst,' zegt ze. 'Er is de afgelopen dagen zoveel gebeurd.' Misschien zou ze eigenlijk niets moeten zeggen, misschien maakt ze zichzelf te kwetsbaar als ze te eerlijk is, maar wordt het leven niet mooier als je af en toe risico's neemt en je gevoelens toont? 'Zal ik vertellen wat me is overkomen? Wat er voor geweldigs is gebeurd?'

Hij glimlacht maar zegt niets.

'Vooral jij. Maar dat had je zelf ook wel kunnen raden. Ik heb een moeilijk jaar achter de rug, maar als dat nodig was om op dit punt te komen, dan was het het waard. Alleen al de wetenschap dat jij bij de les aanwezig bent geeft me meer zelfvertrouwen.'

Hij kust haar zachtjes op de ogen en zegt: 'Lee, ik doe niet mee met de les.'

Ze zet een stap naar achteren. Hij zei het zachtjes maar zijn toon is moeilijk te doorgronden. 'Wat bedoel je?'

'Ik heb vandaag door het dorp gelopen, zo'n beetje de hele dag. Ik heb een paar lessen gevolgd en bij een heleboel andere meegekeken. Het is allemaal flauwekul, Lee. Alles. Niets dan handel en consumentisme en sponsors en dwepen met beroemdheden en alles waar ik bij het beoefenen van yoga en in de rest van mijn leven ver vandaan wil blijven. Dit hele gedoe is één grote commerciële kermis waar ze de term "yoga" aan hebben gehangen, niet omdat er ook maar iemand is die yoga belangrijk vindt, maar omdat dat nou eenmaal verkoopt. Ik wil hier niet bij horen en ik wil ook niet dat jij erbij hoort. Ik wil niet dat het bij ons hierom draait, dat dit is waar we voor staan.'

Lee raakt een beetje in paniek, alsof ze nu moet boeten voor het plezier dat ze de afgelopen dagen met hem heeft gehad.

'Het is een festival,' zegt ze. 'Duizenden mensen die bij elkaar komen om rond te dartelen in de natuur en plezier te maken en te doen wat ze het liefst doen. Natuurlijk is veel ervan overdreven en belachelijk. Dat ontken ik niet. Maar er lopen hier waarschijnlijk honderden mensen rond wier leven voorgoed is veranderd, al is het maar een klein beetje. Wat is daar mis mee?'

'Zie je dan niet dat jij ook voor de bijl bent gegaan? Je bent erin getrapt.'

'Ik heb een kans gekregen en die heb ik met beide handen aangegrepen.'

'Waarom zou je je laten verleiden tot een wedstrijd met Kyra Monroe om te zien wie de meeste mensen trekt? Doe er niet aan mee. Als je die grote tent in stapt en je met een microfoon op je borst gaat staan uitsloven, dan ben je net als zij. Als je daar naar binnen gaat kun je niet meer terug.'

Bedoelt hij nou dat ze die les niet moet geven, na alle moeite die ze ervoor heeft gedaan? 'Ik heb een contract getekend,' zegt ze. 'Mijn vrienden hebben me geholpen mensen te lokken. Ik kan niet zomaar wegblijven.'

'Dat kun je wél,' zegt hij. 'Er staan vijftig leraren in de coulissen te popelen om voor je in te vallen. Je kunt wél zomaar wegblijven.'

'Zo simpel is het niet, David. Ik heb een studio. Ik heb kinderen en werknemers. Die kan ik niet zomaar in de steek laten.'

'Ik zal je helpen. Ik zal je helpen om je studio draaiende te houden zonder dit soort flauwekul.'

'Kom je bij me werken in Edendale?'

'Als dat is wat je wilt, kunnen we het erover hebben.'

Maar zo te horen draait het hier allemaal om wat hij wil en heeft het weinig te maken met wat zij wil. Als ze de les laat schieten, krijgt ze David en dat is precies waarnaar ze verlangt sinds ze hem kent. En als ze dat niet doet? Daar heeft hij niets over gezegd, maar ze heeft het sterke vermoeden dat ze hem voorlopig niet zal zien als ze de les wel laat doorgaan. Het is nooit haar ambitie geweest om een 'ster' te worden en de waarheid is dat als Lainey er niet was geweest, ze niet eens zou hebben overwogen om hier les te gaan geven. Waarom zou ze David opgeven voor iets waarvan ze niet eens zeker weet of ze het wel wil?

'Je kunt met mij mee terugrijden naar L.A.,' zegt David, terwijl hij haar tegen zich aan trekt. 'We kunnen onderweg kamperen. Het enige wat ik vraag is dat we nu vertrekken.'

'Vóór de les.'

'Ja, vóór de les.'

Katherine zou Lee een halfuur voor aanvang van de les achter het podium ontmoeten. Op dit moment is Lee vijftien minuten te laat en Katherine begint zich zorgen te maken. Wat kan er gebeurd zijn? Ze heeft een paar keer naar het hotel gebeld, maar in haar kamer werd niet opgenomen en ze reageert ook niet op sms'jes.

De geluidsman komt naar haar toe en zegt: 'Ze had hier twintig minuten geleden moeten zijn. We moeten haar microfoon opspelden en checken of alles werkt. Als het nu misgaat is het niet mijn schuld.'

'Ik ken haar,' zegt Katherine. 'Ze komt heus wel.'

'Zeg dat maar tegen Krishna O'Reilly. Die heeft het niet meer. We hebben vierhonderd mensen in de tent en als ze er over vijf minuten niet is, wijst hij een invaller aan. Dat zou niet best zijn voor haar.'

Katherine kijkt de tent in. De matten liggen zo dicht opeen dat de randen elkaar bijna raken. Uit de boxen komt muziek, maar die is nauwelijks te horen door het gelach en het gepraat van de leerlingen.

Alsjeblieft, Lee, denkt ze, verpruts het niet. Hij is het niet waard.

Op de eerste rij zitten Stephanie en de anderen in een kringetje te praten. Katherine ziet dat Imani en Becky genieten van de aandacht die ze trekken, ook al doen ze hun best dat niet te laten merken. Ze loopt naar ze toe en Stephanie zegt: 'Je ziet er nog niet uit alsof je het naar je zin hebt, Katherine.'

'Lee is aan de late kant. Ik begin me zorgen te maken.'

'Ze is heel professioneel. Wat zou er gebeurd kunnen zijn?'

'Als ze niet komt,' zegt Becky, 'klimmen Renay en ik wel op het podium om de mensen te vermaken. Wij kunnen prachtige versies zingen van "Moon River" en "Blue Skies". Maak je geen zorgen.'

De geluidsman praat met Krishna O'Reilly en wijst naar Katherine. Samen wenken ze haar.

'Zo terug,' zegt ze. 'Hou mijn plaatsje vrij.'

Krishna is een grote, joviale man en omdat hij degene is die Lee heeft geboekt, begrijpt Katherine maar al te goed dat hij zich opwindt. 'Onacceptabel,' zegt hij. 'Het hele weekend, tientallen leraren, en niet een die te laat met een les is begonnen. Waar denkt ze dat ze mee bezig is?'

Ze denkt dat ze verliefd is, wil Katherine zeggen. Natuurlijk doet ze dat niet. Het is tenslotte haar leven en haar keuze. Als ze alles opzijzet voor David, moet ze dat zelf weten.

'Ik ben het zat,' zegt Krishna. 'Ik ga Taylor Kendall of Baron vragen. Ik had sowieso een bekendere naam moeten kiezen.'

Katherine heeft zelf genoeg fouten gemaakt om te weten dat je soms gewoon moet struikelen. Op de een of andere manier zal Lee er wel weer bovenop komen.

'Doe maar wat u moet doen,' zegt ze. 'Ik ben hier alleen maar als haar vriendin.'

'Nou, dan kun je haar als vriendin vertellen dat ze zojuist haar kans op een carrière in L.A. heeft vergooid. Het verhaal dat ze vierhonderd mensen heeft laten stikken zal zich als een lopend vuurtje verspreiden. Denk je dat er dan nog iemand is die haar lessen wil volgen?'

Katherine werpt nog een laatste blik op het veld achter de tent, op de weidse, groene vlakte. Ze ziet de bergen in de verte en het indringende blauw van de hemel. Dit is wat ze zich over een paar jaar van dit moment zal herinneren, de mooie kleuren en de zachte, warme wind die van de berg komt. Ze zal zich bij haar vriendinnen op de eerste rij voegen en meedoen met de les, wie er ook op het podium staat. En dan ziet ze iets in de verte, een vlekje aan de andere kant van het veld dat langzaam groter wordt. Ze loopt naar buiten en knijpt haar ogen tot spleetjes om scherper te kunnen zien. Ze zwaait hoopvol. En dan ziet ze duidelijk dat het Lee is die over het pad komt aanrennen en uitbundig terugzwaait. En als Katherine zich niet vergist, lacht ze ook.

Katherine loopt snel weer naar binnen en pakt de geluidsman beet. 'Zeg tegen Krishna dat ze er is,' zegt ze, wijzend naar Lee. 'En zeg maar dat het een onvergetelijke les wordt.'

Lainey zet de afzuiger van de nieuwe wc aan. Hij is geluidloos maar zo krachtig dat hij de papieren handdoekjes bijna naar het plafond zuigt. Graham is een goede vent. Het kostte wat overredingskracht, maar uiteindelijk gaf hij toe. Hij is niet star en heeft geen last van een te groot ego – een zeldzaamheid bij architecten en mannen in het algemeen. Stel je voor, een wc-deur van licht gematteerd glas waar je bijna doorheen kunt kijken. Een belachelijk idee. In een wc heb je twee dingen nodig: privacy en een goede afzuiger. Dat weet iedereen. Ze rommelt in haar tas tot ze haar aansteker vindt.

Aan de andere kant barst het in het yogawereldje van de belachelijke ideeën. Als iemand haar een paar jaar geleden had verteld dat ze haar dagen zou slijten tussen mensen in strakke pakjes met hun hielen boven hun hoofd, zou ze dat niet hebben geloofd. Al die idiote namen voor die idiote houdingen, alsof een Sanskriet aandoende term iets verandert aan het feit dat je gewoon maar wat rondhuppelt en in een soort Barbapapa verandert. Een paar weken geleden heeft ze een boek gelezen waarin werd beweerd dat yogahoudingen zijn afgeleid van gymnastiekoefeningen die Deense soldaten in de jaren twintig van de vorige eeuw in India deden. Toen ze het uit had, heeft ze het boek weggegooid. Niet bepaald een theorie waarmee je klanten trekt. Ze laat het beeld van een heleboel buigzame, roze Barbapapa's op zich inwerken, ademt uit en begint te grinniken. Het is zo druk op het openingsfeest dat niemand haar hier zal horen, dus lacht ze vrijuit.

Ze spoelt door, voor het geval er iemand buiten staat die zich afvraagt wat ze aan het doen is, wast haar handen, sprenkelt er wat eau de cologne op die ruikt naar vers gemaaid gras, neemt een snoepje en is er helemaal klaar voor.

Alles in de studio heeft een warme gloed, vooral doordat Graham erop stond dat ze kaarsen zouden neerzetten. Verrassend hoe mooi mensen en ruimtes eruitzien in dat zachte, flakkerende licht. Waarschijnlijk ziet ze er zelf ook niet slecht uit. Ze voegt zich bij de groep en wordt plotseling overspoeld door geluk. Misschien was haar ontslag bij UCLA wel het beste wat haar ooit is overkomen. Ze had een goed salaris en uitstekende arbeidsvoorwaarden, maar eigenlijk was het niets anders dan pure verveling met een fluwelen randje. Niemand had haar daar nodig. Zodra ze Edendale binnenstapte voor haar sollicitatiegesprek, wist ze dat dat hier heel anders zou zijn. Talloze losse eindjes die vastgeknoopt moesten worden. Missie volbracht. Althans, gedeeltelijk.

Lee staat voor in de ruimte te praten met haar vriendinnen. Ze zijn al bijna twee weken terug van het festival, maar nog steeds raken ze niet uitgepraat over hun avonturen. Wat is er nou precies gebeurd met die magere, bebrilde jongen? In ieder geval is hij niet meer in beeld. Op het moment dat hij de studio binnenkwam, wist Lainey dat hij niet geschikt was voor Lee. Wat Lee maar niet wil begrijpen is dat Graham wel geschikt voor haar is. Lainey wil niets overhaasten, maar ze geeft wel kleine duwtjes in de goede richting.

Ze heeft Graham zijn overdadige plannen voor het feest uit het hoofd gepraat. Het is heel gemakkelijk om mensen te laten doen wat je wilt als je hun motieven kent. Hij wilde indruk maken op

Lee. En ze wist hem ervan te overtuigen dat hij dat het best kon doen door het feest kleinschaliger te maken en de wijn en dure hapjes te verruilen voor een grappige yogales.

Graciela komt bij Lainey staan en zegt met haar lieve, onschuldige stem: 'Het is bomvol! Had je zoveel mensen verwacht?'

'Lee heeft zulke goede recensies gekregen na het festival, dat we wel vermoedden dat het druk zou worden. Maar niet zó druk.'

'Ik hoop dat er nog plaats voor mij is bij haar lessen.'

'Kom maar naar mij toe als er problemen zijn. Ik heb hier vrij veel invloed.'

Lainey heeft Lee nog niet verteld dat Graciela de eerste is die door haar zal worden opgeleid. Niet dat ze denkt dat Lee daar bezwaar tegen zal hebben, maar het is beter om haar eerst weer tot rust te laten komen en te laten wennen aan de nieuwe studio voordat ze haar vertelt wat de volgende stap wordt.

Graham staat achterin, bij Glenn, Conor en de aannemer die het grootste deel van het werk heeft gedaan. Hij draagt zoals altijd een wit overhemd en een zwarte broek, maar voor deze gelegenheid heeft hij er vanavond een zwarte das aan toegevoegd. Glenn en de aannemer zijn ongetwijfeld bezig Conor ervan te overtuigen dat een baby niet het einde betekent van zijn leven zoals hij dat gewend is. Vertaling: ze proberen zichzelf ervan te overtuigen dat ze blij zijn dat ze vader zijn. Wat haar betreft is Graham de knapste van het stel, maar ze moet hem een keer uitleggen dat hij zo nu en dan wat kleur in zijn garderobe moet brengen. Wie wil er nou uitgaan met een man die eruitziet als een krant?

Lainey vraagt zich af hoe Lee les moet geven in een ruimte propvol mensen, maar blijkbaar heeft Lee een plan. Ze vraagt iedereen om in de zaal te komen staan, en als ze dat doen, staan ze zo hutjemutje dat het al moeilijk zal worden überhaupt te bewegen. Lainey blijft achterin hangen.

Toen ze een paar dagen geleden thuis naar een realitysoap zat te kijken over te dikke mensen die salades aten en tegen boksballen sloegen, stond ze op en probeerde ze zo'n krijgerhouding. Heel simpel eigenlijk, en waarschijnlijk was het nog beter gegaan als ze geen rok had gedragen. Het voelde goed – een beetje belachelijk, maar ook een beetje sterk – dus deed ze het nog eens met het andere been voor. De volgende dag zocht ze op internet naar een site die yogabroeken verkoopt voor mensen van haar omvang, oftewel, normale mensen met echte lichamen. Ze had er bijna een gekocht, maar zag er op het laatste moment van af. Te duur en te weinig verhullend. Je kunt je zwakke punten altijd maar het best verborgen houden.

Lee begint instructies te geven. Gek dat ze nu al een aantal maanden in Edendale werkt, maar Lee nog nooit les heeft horen geven. Ze staat in de deuropening, niet binnen, niet buiten. Lee laat ze allemaal tegelijk ademhalen, in en uit, steeds langzamer. Lainey doet haar ogen dicht en luistert naar het geluid van al die longen die samenwerken als een gigantische blaasbalg, en ze heeft het vreemde gevoel dat ze de controle verliest en opgaat in de groep.

Ze voelt een hand op haar arm en doet haar ogen open. Lee staat naast haar. 'Kom binnen,' zegt ze. 'Ik wil dat je meedoet.'

'Vergeet het maar,' zegt Lainey. 'Ik heb mijn yogabeha niet aan.'

Lee glimlacht. 'Wat je ook besluit, ook als je gewoon stil blijft staan, dan is dat precies wat je moet doen.'

'Daar moet ik even over nadenken,' zegt Lainey.

Lee neemt haar mee naar binnen en zet haar tussen twee magere meisjes met t-shirts en leggings aan. 'Je hoeft alleen maar adem te halen,' zegt Lee zachtjes. 'Haal gewoon adem, dan gaat de rest vanzelf.'

Weggaan zou vernederender zijn dan blijven, dus sluit Lainey haar ogen en ademt ze diep in. Hiervoor heeft ze geen speciale broek nodig of een ander lichaam. Ze hoeft haar ogen niet eens open te doen. Het enige wat ze hoeft te doen is ademen – Lee zei het zelf. Dat kan ze best.